Culinária Ayurvédica
Para o seu dia a dia

KATE O'DONNELL

com fotografias de CARA BROSTROM

Culinária Ayurvédica
Para o seu dia a dia

Um Guia Para Comer Bem e
Viver com Saúde nas Quatro Estações do Ano

Com mais de 100 Receitas Simples, Práticas e
Energéticas para o seu Bem-Estar

Tradução:
Isa Mara Lando
Andréa Biancovilli

Consultoria:
Cinara Sampaio Lothamer

Editora Pensamento
SÃO PAULO

Título do original: *The Everyday Ayurveda Cookbook*.

Copyright © 2015 Kate O'Donnell.

Copyright das fotos © 2015 Cara Brostrom.

Publicado mediante acordo com Shambhala Publications, Inc.

Copyright da edição brasileira © 2019 Editora Pensamento-Cultrix Ltda.

1ª edição 2019. / 3ª reimpressão 2021.

Todos os direitos reservados. Nenhuma parte deste livro pode ser reproduzida ou usada de qualquer forma ou por qualquer meio, eletrônico ou mecânico, inclusive fotocópias, gravações ou sistema de armazenamento em banco de dados, sem permissão por escrito, exceto nos casos de trechos curtos citados em resenhas críticas ou artigos de revista.

A Editora Pensamento não se responsabiliza por eventuais mudanças ocorridas nos endereços convencionais ou eletrônicos citados neste livro.

Nota: Muitos ingredientes deste livro não nascem nas mesmas estações do ano no Brasil. As frutinhas vermelhas, por exemplo, podem ser difíceis de encontrar em algumas regiões, assim como outros alimentos podem ser diferentes ou mesmo inexistentes. Assim, este livro é também um convite à sua sensibilidade e à sua criatividade para sentir as estações de Norte a Sul do Brasil e preparar as suas receitas dentro dos princípios ayurvédicos que você vai aprender aqui.

Editor: Adilson Silva Ramachandra
Gerente editorial: Roseli de S. Ferraz
Produção editorial: Indiara Faria Kayo
Editoração eletrônica: Join Bureau
Revisão: Luciana Soares da Silva

Dados Internacionais de Catalogação na Publicação (CIP)
(Câmara Brasileira do Livro, SP, Brasil)

O'Donnell, Kate
　　Culinária Ayurvédica para o seu dia a dia: um guia para comer bem e viver com saúde nas quatro estações do ano / Kate O'Donnell; tradução Isa Mara Lando, Andréa Biancovilli; consultoria Cinara Sampaio Lothamer. - São Paulo: Pensamento, 2019.

　　Título original: The everyday Ayurveda cookbook
　　ISBN 978-85-315-2069-3

　　1. Alimentação saudável 2. Culinária (Receitas) 3. Medicina ayurvédica I. Lothamer, Cinara Sampaio.

19-26795　　　　　　　　　　　　　　　　　　　　　　　　　　　　CDD-641.5636

Índices para catálogo sistemático:
1. Receitas vegetarianas : Culinária 641.5636
Iolanda Rodrigues Biode - Bibliotecária - CRB-8/10014

Direitos de tradução para o Brasil adquiridos com exclusividade pela
EDITORA PENSAMENTO-CULTRIX LTDA., que se reserva a
propriedade literária desta tradução.
Rua Dr. Mário Vicente, 368 - 04270-000 - São Paulo - SP
Fone: (11) 2066-9000
http://www.editorapensamento.com.br
E-mail: atendimento@editorapensamento.com.br
Foi feito o depósito legal.

ESTE LIVRO É DEDICADO A AYUR VIDYA,
O ESPÍRITO DO AYURVEDA.

Sumário

Nota ao leitor — 8
Introdução: Sobre Culinária Ayurveda: *Receitas para o Dia a Dia* — 11

Primeira parte: Compreendendo o Ayurveda — 17
1. Conceitos básicos do Ayurveda — 19
2. Os princípios da alimentação ayurvédica — 49
3. Da teoria à prática: Na cozinha com o Ayurveda, no dia a dia — 67

Segunda parte: Receitas e rotinas para as quatro estações — 87
4. Receitas para o dia a dia: Pratos indispensáveis para o ano inteiro — 89
5. Receitas de primavera — 133
6. Receitas de verão — 173
7. Receitas de outono — 211
8. Receitas de inverno — 249

Apêndice 1: Como praticar a *Dinacharya* — 290
Apêndice 2: Práticas de limpeza sazonal — 296
Apêndice 3: Utensílios e técnicas para a prática cotidiana do Ayurveda — 302
Apêndice 4: Listas de compras sazonais — 306
Apêndice 5: Tabelas de cozimento — 308
Apêndice 6: Índice de receitas por sintomas — 314

Notas — 316
Glossário — 317
Agradecimentos — 322
Índice — 323

Nota ao Leitor

A comida sempre foi minha amiga. Gosto de brincar com a comida desde criança, quando fazia bolinhos de lama nos degraus da frente de nossa casa, como conta minha mãe. Por uma auspiciosa reviravolta do destino, conheci ainda bem jovem as cozinhas da Índia. Visitei o país pela primeira vez quando estava na faculdade e aprendi a fazer minha própria comida. Rondando pelas cozinhas das aldeias e experimentando enrolar *chapati* e fritar *dosa* – foi assim que eu aprendi. E note que ainda não sei fazer um bom espaguete com queijo! Mas não sou de comer muito queijo nem massas. Meus alimentos básicos, que me fazem bem e me deixam bem alimentada pela manhã antes da minha sessão de yoga, são arroz basmati, *dal* e *kichari* (ensopados de arroz com legumes e feijão ou outros grãos). Este livro vai lhe ensinar a fazer tudo isso e muito mais.

Eu nunca havia pensado muito sobre o fator digestão, mas, depois de alguns anos de vida itinerante, comecei a perceber que eu não me sentia bem com a maioria dos alimentos e passei a notar a relação entre o que eu comia e a maneira como eu me sentia. Quando minha digestão entrou em crise durante uma viagem pela Índia, encontrei um médico ayurvédico que me ensinou como esse sistema utiliza os alimentos para a cura. Certa vez escreveu no idioma local o nome de um vegetal recomendado; levei o papel para um feirante, que apontou para uma abóbora branca do tamanho de um ventilador de teto. Serrou um bom pedaço, embrulhou em jornal e levei para casa. Assim começou, na minha cozinha, meu *hobby* de criar receitas que destacam os alimentos medicinais e aproveitam bem os diversos grãos, leguminosas, frutas e verduras recomendados na alimentação ayurvédica. Todas as minhas experiências com alimentos desconhecidos que encontrei nas barraquinhas de rua na Índia e também com os produtos locais nas feiras livres da minha cidade, Boston, já somam anos de pesquisas culinárias. São essas experiências práticas que formam a base para essas receitas.

Vamos avançar quinze anos. Moro numa cidade grande e sou professora de yoga e praticante de Ayurveda. A alimentação e o estilo de vida que apresento neste livro são a base que sustenta a minha vida, voltada para servir meu semelhante, num ambiente urbano e para equilibrar o caminho espiritual com os deveres da vida cotidiana. Procuro cuidar bem de mim para poder colaborar com as comunidades que praticam yoga e Ayurveda, com a profundidade e os benefícios que eles nos trazem, em meio ao ritmo da vida moderna. Para mim, o princípio ayurvédico de comer alimentos facilmente digeríveis, sempre num ambiente calmo, continua sendo a chave para nos mantermos saudáveis e vibrantes. Essa é a realidade da vida; sou uma pessoa ocupada e sinto fome. Assim, pela força da necessidade, criei versões híbridas

da culinária indiana nas cozinhas minúsculas dos apartamentos em que morei. Este livro parte de ingredientes frescos, próprios de cada estação, para que você possa criar, em meio a um dia atarefado, refeições autênticas, com poder não só de alimentar como também de curar.

A fotógrafa Cara Brostrom começou a preparar em casa algumas das minhas receitas para equilibrar seu organismo. Sua experiência foi tão benéfica que ela ofereceu seus talentos para me ajudar a divulgar o Ayurveda (e a me organizar). Suas incontáveis horas preparando e editando as receitas tornaram os pratos belos e deliciosos. Na minha cozinha, porém, o principal é que sejam rápidos e fáceis de fazer. Todas as fotos deste livro são de pratos que eu e Cara preparamos e depois saboreamos. Ela destacou os ingredientes básicos do Ayurveda e tirou fotos de comida de verdade, preparada em tempo real; assim, os pratos que você preparar devem realmente sair parecidos com as fotos. A compreensão e a experiência prática de Cara da culinária ayurvédica se revela na beleza e na simplicidade que você vê neste livro.

Convido você a entrar na minha cozinha, na minha pequena "aldeia urbana", e aprender a culinária ayurvédica na prática, tal como eu fiz. Já vi esse tipo de alimentação ajudar muita gente; muitas pessoas também me ajudaram no meu caminho, e agora é a sua vez de arregaçar as mangas e preparar algumas *dosas,* a tradicional panqueca indiana. Este livro oferece não apenas receitas, guias de alimentos sazonais e listas de compras, como também orientações estratégicas simples para que você comece a fazer agora mesmo as receitas e praticar o estilo de vida ayurvédico. Desejo que esses antigos princípios indianos para a saúde e a felicidade entrem na sua vida naturalmente. É simples e é possível. Vamos praticar juntos, todos os dias.

Kate O'Donnell
Boston, Massachusetts
2014

Introdução

SOBRE CULINÁRIA AYURVEDA: *RECEITAS PARA O DIA A DIA*

Eis aqui o objetivo deste livro: levar você para a cozinha. Não para elaborar grandes almoços e jantares, mas para preparar refeições simples, na maioria dos dias. Talvez até todos os dias. Você pode se apaixonar pela culinária ou não, mas é importante saber que preparar comida para si mesmo é um elemento essencial para a saúde e o bem-estar. Este livro adota uma linha simples, prática e funcional. O objetivo não é preparar refeições sofisticadas nem perfeitas, mas sim ficar satisfeito com a comida que você preparou. Em alguns dias, isso significa comer uma guloseima extra; em outros dias, manter a alimentação básica para servir de combustível para o dia. O programa alimentar deste livro oferece muita variedade, mas a base é a simplicidade.

O Ayurveda, ciência da saúde nativa da Índia, é uma forma de compreender o equilíbrio e o desequilíbrio do organismo, para que possamos evitar o avanço das doenças, tratando das causas logo de início. A inspiração que move este livro é desmistificar essa antiga ciência, que tem uma contribuição a dar a cada um. Na visão do Ayurveda, manter-se saudável depende muito da boa nutrição e da boa digestão. A comida se transforma nos tecidos do corpo, e nossa atitude ao sentar à mesa contribui para a capacidade do organismo de digerir e assimilar bem os alimentos. Para nos sentirmos bem, é fundamental estar ciente dos elementos de que nosso corpo necessita e também desejar saúde ao nosso corpo ao preparar nossas refeições.

Este livro se destina a quem:
- Está em busca de maneiras concretas para melhorar sua alimentação e seu estilo de vida.
- Não conhece o Ayurveda e não tem experiência de culinária em geral.
- Vem sentindo cansaço, ansiedade ou má digestão.
- Se interessa em aplicar à sua vida um sistema de cura holístico tradicional.

Os capítulos a seguir resumem, de maneira muito simplificada, essa ciência médica completa e sofisticada, já muito testada na prática, abordando alguns princípios gerais que todos nós podemos aplicar para construir a base de uma vida saudável. O Ayurveda é uma verdadeira sinfonia de conhecimentos experimentais. Neste livro você terá um primeiro contato com essa bela música, que pode inspirá-lo a conhecer mais canções algum dia. Mas, mesmo se não o fizer, este livro pode mudar sua vida.

Estas receitas apresentam uma maneira simplificada de praticar a arte da culinária, especificamente da culinária ayurvédica, em que todo alimento também pode ser um medicamento. Simplifiquei todos os pratos tradicionais que tinham longas listas de ingredientes ou muitas fases de preparação, para que você possa fazer as receitas sem muito trabalho. Essa simplicidade permite que você tenha o prazer de comer, todos os dias, algo feito pelas suas próprias mãos. Isso é possível!

O QUE VOCÊ VAI ENCONTRAR NESTE LIVRO:

- Uma introdução ao Ayurveda; como funciona essa alimentação e esse estilo de vida. Mas você não precisa ler (e muito menos memorizar) essa parte para aproveitar bem este livro.
- Métodos para fazer pratos simples para o café da manhã, para o almoço ou para o jantar, que podem ser adaptados mudando-se os ingredientes conforme a estação do ano.
- Rotinas diárias de autocuidado para cada estação do ano e sugestões para a melhor hora do dia para praticá-las.
- Listas de compras para cada estação, ajudando você a preparar as receitas básicas de cada capítulo sazonal.
- Dicas de viagem, para cozinhar para a família e para levar ao trabalho, para nos alimentarmos bem e ficarmos bem centrados durante nossa rotina diária.
- Práticas bem testadas para melhorar a função dos órgãos digestivos e nos sentirmos bem depois de comer.
- Um passo a passo das práticas de limpeza ayurvédica de primavera e de outono.

PRAKRITI, SUA VERDADEIRA NATUREZA

O Ayurveda é conhecido por sua filosofia individualizada: cada pessoa é vista como um sistema único, com suas necessidades e tendências únicas. *Prakriti* significa "natureza". É uma palavra usada para abranger toda a matéria primordial, o que se poderia chamar de Mãe Natureza, e se refere à verdadeira natureza de uma pessoa. *Você é constituído por uma combinação única de elementos da natureza, e as qualidades desses elementos no seu corpo fazem de você quem você é e como você é!* Compreender quais elementos são predominantes no seu corpo é algo intuitivo, e estas receitas vão ajudar você a sentir de que maneira os elementos se manifestam no seu corpo. Dedique algum tempo para deixar que as práticas deste livro se aprofundem em você. E, se quiser saber mais, um praticante de Ayurveda pode ajudá-lo a perceber melhor como certos elementos podem se desequilibrar no seu corpo e ensiná-lo a administrar essas tendências específicas por meio da alimentação e do estilo de vida.

O QUE VOCÊ NÃO VAI ENCONTRAR NESTE LIVRO:
- Receitas complicadas que exigem comprar ingredientes caros.
- Receitas com açúcar branco (refinado) ou farinhas refinadas.
- Uso intensivo das solanáceas (tomate, berinjela, pimentão, batata-inglesa) – uma família de vegetais com vestígios de toxinas, que podem se acumular e causar inflamação em algumas pessoas.
- Uso intensivo de alho e cebola crua como temperos, pois ambos são alimentos que geram calor no organismo e excitam a mente.
- Informações sobre a constituição pessoal e diagnóstico de doenças. Para isso você deverá consultar outras fontes de informação ou um praticante ou médico ayurvédico.

Origens das receitas

TRADICIONAIS

Muitas receitas neste livro foram inspiradas pelo que aprendi com a arte culinária na Índia, seja na casa das pessoas ou em clínicas e centros de Ayurveda. A sensibilidade ayurvédica está arraigada na culinária indiana, embora seja preciso entrar na casa das famílias para encontrá-la. A maioria dos alimentos servidos nos restaurantes, tanto na Índia como em restaurantes indianos no exterior, não constitui uma alimentação saudável. Hoje a mídia moderna está mudando a sensibilidade sobre a alimentação na Índia, tal como acontece no Ocidente. A propaganda paga pelos fabricantes divulga constantemente novas ideias sobre o que é "saudável". As mudanças na economia indiana trazem consigo problemas de obesidade e diabetes. E muita gente no país do Ayurveda, bem como no mundo ocidental, vem buscando nesse antigo sistema recomendações imparciais para o bem-estar, baseadas em milhares de anos de experiências práticas.

REGIONAIS

Alguns ingredientes nativos da Índia mencionados em textos clássicos do Ayurveda não estão disponíveis fora do país. Assim, para espelhar as mesmas qualidades medicinais utilizando o que está disponível, modifiquei as receitas incluindo alimentos locais, encontrando as melhores opções por tentativa e erro. Em alguns casos, uma receita com raízes na cultura norte-americana, como Maçã Crocante da Kate ou *Muffins* de Batata-Doce com Aveia, apresenta meu conhecimento intuitivo das tradições culinárias ancestrais da minha região. Sem dúvida, onde quer que você more, e seja o que for que sua família tenha lhe ensinado, existe uma culinária adequada para o clima e o estilo de vida da sua cidade. Qualquer alimentação regional vai privilegiar a utilização de alimentos locais. Incentivo o leitor a fazer variações das receitas deste livro utilizando produtos locais. Com um pouco de prática, você também pode começar a modificar as suas receitas de família de modo a integrar os princípios do Ayurveda.

FANÁTICOS PELA SAÚDE

Um livro de cozinha ayurvédica com uma receita de Tacos de *Tofu* com Verduras? Para que você se sinta mais em casa com este livro, incluí alguns pratos de estilo ocidental e ingredientes modernos, como sementes de chia. Ninguém é obrigado a comer comida indiana o tempo todo para manter a saúde segundo o Ayurveda; com a criatividade característica da mistura de culturas, já surgiram muitas joias culinárias, algumas muito simples de fazer, que seria pena deixar de fora de um livro de receitas para o dia a dia. Modifiquei-as para respeitar as recomendações ayurvédicas para a boa digestão em alguns aspectos como a combinação de alimentos, os métodos de cozinhar e o uso benéfico de especiarias digestivas.

A base deste livro reside nos vinte anos que trabalhei em lojas e restaurantes de comida natural e cafés, modificando as receitas a fim de incluir todos os alimentos saudáveis que existem na face da Terra. Receitas que incluem ingredientes ocidentais saudáveis, como algas, tacos feitos com *tofu* ou manteiga de semente de girassol não constam da culinária ayurvédica tradicional, mas são básicas na minha cozinha e aderem aos princípios do Ayurveda.

Para algumas pessoas, desenvolver o paladar para os sabores indianos leva algum tempo, especialmente os doces. Na verdade, as sobremesas indianas dificilmente agradam o paladar ocidental. Experimente o Pudim de Arroz com Leite de Coco (conhecido na Índia como *kheer*) e o *Lassi* de Açafrão. Mas, quando você estiver procurando um alimento reconfortante e familiar, pode confiar nas minhas versões, inspiradas pelo Ayurveda, de pratos preferidos bem conhecidos, como a Maçã Crocante da Kate ou os *Cookies* de Amêndoas com Gengibre. Ei, estou aqui para ajudar você a se manter feliz e saudável, com receitas especiais que vão lhe dar prazer, sem o açúcar e as farinhas refinadas que o Ayurveda recomenda não consumir.

Este livro é dividido em duas partes: a primeira parte trata da teoria e a segunda, da prática. Sugestão: mergulhe logo nos capítulos da prática (mãos à obra na cozinha!) e vá explorando a primeira parte à medida que aumenta o seu interesse pelo Ayurveda.

PRIMEIRA PARTE

COMPREENDENDO O AYURVEDA

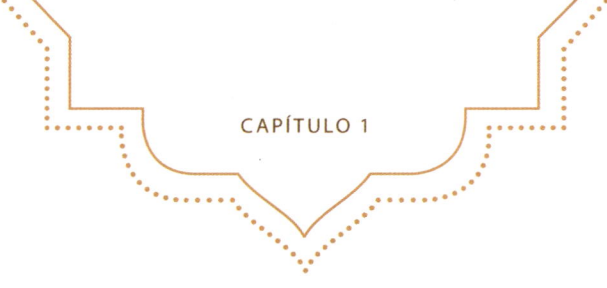

CAPÍTULO 1

Conceitos Básicos do Ayurveda

Um dos melhores aspectos do Ayurveda é a sua simplicidade... E o que é engraçado na simplicidade é que sempre conseguimos torná-la complicada! A seguinte introdução ao Ayurveda se destina aos interessados e aos que têm mais facilidade para integrar mudanças em sua alimentação e em seu estilo de vida se compreenderem de que modo as sugestões deste livro funcionam em seu benefício.

Incluímos também referências aos textos clássicos do Ayurveda, para lembrar que essas informações sobre vida saudável vêm de uma fonte extremamente confiável: milhares de anos de experiências humanas, de tentativa e erro.

Você não precisa ler este capítulo para se beneficiar de *Culinária Ayurvédica Para o seu Dia a Dia*. Talvez você esteja com este livro nas mãos porque sabe que seus hábitos alimentares poderiam melhorar. Isso é muito bom. Os capítulos sobre as quatro estações do ano, na Segunda Parte, dão as informações básicas para que você possa comer alimentos que vão manter seu equilíbrio ao longo do ano, sem precisar pensar muito a respeito. Aos poucos, com certeza, você vai criar sua compreensão intuitiva da ciência do Ayurveda. O estilo de vida vai se desenvolvendo com a experiência – assim, comece pela cozinha!

Mas se você quiser conhecer os instrumentos antes de começar a usá-los, vamos fazer uma jornada pelo Ayurveda.

O que é o Ayurveda?

Ayurveda pode ser traduzido como "ciência da vida" – *ayur* é vida e *veda* é ciência, conhecimento. Os textos clássicos, porém, definem *Ayur*, ou "vida", como sendo composto por quatro partes: o organismo físico, a mente, a alma e os cinco sentidos (visão, audição, tato, olfato e paladar). Diferentemente do modelo ocidental, que se concentra no corpo físico e, hoje em dia, por vezes na mente, o Ayurveda sempre levou em consideração a saúde desses quatro aspectos da vida.

O Ayurveda, sistema de saúde nascido na Índia, emprega alimentação, biorritmo, medicina fitoterápica, psicologia, estilo de vida saudável, cirurgia e terapia corporal para tratar a causa raiz das doenças. Essa ciência descreve o processo das doenças desde os primeiros sintomas até o óbito e inclui prevenção e tratamentos para doenças de oito ramos terapêuticos: medicina interna; cirurgia; ginecologia/obstetrícia/pediatria; duas variedades de geriatria, o rejuvenescimento do organismo e o rejuvenescimento da energia sexual; psicologia; toxicologia; e distúrbios dos olhos, ouvidos, boca e nariz.

Na Índia há muitos hospitais e clínicas de medicina ayurvédica. A medicina ocidental é muito usada em conjunto com a tradicional, especialmente em casos de doenças muito graves. Mas, enquanto a medicina ocidental é excelente para resolver situações agudas, o Ayurveda se destaca como medicina preventiva, buscando deter a progressão que vai do desequilíbrio à doença, abordando as causas subjacentes desde que se iniciam. Utilizado em conjunto com a medicina ocidental, o Ayurveda pode fortalecer a digestão, o sistema imunológico e o estado mental do paciente durante o tratamento.

De onde ele vem?

O Ayurveda talvez seja o mais antigo sistema de saúde do mundo que vem sendo praticado continuamente até hoje. Acredita-se que esse conhecimento, em seu estado atual, data de dois a cinco mil anos atrás, dependendo de quem der a resposta. As primeiras informações sobre o Ayurveda estão contidas no *Rig-Veda*, uma das quatro partes das antigas escrituras indianas, transmitidas oralmente em versos chamados *sutras* (fios). Acredita-se que os Vedas se originam dos *rishis*, que são sábios em estado de meditação profunda. Os Vedas contêm informações sobre música, mantras, rituais religiosos, Ayurveda e yoga.

Dos vários textos clássicos em sânscrito (o idioma da antiga Índia) que compõem o corpo da ciência ayurvédica, três são os mais importantes: o *Charaka Samhita*, o *Sushruta Samhita* e o *Ashtanga Hridayam* (uma compilação do *Charaka* e do *Sushruta*). Todos já foram traduzidos para o inglês; este livro faz referências ocasionais ao *Ashtanga Hridayam*.

Como funciona?

O Ayurveda reconhece que o ser humano é um microcosmo (uma pequena parte, um reflexo) do macrocosmo (o quadro geral, o universo). O corpo humano é constituído dos mesmos elementos que compõem tudo que existe à nossa volta; e nós, seres humanos, somos movidos pelas mesmas energias ou forças que movem os oceanos, os ventos, as estrelas e os planetas.

Nosso mundo funciona de acordo com vários ritmos – por exemplo, os ciclos do sol, da lua, das marés e das estações do ano –, e nós também seguimos esses ritmos. A introdução da luz artificial, do transporte global de alimentos e de uma agenda tão ocupada que sequer nos permite notar os ritmos da natureza – tudo isso nos leva a sair de sincronia.

Se uma pessoa age como se fosse separada dos ritmos do macrocosmo, seguindo seu próprio ritmo interior (por exemplo, comendo frutas tropicais no inverno ou muitos alimentos processados; ficando acordada a noite toda; e/ou respirando ar reciclado), o organismo vai ficar meio maluco. Se os movimentos do nosso mundo são um rio onde estamos flutuando, por que nadar contra a corrente? Você começa a sentir cansaço, não digere bem os alimentos e, com o tempo, acaba ficando "avariado".

O que a comida tem a ver com isso?

A digestão é de suma importância no Ayurveda. O processo completo de digestão, com a absorção e a assimilação dos nutrientes dos alimentos, forma os componentes fundamentais do corpo humano, chamados *ahara rasa,* ou seja, o suco dos alimentos. Quando mastigamos e engolimos, o alimento se mistura com água, enzimas e ácidos. O produto resultante, ou seja, a massa alimentar pronta para ser assimilada, é o "suco". Ao assimilar no nosso organismo as dádivas generosas da natureza, conectamos o microcosmo com o macrocosmo. A boa digestão resulta não apenas num corpo saudável, radiante, como também numa consciência radiante. Se você está apenas começando a compreender o Ayurveda, pode ser mais fácil tomar consciência do que você está comendo e de como você se sente ao comer do que perceber se você está "conectado". Os sentimentos de conexão e de plenitude são favorecidos por uma boa alimentação e uma boa digestão – e não é isso o que todo mundo quer?

O que isso tem a ver com o yoga?

O yoga e o Ayurveda originaram-se das mesmas raízes filosóficas e evoluíram na mesma época histórica. Os dois têm o mesmo objetivo: criar a união entre o microcosmo e o macrocosmo. A filosofia do yoga oferece um caminho para direcionar o organismo mente/corpo para compreender a si mesmo como um ser unificado com o universo. A ciência do Ayurveda concentra-se principalmente na manutenção do corpo físico, mas a ligação entre a consciência e a saúde é bem clara. O yoga, popular hoje em dia devido aos seus benefícios físicos, tradicionalmente sempre se focou mais em acessar o corpo mental e o corpo energético. Os movimentos e técnicas de respiração do yoga podem ser empregados pelo Ayurveda para estimular um órgão, ou sistema de órgãos, ou para aliviar o estresse. Quanto mais seguimos o ramo do Ayurveda especializado em psicologia, mais provável encontrarmos ali o sistema filosófico do yoga.

NOTA: Este livro é indicado para iniciantes no estilo de vida e na dieta ayurvédica, que desejam adotar os alimentos e as práticas mais comuns para o ciclo anual das estações. A relação entre o yoga e o Ayurveda é assunto para um livro inteiro e não será abordada aqui.

Como o Ayurveda vê o corpo humano?

No Ayurveda, a anatomia humana começa com os cinco elementos: espaço (também chamado de "éter"), ar, fogo, água e terra. Os elementos criam três compostos que regem funções e energias corporais específicas: movimento, transformação e coesão (manter as coisas unidas). Quando esses compostos, conhecidos como *doshas*, estão em equilíbrio e funcionando harmoniosamente, a pessoa desfruta de movimentos tranquilos (digestão, circulação etc.), sentidos límpidos, eliminação adequada dos resíduos e felicidade (satisfação, realização).

Cada um desses cinco compostos elementares se manifesta como certas qualidades sentidas no organismo, que podemos reconhecer simplesmente prestando atenção às sensações corporais. Por exemplo, o ar e o espaço são frios e leves, o fogo é quente e cortante, a terra e a água são pesadas e úmidas. Excesso ou falta de um conjunto de qualidades traz desequilíbrio ao organismo. A prevalência de qualidades secas e leves, por exemplo, resultará em pele seca. *O Ayurveda lida com o desequilíbrio introduzindo qualidades opostas e reduzindo as qualidades semelhantes.* No caso da pele seca, ingerir mais alimentos pesados e úmidos e reduzir os alimentos leves e secos vai aliviar esse sintoma.

UMA CURA SIMPLES E PROFUNDA

Lembre-se: este livro procura manter tudo bem simples, mas estamos falando de um sistema profundo. Saiba que o Ayurveda clássico descreve todos os canais que transportam as substâncias e as informações por todo o organismo, bem como a progressão das doenças em seis estágios. Ele tem aplicações bem definidas, tanto preventivas como de tratamentos para doenças em cada estágio de progressão. Embora o Ayurveda ofereça remédios caseiros muito úteis, não se trata de uma tradição popular, mas sim de uma ciência médica.

Continue lendo este livro para aprender a manter seu sistema de elementos, *doshas* e qualidades em equilíbrio.

Pancha Mahabhutas, os cinco elementos

O Ayurveda considera que o corpo humano, assim como todas as formas no nosso universo, é composto de diferentes combinações dos cinco elementos:

- Espaço, ou éter
- Ar
- Fogo
- Água
- Terra

Por exemplo, uma cenoura contém espaços, gases, água e o calor do sol; sua estrutura – dura, fibrosa, cor de laranja – é feita de terra. O corpo humano, como tudo que há no cosmos, compreende os cinco elementos trabalhando em conjunto. Use seu próprio organismo como quadro de referência para compreender os cinco elementos.

Espaço. Cada organismo contém muito espaço – em geral preenchido com alguma coisa, como alimentos, ácidos, fluidos e/ou resíduos.

- O intestino grosso – e, na verdade, o canal digestivo inteiro, da boca ao ânus – é um longo espaço cavernoso! Sem esse espaço, onde iríamos armazenar a comida?
- O ouvido, esse órgão delicado, é onde os sons ricocheteiam.
- Os ossos são feitos de tecido duro, poroso, com o interior oco, preenchido pela medula.
- A pele, o maior dos nossos órgãos, fica exposta às qualidades do espaço o tempo todo.

Ar. Onde quer que exista movimento, existe ar. O espaço é passivo, ao passo que o ar se move por todo lugar. E onde houver espaço, haverá ar em movimento. Sentimos o ar na pele quando sopra uma brisa e o vemos empurrando as nuvens pelo céu.

- A respiração é o movimento do ar entrando e saindo pelo nariz ou pela boca.
- Os gases e os arrotos são causados por movimentos de ar para fora do intestino e do estômago, respectivamente. Se você come animadamente, ar em excesso provavelmente entrará em sua boca e você ficará com mais gases. Bebidas gaseificadas fazem você arrotar porque você está ingerindo ar com o líquido.
- O som das articulações que estalam é causado pelo ar que sai dos espaços entre os ossos.

Fogo. Neste planeta, onde há calor, há fogo: uma fonte de água quente, um relâmpago, um incêndio florestal. O fogo do sol aquece a terra, assim como aquece o corpo humano. O núcleo da Terra é de fogo, assim como o núcleo humano – o estômago e o intestino delgado. Onde há calor no corpo humano, ele provém do fogo.

- O estômago e o intestino delgado são centros de fogo: os ácidos e as enzimas que eles produzem são quentes.
- O sangue é caracterizado pelo fogo, especialmente se você tem "sangue quente".
- O metabolismo e alguns hormônios são quentes. (Por exemplo, na puberdade ou na gravidez.)
- A função dos olhos requer o elemento fogo. Considere como seus olhos ficam quentes, vermelhos e secos se você passa muito tempo no computador ou vendo TV.

Água. A água existe em todo o planeta, nos rios, nos oceanos, nas células das plantas e nos seres humanos. Como você provavelmente já sabe, cerca de 80% do corpo humano é composto por água. Somos cheios de líquidos.

- Todas as membranas mucosas que recobrem o trato digestório, os olhos e os seios da face dependem da água na sua composição.
- O líquido linfático que flui pelo corpo humano tem uma base de água.
- O sangue no sistema circulatório contém água.
- Os sucos digestivos necessitam de água.
- O líquido sinovial, que lubrifica as articulações, representa o elemento água que mantém nossa lubrificação.
- A saliva é água que flui para a boca para a primeira fase da digestão.

Terra. Na natureza, o elemento terra é tudo o que é sólido – o solo, as rochas, as árvores e a carne dos animais. Essa é a estrutura sólida do corpo e o elemento mais fácil, conceitualmente, para compreendermos: trata-se de tudo que seja "carnudo".

- O tecido adiposo (ou seja, gordura) é o elemento terra em excesso que vai sendo armazenado.
- As fibras musculares são o elemento terra mantendo o esqueleto no devido lugar.
- A parte estável dos ossos (não o espaço no interior deles), que constitui a estrutura do esqueleto, é composta pelo elemento terra.

É importante lembrar que esses mesmos cinco elementos estão sempre se movendo em todos nós e em tudo o que existe. Todos nós somos feitos da mesma matéria, e é por isso que o Ayurveda considera o organismo humano como um microcosmo de todo o universo. Quando comemos uma cenoura e a transformamos, absorvendo e assimilando seus elementos nos nossos tecidos, o organismo absorve esses elementos da cenoura e os incorpora à sua própria estrutura, unindo assim nosso corpo com o mundo exterior.

LEMBRE-SE: A digestão é o aspecto mais importante da saúde. Se tivermos uma digestão saudável, nós nos sentiremos conectados com o todo. Se o organismo tiver dificuldade para decompor a cenoura e transformá-la em algo aproveitável, a pessoa vai se sentir separada, insatisfeita, cansada e, por fim, "péssima".

Os três *doshas*: amigos funcionais

Quem conhece um pouco de Ayurveda já ouviu falar dos *doshas*.

Dosha significa, literalmente, "o que tem culpa, o que está errado".[1] Mas os *doshas* não constituem um problema até que o desequilíbrio tenha se instalado no organismo há um certo tempo. Essas energias fazem bem ou mal, dependendo de estarem ou não num relativo estado de equilíbrio. É por isso que é mais importante entender como manter o equilíbrio do que encarar os *doshas* como vilões.

Existem três *doshas*, chamados *vata*, *pitta* e *kapha*. Esses são os compostos que surgem naturalmente quando os cinco elementos se reúnem em determinadas combinações para compor um corpo humano. Cada um executa uma função específica no organismo e se manifesta como um conjunto reconhecível de qualidades.

VATA é a energia do movimento.

PITTA é a energia da transformação.

KAPHA é a energia da estrutura juntamente com a da lubrificação; é a coesão (por exemplo, algo como a cola).

VATA

Onde há espaço, o ar começa a se mover, e a composição do espaço com o ar se manifesta com as qualidades *frieza, leveza, secura, aspereza, mobilidade, instabilidade* e *limpidez*. O espaço e o ar não têm calor, umidade nem peso, certo? Essas qualidades são inerentes ao fogo, à água e à terra.

As qualidades do espaço e do ar vão agir, naturalmente, de uma certa maneira e exercer determinados efeitos sobre o corpo humano. Considere o *vata* como sendo as correntes do organismo. O organismo sabe que o alimento entra pela boca e depois segue para baixo e para fora. É o *vata* que o vai conduzindo. Não há nada de problemático nas qualidades do espaço e do ar, nem na função que exercem. No entanto, se um organismo já acumulou muitas dessas qualidades, certos aspectos podem ficar desequilibrados. Por exemplo, como o outono é seco, ventoso e frio, o corpo também ficará assim depois de algum tempo (a menos, é claro, que a pessoa procure se manter aquecida, comer alimentos úmidos e que aquecem e beber água morna). O excesso de qualidades do tipo *vata* pode resultar em sinais de desequilíbrio, tais como gases e prisão de ventre, pele cada vez mais seca e, ainda, ansiedade.

UM VATA SAUDÁVEL GARANTE AO ORGANISMO:
- Eliminação consistente
- Boa circulação
- Respiração livre
- Sentidos aguçados

O EXCESSO DE QUALIDADES DO TIPO VATA PODE CAUSAR:
- Gases e prisão de ventre
- Mãos e pés frios
- Respiração apertada
- Ansiedade, sentimento de opressão

PITTA

Onde há fogo, deve haver água para impedir que ele queime tudo. O composto resultante é fogo-água, um conjunto de qualidades caracterizado por *liquidez, calor, agudeza, penetração, leveza, mobilidade, oleosidade, mau cheiro*. (Por exemplo, a acidez, a bile.) Quando mastigamos, o *pitta* entra em cena para decompor, liquefazer, metabolizar e transformar os alimentos em tecidos. Ótimo! Sem problemas, a não ser que o seu ambiente interno fique demasiado quente ou aguçado, resultando em sinais de desequilíbrio como arrotos ou refluxo ácido, diarreia, erupções cutâneas ou inflamação.

O PITTA SAUDÁVEL GERA:
- Bom apetite e bom metabolismo
- Compreensão
- Hormônios estáveis
- Boa cor da pele (rosada)
- Visão aguçada

O EXCESSO DE QUALIDADES DO TIPO PITTA PODE CAUSAR:
- Indigestão ácida, refluxo
- Tendência a trabalhar demais
- Olhos vermelhos e secos; necessidade de usar óculos
- Dismenorreia
- Acne, rosácea

KAPHA

Somente quando acrescentamos água à areia esta adquire consistência, de modo que se pode até construir um castelo de areia. Da mesma forma, o elemento terra exige água para manter os tecidos unidos. O *kapha* é como a cola: *fresco, líquido, viscoso, pesado, lento, opaco, denso* e *estável*. Esse conjunto de qualidades fornece a densidade nos ossos e na gordura, a coesão nos tecidos e articulações e abundância de muco, para que o corpo não seque. Ótimo! Isto é, a menos que o organismo se torne demasiado pesado e viscoso, o que pode resultar em sinais de desequilíbrio como perda de apetite, digestão lenta, problemas de sinusite e alergias ou ganho de peso.

O KAPHA SAUDÁVEL PROPORCIONA:
- Tecidos corporais fortes
- Sistema imunológico saudável
- Articulações e membranas mucosas bem lubrificadas

O EXCESSO DE QUALIDADES DO TIPO KAPHA PODE CAUSAR:
- Ganho de peso
- Congestão nasal ou pulmonar
- Retenção de líquido
- Letargia e tristeza

Cada pessoa deve ter uma dose saudável de todas essas qualidades e, assim, desfrutar de processos corporais saudáveis, em bom funcionamento. Uma pessoa é mais fogosa e propensa à acidez no estômago; outra parece que "vive no ar" e tem propensão a secar – essa é a verdade da variação na natureza. A constituição do organismo, ou seja, a composição específica dos cinco elementos, é como o DNA e provém, em sua maior parte, dos nossos pais. Conhecer melhor a sua própria constituição pode ajudar você a compreender qual dos três compostos tende a entrar em desequilíbrio no seu organismo, de modo que você possa fazer escolhas na sua alimentação e no seu estilo de vida que mantenham seus *doshas* sob controle.

É fácil se concentrar no *dosha* – palavra que, como já vimos, significa "o que está errado". Mas categorizar a si mesmo como pertencente a um determinado *dosha* ("Eu sou tão *vata*!") ou identificar-se com estados de desequilíbrio não é o objetivo da sabedoria ayurvédica. Pode ser mais útil compreender, em primeiro lugar, as causas gerais do desequilíbrio e administrá-las; e é isso que este livro vai lhe ensinar a fazer. Comece por aqui e aprenda mais sobre sua constituição individual à medida que você evolui nas práticas do Ayurveda.

O sistema da natureza de pesos e contrapesos: as vinte qualidades

"Não existe coisa alguma neste universo que não seja medicinal, que não possa ser utilizada para muitos fins e de muitos modos."
Vagbhata, Ashtanga Hridayam, Sutrasthana 9.10

Nosso mundo é constituído de opostos coexistentes. Os semelhantes aumentam um ao outro; os opostos equilibram um ao outro. As vinte qualidades são a maneira como a natureza mantém o equilíbrio, e trabalhar com essas qualidades significa que você pode ajudar a natureza a se manter em seu curso.

As qualidades, ou *gunas*, nomeiam os diferentes atributos que são inerentes a todas as substâncias. Esses pares de atributos opostos identificam as maneiras como podemos sentir e compreender o nosso mundo por meio da comparação: é quente ou frio; é cortante ou macio. O Ayurveda identificou os dez pares de opostos mais úteis como medicamentos. Úmido e seco, pesado e leve, frio e quente – todos esses pares de opostos representam o sistema da natureza de pesos e contrapesos, presentes em todas as coisas, inclusive no corpo humano. Quando uma qualidade ou um conjunto de qualidades está presente em excesso (o problema também pode ser falta, mas o excesso é mais provável), pode ocorrer um desequilíbrio.

Uma grande quantidade de pasta de raiz forte (wasabi), com sua natureza quente e cortante, servida sem arroz, que seria mais frio e macio, parece, intuitivamente, um pouco fora do bom senso, não é mesmo? Os opostos se equilibram. O Ayurveda incentiva o equilíbrio introduzindo qualidades opostas àquelas que promovem o desequilíbrio e reduzindo as qualidades semelhantes. Por exemplo, você pode apreciar um alimento picante para se aquecer no inverno, mas vai evitá-lo no verão. Todas as substâncias e experiências usadas como medicamentos (plantas, carnes, frutas, minerais e também atividades) exercem um efeito sobre o corpo humano, sentido como uma ou mais das vinte qualidades. A comida picante faz a pessoa suar; seus efeitos são o calor e a oleosidade. Os efeitos do limão são o frescor e a leveza. Experimente tomar uma Limonada com Cardamomo num dia quente (p. 201).

Uma vez que você comece a pensar nas sensações ou nos desequilíbrios do seu organismo em termos das qualidades que você está sentindo, você será capaz de usar os alimentos como remédios, introduzindo substâncias que exercem um efeito de equilíbrio.

As qualidades são divididas em duas categorias importantes: as de *construção* e as de *leveza*. Um bom equilíbrio entre essas duas energias no organismo é fundamental para manter o equilíbrio e processos corporais harmoniosos. As qualidades construtoras são anabólicas. Elas criam massa e alimentam os tecidos, promovem a umidade e servem ainda para fortalecer, firmar e estabilizar o organismo, a mente e os nervos. Como exemplo, os "alimentos reconfortantes", saborosos, que fazem o corpo sentir-se aquecido, confortável e seguro, tais como leite morno, sopa de legumes de raiz ou cereais quentes. As qualidades da leveza são catabólicas. Elas reduzem a massa e os tecidos, eliminam o excesso de líquido e muco e deixam a pessoa mais animada e energética. Os alimentos de natureza *leve* são refrescantes, estimulantes e energizantes, como, legumes cozidos no vapor com limão-siciliano, verduras amargas, caldos claros e límpidos, melão fresco, chá de gengibre.

AS DEZ QUALIDADES CONSTRUTORAS E SUAS OPOSTAS

NOTA: Na tradução do sânscrito por vezes é necessário usar mais de uma palavra para descrever a qualidade percebida. É por isso que algumas qualidades são referidas por mais de uma palavra na tabela abaixo. Você também vai notar que algumas qualidades resultam tanto de *atividades* (em itálico na tabela) como de substâncias ingeridas.

PESADA: Os alimentos pesados podem dar a sensação de cair no organismo como um tijolo, ou então como um tônico, dependendo da maneira como foi preparado e das condições do sistema digestório quando as substâncias descem pelo tubo digestório. Digerimos melhor os alimentos pesados quando são consumidos quentes e com um pouco de tempero (imagine como seria o contrário – um *fondue* frio!) **Exemplos:** queijo de vaca, carnes gordas, gorduras saturadas, *atividades sedentárias*.	**LEVE:** Qualidade que faz a pessoa se sentir lúcida e cheia de energia. **Exemplos:** alimentos fáceis de digerir, como caldos, frutas e vegetais crus. A qualidade da leveza é incentivada pelos *exercícios vigorosos* e pela *meditação*.
LENTA/ENTORPECENTE: Qualidade dos alimentos que são digeridos lentamente ou que deixam o corpo e a mente embotados. **Exemplos:** frituras, carne bovina, *comer demais, dormir demais*.	**CORTANTE/PENETRANTE/RÁPIDA:** Pense nos alimentos que desentopem instantaneamente os seios da face, aguçam o apetite ou ajudam a pensar melhor. **Exemplos:** *wasabi*, vinagre, pimenta, gengibre, álcool, queijos de sabor forte (inclusive o queijo de cabra).
FRIA: Essa qualidade é introduzida não somente pelos alimentos que ingerimos frios, mas também pelos que exercem um efeito refrescante. Quando você ingere esse tipo de alimento é provável que sinta frio ou se sinta revigorado. **Exemplos:** coentro, pepino, limão, coco.	**QUENTE:** Qualidade introduzida pelos alimentos ingeridos quentes, assim como pelos que aquecem o corpo. **Exemplos:** pimenta-malagueta, cítricos, café, *fumar, praticar Hot Yoga (yoga quente)*. Tudo que possa causar indigestão ácida é calorífico.

OLEOSA/UNTUOSA: O tempo úmido pode fazer a pessoa se sentir oleosa, assim como todos os óleos e alimentos que contêm óleos naturais.
Exemplos: azeite de oliva, óleo de coco, de gergelim e outros; castanhas, peixes, sementes, azeitonas.

SECA: Qualidade que pode aparecer na boca, na pele, no nariz e na garganta, nas articulações ou no cólon. Alguns alimentos absorvem a água do organismo e contêm pouco ou nenhum óleo, estimulando assim um efeito secante. Algumas substâncias que não são secas podem ser processadas até chegar ao estado seco; o trigo, por exemplo, não é um grão seco, mas refinado e assado para virar biscoito pode exercer efeito secante.
Exemplos: milho, feijões grandes, tais como o feijão-vermelho e o grão-de-bico, cevada, centeio, cafeína.

SUAVE: Qualidade que dá uma sensação calmante e relaxante. Os alimentos que nos dão essa sensação deixam a pele macia e também suavizam os intestinos.
Exemplos: abacate, manga madura, banana, *natação*.

ÁSPERA: Os alimentos ásperos exigem muita mastigação.
Exemplos: *chips* de milho, pipoca, farinha integral, talo de aipo e outros vegetais crus, *correr no frio*.

DENSA/SÓLIDA: A qualidade densa pode se apresentar como uma sensação de peso na cabeça ou no corpo todo, letargia ou sonolência. Uma pequena quantidade de alimentos densos satisfaz o apetite sem criar desequilíbrio; mas muitos de uma só vez, ou à noite, podem ser difíceis de digerir.
Exemplos: verduras cozidas, queijos, glúten, *ficar muito tempo sentado*.

LÍQUIDA: A densidade é diluída pela qualidade líquida. Um alimento pode se tornar menos denso com o acréscimo de água, como acontece quando separamos o creme do leite. Um alimento que foi liquefeito – por exemplo, cozido até virar sopa – vai exercer um efeito menos denso no organismo.
Exemplos: caldo, leite desnatado, *lassi*.
Transpirar derrete a qualidade densa.

MACIA: Qualidade que dá ao organismo e às atitudes gentileza, flexibilidade e umidade. Podemos amaciar todos os alimentos cozinhando e acrescentando líquidos.
Exemplos: purê de batatas, queijo *brie*, abóboras assadas, compota de frutas, *praticar yoga suave*.

DURA: Qualidade que torna o organismo rígido, duro, seco e agressivo. Podemos endurecer todos os alimentos ao desidratá-los e também ao consumi-los crus.
Exemplos: milho, castanhas, biscoito de centeio, maçãs bem crocantes, grãos e feijões que não foram totalmente cozidos, *exercícios competitivos ou agressivos*.

ESTÁVEL: Qualidade que dá a sensação de segurança, conforto, firmeza. Os alimentos que aumentam essa qualidade são nutritivos, com baixo teor de açúcar e alto teor de gordura e proteína. O sal acentua a qualidade estável, ajudando o corpo a reter líquido.
Exemplos: carne, produtos lácteos, missô, castanhas, óleos, *permanecer no mesmo lugar, seguir uma rotina.*

MÓVEL/INSTÁVEL: Qualidade que pode dar a sensação de algo inspirador e também instável. Pode aparecer como um saudável desejo de viajar ou uma digestão com excesso de mobilidade (diarreia). Alimentos que tornam o organismo limpo, quente e leve aumentam a qualidade móvel, pois são ricos em açúcares que queimam rapidamente.
Exemplos: pratos condimentados, alimentos crus, comida insuficiente, sucos, açúcares, *viajar ou mudar de casa.*

TURVA/VISCOSA: Essa qualidade pode se fazer sentir como digestão lenta ou prisão de ventre, obstrução dos poros, névoa mental ou dificuldade de tomar decisões. Nos alimentos, a qualidade turva se manifesta em líquidos opacos ou translúcidos, como sopas cremosas, frutas fibrosas e cerveja preta ou com muito levedo. A ingestão de álcool e de medicamentos ou drogas, receitadas ou não, acentua a qualidade turva.

LÍMPIDA: Qualidade que pode dar a sensação de leveza e foco; promove uma evacuação completa e pele limpa. A limpidez é incentivada por alimentos claros, pela *meditação* e pelo *yoga* e por uma *vida limpa.*
Exemplos: pepinos e outros vegetais aquosos, caldo de legumes, chás de ervas, água pura, *respiração profunda.*

BRUTA/GRANDE: "Bruto" é um adjetivo muito usado no yoga, significando "relativo ao corpo físico, ao mundo material". O corpo bruto inclui todos os nossos tecidos, líquidos e resíduos. Dar atenção ao corpo sem considerar a alma nem o espírito aumenta a qualidade bruta e a identificação do indivíduo apenas com o corpo físico. Comer demais, dormir demais, consumir alimentos com excesso de qualidades construtoras são ações que aumentam a qualidade "bruta".

SUTIL/PEQUENA: Qualidade que se refere à vibração energética do corpo, ou *prana*. A qualidade sutil também sugere uma consciência dos aspectos da alma ou do espírito de um indivíduo. Comer comida caseira, fresca, preparada na hora, com um mínimo de processamento, prestar atenção aos aspectos espirituais da vida, ler textos espirituais ou inspiracionais, *praticar yoga, artes de cura e meditação* aumentam a qualidade sutil.

Certas qualidades são facilmente perceptíveis, enquanto outras podem parecer difíceis de captar. Como nossa consciência se aprofunda com o tempo, comece simplesmente prestando atenção ao óbvio e aos poucos você se acostumará a identificar os efeitos dos alimentos sobre você.

O *kit* de ferramentas da natureza: utilizando as qualidades na sua cozinha

O frio é uma das qualidades, ou propriedades, que o Ayurveda designou como instrumento para estimular o equilíbrio. Seu oposto é o calor. A boa notícia é que existem apenas dez qualidades e seus dez opostos – um total de vinte ferramentas que você vai gostar de conhecer. À medida que você perceber melhor as sensações que essas qualidades trazem ao seu corpo e como elas resultam da sua ingestão de alimentos e das suas atividades, suas escolhas intuitivas rumo ao equilíbrio vão começar a produzir um sentido autônomo de bem-estar. As vinte qualidades serão referenciadas ao longo das receitas para que você se familiarize com os alimentos que promovem o equilíbrio em diferentes épocas do ano. Comece a considerar esses vinte atributos quando pensar no estilo de vida ayurvédico. Ao fazer suas refeições, observe como essas qualidades estão presentes no seu prato e no seu organismo. Note também como você se sente antes e depois de um exercício, para ver quais qualidades estão se manifestando. Será algo límpido ou turvo? Leve ou denso?

As listas de compras nos capítulos dedicados às quatro estações vão ajudar você a se organizar para adquirir os alimentos que equilibram as qualidades de cada estação – ou seja, terão atributos opostos aos predominantes na estação.

PONTO PRINCIPAL: Os semelhantes aumentam seus semelhantes; assim, se você estiver sentindo muito calor, seja lá qual for a estação do ano, reduza os alimentos que aquecem e prefira os refrescantes, do Capítulo do Verão. Se você costuma sentir frio, introduza alimentos caloríficos, do Capítulo do Inverno, e limite a ingestão de alimentos e bebidas frios. Reforce suas escolhas alimentares com atividades que aquecem o corpo, como uma caminhada acelerada. Se você está acostumado a apreciar bebidas frias, procure as seções de "Bebidas" nos Capítulos do Outono e do Inverno e encontrará ideias novas para receitas (incluindo *smoothies* quentes – uma novidade deliciosa).

AS ESTAÇÕES DO ANO E SUAS QUALIDADES

Lembre-se: os alimentos mais benéficos em cada estação são os que têm atributos opostos àqueles listados aqui, para promover o equilíbrio.

PRIMAVERA: Pesada, oleosa/molhada, lenta, turva, estável.	**OPOSTOS:** Leve, seca, cortante, límpida, móvel.
VERÃO: Quente, cortante/brilhante, oleosa/úmida.	**OPOSTOS:** Refrescante, lenta/macia, seca.
OUTONO: Fresca, leve, seca, áspera, móvel/ventosa, límpida.	**OPOSTOS:** Quente, pesada, úmida/oleosa, suave, estável, turva/densa.
INVERNO: Fresca, muito seca, leve, áspera, dura, límpida, móvel.	**OPOSTOS:** Quente, úmida/oleosa, pesada, suave, macia, turva/densa, estável.

Os seis sabores: as sensações do nosso mundo

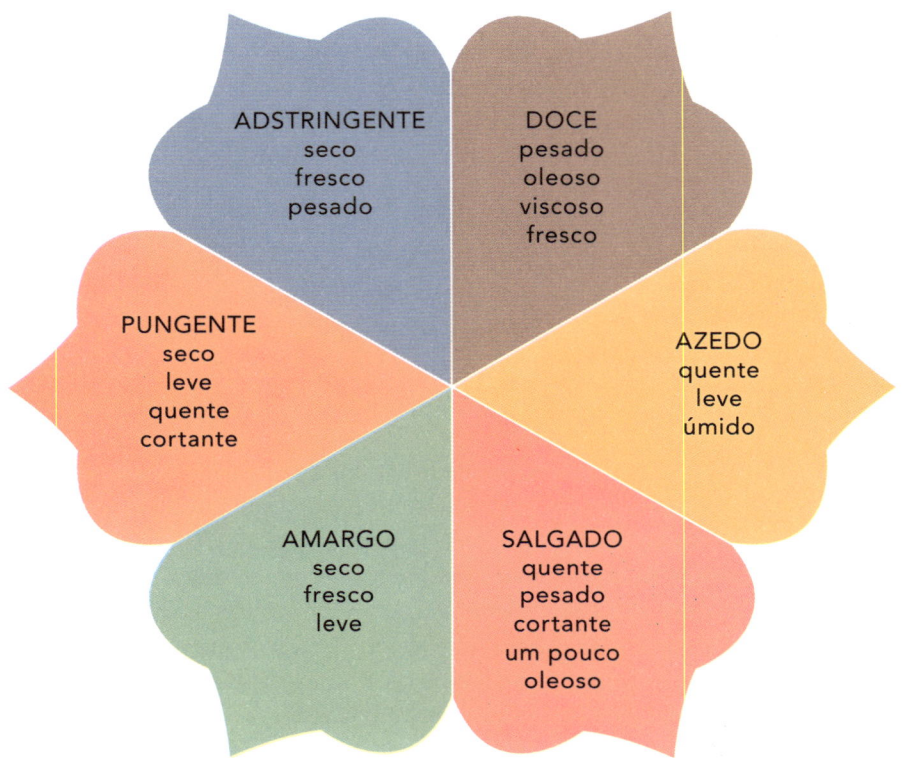

No organismo as vinte qualidades tendem naturalmente a se agrupar; e, quando estão juntas, todas se intensificam. Já que perceber as qualidades pode ser uma arte bastante sutil, os grupos são chamados de "sabores", e os seis sabores são mais uma ferramenta para nos ajudar a assimilar qualidades benéficas por meio das nossas escolhas alimentares. Por exemplo, os alimentos em que predominam as qualidades *pesada, oleosa, fresca* e *viscosa* dos elementos água e terra têm sabor doce, tal como os laticínios. Os alimentos em que predominam as qualidades *seca, fresca* e *leve* do espaço e do ar têm sabor amargo, como a couve-crespa.

Repetindo: para conhecer os sabores, confie no seu organismo e nos seus sentidos. A língua vai reconhecer um conjunto de qualidades como um certo sabor, e uma refeição que contenha todos os sabores equilibra não só o paladar como também os elementos no organismo. Você pode perceber que, no início, reconhece os sabores mais facilmente do que as qualidades; assim, aprenda um pouco a seguir sobre os seis sabores, e nas receitas você vai continuar a se familiarizar com eles.

Cada sabor resulta das qualidades de dois elementos combinados.

MADHURA, SABOR DOCE, resulta da união das qualidades da terra e da água (*pesada, oleosa, viscosa, fresca*). Esse sabor cria uma sensação prazerosa e reconfortante e sinaliza um alimento que constrói tecidos corporais fortes (graças à estrutura da terra e à lubrificação da água). Quando digo "doce", não estou me referindo ao açúcar; pense na doçura natural dos grãos (como o arroz), das frutas, dos vegetais de raiz (batata, cenoura, pastinaca, beterraba) e dos laticínios. O açúcar de cana e o açúcar de coco também são usados no Ayurveda e neste livro. O açúcar branco (refinado) é considerado um veneno para o organismo, algo a ser evitado.

Os alimentos com sabor doce são especialmente benéficos para os ossos, a pele, o cabelo e os tecidos reprodutivos, mas em excesso podem causar problemas de adiposidade e diabetes.

AMLA, SABOR AZEDO, resulta das qualidades do fogo e da terra (*quente, leve, úmida*). Podemos logo supor que seu efeito será calorífico, certo? O sabor azedo enche a boca de água (elemento água), faz os dentes rangerem e os olhos se apertarem. Reconhecemos o sabor azedo pela saliva na boca. Eis alguns alimentos azedos: limão-siciliano, certas frutas vermelhas, a maioria dos frutos ainda verdes (incluindo tomates), iogurte comprado, picles, tamarindo, alimentos fermentados, vitamina C.

O sabor azedo estimula o *agni*, o fogo digestivo, o que o torna excelente para condimentos e aperitivos. A qualidade leve do sabor azedo purifica e energiza os tecidos e os sentidos do corpo humano. Em excesso, porém, o calor e a umidade do sabor azedo podem causar irritação e inchaço.

LAVANA, SABOR SALGADO, resulta das qualidades do fogo e da água (*quente, pesada, cortante, um pouco oleosa*). O sal intensifica o seu paladar aumentando a produção de saliva e torna tudo mais saboroso. Tradicionalmente, a culinária ayurvédica favorece o sal grosso, mas este tem um forte sabor de enxofre; neste livro usei sal marinho e sal rosa. O sabor salgado também está presente nas algas marinhas (uso as algas *kombu*, *nori* e *dulse* em muitas receitas) e em alguns frutos do mar, principalmente ostras.

Os alimentos com sabor salgado melhoram a atividade digestiva, lubrificam e limpam as obstruções do canal digestivo e de outros canais. Em excesso, esse sabor pode causar inchaço, pele seca e redução da força.

TIKTA, SABOR AMARGO, resulta das qualidades do éter e do ar (*seca, fresca, leve*). O sabor amargo predomina sobre os outros sabores, pode fazer a pessoa se encolher toda e em geral não é um dos favoritos, mas, em pequenas quantidades, pode-se ansiar por ele. O amargo está presente no café, nas folhas verdes escuras como a couve comum e a couve-crespa, sementes de feno-grego e cúrcuma. Mas, por favor, não interprete isso como um sinal verde para o café! As folhas verdes são uma maneira muito menos ácida de consumir o sabor amargo, sem irritar o estômago nem secar os intestinos.

O amargo é um dos sabores que mais dão leveza. Os alimentos com sabor amargo reduzem a gordura, controlam o açúcar no sangue, limpam as toxinas do sangue, melhoram a digestão e reduzem a umidade. Contudo, em excesso, podem deixar o corpo mais seco, mais frio e esgotado.

KATU, SABOR PUNGENTE/ACRE (PICANTE), resulta das qualidades do fogo e do ar (*seca, leve, quente, cortante*). O sabor acre, pungente, excita os olhos, o nariz e a língua e os enche de água. Encontrado principalmente nos condimentos, o sabor acre aparece na pimenta-do-reino e vermelha, na mostarda, no alho e na cebola – ingredientes muito usados para deixar a comida saborosa. Os alimentos com sabor acre ajudam a eliminar o muco e secar a gordura; também dilatam os canais do organismo e fazem as coisas fluírem melhor. Em excesso, as qualidades *quente* e *cortante* do sabor acre podem irritar o estômago, enquanto as qualidades *seca* e *leve* podem depauperar os tecidos reprodutivos.

KASHAYA, SABOR ADSTRINGENTE, resulta das qualidades do ar e da terra (*seca, fresca e pesada*). O sabor adstringente contrai os tecidos. Vamos lembrar de coisas que nos fazem franzir os lábios e sugar a saliva da boca, como *cranberries* (também chamadas de oxicocos), sementes de romã, chá, vinho tinto, mel. Ou cremes adstringentes para a pele, como o hamamélis, que contrai os poros. A adstringência torna mais difícil para o paladar sentir o sabor, pois contrai as papilas gustativas.

Os alimentos com sabor adstringente tonificam todas as áreas flácidas, aquosas ou gordurosas e limpam o sangue. Em excesso, a adstringência pode deixar o organismo rígido, provocar sede e prisão de ventre.

O princípio norteador a seguir é a moderação, é claro. É por isso que o Ayurveda incentiva a inclusão equilibrada de todos os seis sabores na alimentação. Faça uso também dos *chutneys* e das misturas de especiarias apropriadas para cada estação. Com isso você vai completar sua paleta de sabores – e de qualidades também.

A influência das estações: os ciclos anuais

Tudo depende do tempo e do clima. As condições climáticas externas a que estamos expostos nos afetam muito, deixando nosso corpo mais quente, frio, oleoso, seco e assim por diante. Uma alimentação que ajuda a equilibrar os efeitos do clima pode ser o suficiente para manter seu organismo normal e saudável.

Rtucharya significa "regime sazonal", ou seja, centrado nas quatro estações do ano. Basta saborear as receitas de cada estação para se iniciar nesse aspecto do estilo de vida ayurvédico. É saudável mudar nossa alimentação conforme o clima. Você não precisa memorizar as informações seguintes, nem compreender intelectualmente as mudanças; precisa apenas senti-las no seu ciclo anual de vida. A descrição feita pelo Ayurveda desses efeitos nos fornece uma linguagem para descrever as mudanças sazonais e nos orienta para sentirmos as qualidades do mundo natural que nos afetam. Se hoje isso não faz sentido para você, tudo bem! Continue observando e sentindo – é esse o estilo de vida ayurvédico.

Tradicionalmente, o Ayurveda reconhecia seis estações, porque o clima do subcontinente indiano tem níveis variados de calor, frio e umidade, incluindo as monções. Para os nossos propósitos aqui no Ocidente, podemos identificar o clima de quatro estações, dessa forma:

PRIMAVERA: Fresco e úmido.
VERÃO: Quente e úmido.
OUTONO: Cada vez mais frio e seco.
INVERNO: Frio e seco.

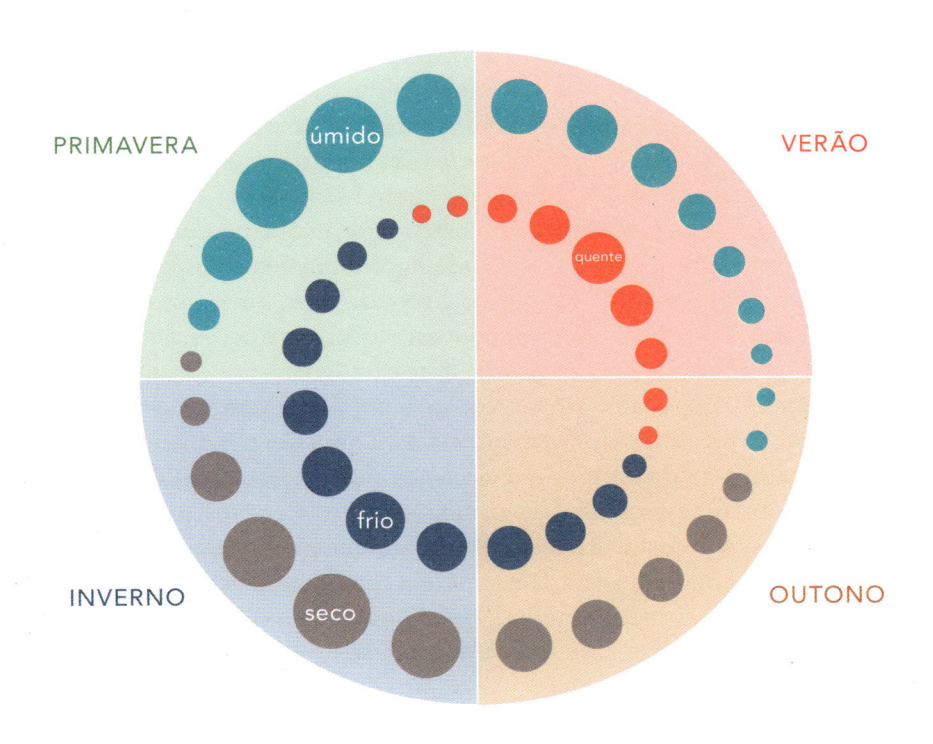

Na primavera, o ambiente é fresco, recém-saído do inverno, mas logo em seguida a secura do inverno dá lugar à umidade. Com o degelo começando e as chuvas chegando, o organismo já não precisa de um muco espesso para se proteger, e o muco começa a derreter. Assim como a seiva corre na árvore de bordo, o organismo também produz um líquido untuoso, lento e turvo que necessita ser reduzido. As reações a essa época do ano fresca e úmida podem surgir em forma de sinusite, congestão no peito, perda do apetite, digestão lenta, letargia e/ou tristeza.

Os sabores que equilibram a primavera são *pungente, amargo* e *adstringente*. O sabor pungente aquece, derrete e mobiliza; o sabor amargo e o adstringente dão leveza e reduzem o excesso de umidade. Reduza os alimentos construtores, faça exercícios e coma apenas quando estiver com fome.

No verão, o clima esquenta cada vez mais e pode ser úmido. Com o avanço da estação, é importante manter o corpo fresco. As reações às qualidades quentes e úmidas (*oleosa, penetrante, móvel*) podem se revelar como acne, inflamações, inchaço, acidez estomacal e/ou irritabilidade.

Os sabores que equilibram o verão são *amargo, doce* e *adstringente*. O doce e o amargo têm um efeito refrescante, e o amargor e a adstringência ajudam a reduzir a quantidade de líquido no organismo.

No início do outono, o corpo contém calor que se acumulou no verão e se sente cada vez mais seco com os ventos que começam a chegar, agravando o calor interno. As reações à combinação de calor e secura podem se apresentar como erupções na pele que coçam ou ardem, fezes amolecidas, caspa, acidez no estômago, secura nos olhos e/ou emoções instáveis.

À medida que o outono avança, o calor diminui e o corpo fica frio e seco. O final do outono é, na verdade, o início do inverno, uma época de transição. O apetite fica mais forte; é o período certo para a construção.

Os sabores que equilibram o início do outono são *amargo, adstringente* e *doce*. Os sabores amargos e doces reduzem o calor, enquanto a adstringência suga para fora e para baixo o excesso de líquido do verão. Os sabores que equilibram o fim do outono são *salgado, doce* e *azedo* – os mesmos que valem para o inverno. Todos esses sabores aquecem e hidratam o corpo, devido à sua composição com elementos do fogo, da terra e da água.

No inverno, as qualidades *secas* e *frias* se acumulam. O aumento das qualidades de construção (*densa, oleosa, quente, suave* e assim por diante) protege o corpo contra o frio. Sentimos um aumento e um espessamento das membranas mucosas (nos seios nasais, nos pulmões e nos intestinos) para proteger o sistema contra a qualidade seca, que vai aumentar continuamente até o clima menos frio, na primavera. Uma reação à combinação de *frio* e *seco* pode se apresentar como prisão de ventre, sensação de fragilidade ou rigidez nas articulações ou nos ossos, ansiedade e/ou ganho de peso.

Conforme se aproxima o final do inverno, o corpo atinge o máximo das qualidades de construção e produção de muco; o apetite diminui e a digestão fica mais lenta. É hora de introduzir alguns alimentos mais leves – mas servidos quentes.

Os sabores que equilibram o inverno são *doce, azedo* e *salgado*, por terem qualidades construtoras e hidratantes. A adição de um sabor mais pungente no fim do inverno vai começar a deixar o organismo mais leve e aguçar o fogo digestivo.

No Ayurveda, o efeito que as variações sazonais exercem sobre o organismo é tão importante que é considerado uma das três causas principais do desequilíbrio.

LIMPEZA SAZONAL

O Ayurveda recomenda uma alimentação leve na mudança das estações, sobretudo na primavera e no outono, e uma rotina de purificação saudável, que promove o equilíbrio. Na primavera, o organismo precisa expelir o excesso de muco acumulado durante o inverno, enquanto no outono deve expelir o calor acumulado durante o verão. Expelir é algo que o organismo sabe fazer muito bem, desde que fiquemos atentos a tudo o que ingerimos. Alimentar-se com simplicidade, reduzir os alimentos que reforçam o que se acumulou na estação passada, respeitar os momentos de descanso – eis algumas práticas que dão ao organismo uma oportunidade de se recalibrar e entrar no semestre seguinte na sua melhor forma. Veja orientações fáceis de seguir em Práticas de Limpeza Sazonal (Apêndice 2).

De que modo ficamos fora de sintonia?

AS TRÊS CAUSAS DO DESEQUILÍBRIO

O Ayurveda reconhece três causas principais para a doença e o desequilíbrio, chamadas *trividha karana*. Se o ser humano conseguir administrar bem essas três áreas, o organismo deve permanecer num estado de relativo equilíbrio e não haverá progressão do desequilíbrio para a doença.

Os três fatores são:
- **KALA:** Hora do dia e época do ano (efeito da sazonalidade).
- **ARTHA:** Uso excessivo ou insuficiente dos órgãos dos sentidos.
- **KARMA:** Ações e atividades relativas ao organismo, à fala e à mente,[2] incluindo *prajna paradha*, ofensas ou crimes contra a sabedoria.

KALA: O EFEITO DAS ESTAÇÕES DO ANO

Neste livro, a organização das receitas e o discernimento aplicado a cada estação do ano se destinam a equilibrar os efeitos da sazonalidade. Se você começou a se interessar há pouco tempo pelo Ayurveda, basta lembrar desses princípios: almoço grande/jantar pequeno; escolher os alimentos conforme a estação do ano; e, ainda, uma boa rotina, com um bom estilo de vida. Seguindo essas normas, você reduzirá o risco de adoecer com a mudança das estações. Pense nisso: a primavera e o outono, os principais momentos de mudança do clima, são justamente quando muitas pessoas adoecem com resfriados, gripes e alergias. Neste livro você aprenderá a cozinhar com uma boa noção do que é a alimentação sazonal e passará pelo ciclo anual completo de uma maneira saborosa. Aposto que você se sentirá melhor ao participar do ritmo da natureza.

Os efeitos da variação sazonal podem fazer o organismo entrar em desequilíbrio. Por exemplo, a necessidade de se aquecer no outono depois de tentar se refrescar durante todo o verão pode desregular o organismo. Se prestarmos atenção e reagirmos às mudanças de estação – por exemplo, preferindo alimentos quentes e oleosos no outono, à medida que o tempo vai ficando frio e seco – poderemos evitar problemas causados pela introdução repentina de qualidades frias e secas, tais como pele seca, constipação ou frio nas mãos e nos pés. Uma monodieta praticada tradicionalmente na época da mudança das estações, descrita nas seções de limpeza de primavera e outono (pp. 298-301), também ajuda o organismo a se ajustar melhor.

ARTHA: USO INDEVIDO DOS ÓRGÃOS DOS SENTIDOS

Os órgãos dos sentidos são as partes do corpo responsáveis pelos cinco sentidos: ouvidos (audição), olhos (visão), língua (paladar), pele (tato) e nariz (olfato). O uso indevido pode significar uma estimulação dos sentidos excessiva ou insuficiente. O sistema nervoso fica esgotado tendo que digerir informações excessivas vindas dos órgãos dos sentidos. O próprio órgão pode começar a sofrer, como quando ficamos com os olhos vermelhos, secos e coçando depois de muito tempo fixando a tela do computador; ou quando a língua adquire tolerância ao sal da comida de restaurante e sentimos necessidade de aumentar o uso do sal. Reequilibrar os sentidos acalma o sistema nervoso e reduz o estresse – o qual, muitas vezes, é a causa básica do desequilíbrio. Por exemplo, quem tem dificuldade para adormecer pode experimentar limitar seu tempo de TV, celular ou computador à noite e verá que isso favorece uma boa noite de descanso.

Em geral o problema consiste em expor os sentidos a um excesso de estímulos. Eis algumas sugestões gerais para reduzir a fadiga dos órgãos sensoriais.

Ouvidos. Não exagere ouvindo música com fones e faça algumas pausas. O silêncio tem efeitos maravilhosos. Observe as qualidades da música que você escolheu e analise: ela é apropriada para a hora do dia e para o seu estado mental? Um ritmo muito forte, bem marcado, pode causar dificuldade para dormir; canções com letras agressivas podem exacerbar sua irritação.

Olhos. Como já mencionamos, limite ao máximo seu tempo de TV, celular e computador. Faça um monitoramento das suas atividades com telas e observe quanto tempo por dia é adequado para você e quando seus olhos precisam de um descanso. Feche os olhos e faça algumas respirações profundas de tempos em tempos. Se for difícil, experimente usar uma máscara de dormir. Deite-se e coloque-a suavemente sobre os olhos para bloquear a luz por alguns minutos.

Língua: Prefira alimentos naturais, não refinados, sem adição de saborizantes, açúcar branco nem muito sal. Adapte seu paladar às sensações mais sutis dos alimentos em sua forma natural. Pratique a correção também na fala; observe o quanto você fala no dia a dia e se você tem tendência a criticar. Com um pouco de prática, a quietude se torna calmante.

Pele: Aplique óleo na pele diariamente para acalmar as terminações nervosas. Prefira óleos naturais, como gergelim, coco e amêndoas, em vez de hidratantes convencionais. Quando necessário, use roupas quentes.

Nariz: Diminua o uso de produtos que contêm "fragrâncias". Note que reduzir a cebola e o alho na sua alimentação vai diminuir a necessidade de usar desodorante.

REDUZINDO O USO DO CELULAR E DA INTERNET

Não é necessário estar disponível para todo o mundo o tempo todo. A produtividade não é o único objetivo desta vida. Escolha alguns momentos para desligar o telefone e fechar o e-mail e desfrutar do prazer tranquilo dos cinco sentidos, percebendo a inclinação da luz que entra no quarto, as cores do mundo ao redor, o calor e o sabor de um golinho de chá de ervas. Saia, desvie sua atenção do tagarelar da mente e observe o mundo ao redor.

Talvez você já tenha ouvido falar de tudo isso antes, mas deixou de lado no fluxo da vida diária. É fácil zombar de sugestões relativas à inclinação da luz e a um chá de ervas. No entanto, será difícil alcançar o equilíbrio enquanto não aprendermos a tirar a atenção da nossa lista de afazeres ou do "disco arranhado" do estresse e passarmos para a doçura de envolver os sentidos com as coisas do nosso mundo. Mudar os velhos hábitos e padrões energéticos requer prática, mas o primeiro passo é o desejo de mudar.

Karma e Prajna Paradha: crimes contra a sabedoria

Karma significa "ação". Não necessariamente boa ou má; apenas ação. Cada ação produz uma reação. Escolher uma determinada refeição para comer, por exemplo, é uma ação. De que modo essa refeição afeta o seu organismo é a reação. Segundo os textos clássicos do Ayurveda, reprimir impulsos naturais, tais como ir ao banheiro ou chorar, pode causar desequilíbrio. Com o tempo, a ação de suprimir provoca uma reação, resultando em desequilíbrio. Nossas próprias ações – ou nossa inércia – podem nos colocar numa enrascada!

Prajna paradha significa "crimes/ofensas contra a sabedoria", ou seja, saber qual é a coisa certa a fazer e mesmo assim fazer o oposto. Por que escolhemos sorvete em vez de chá de ervas? Optar por algo prejudicial em vez de algo benéfico parece ser uma tendência da natureza humana; nossa espécie faz isso há milhares de anos, segundo os textos do Ayurveda. Ações como comer uma segunda porção de sobremesa quando você já está satisfeito ou ficar acordado até tarde quando está cansado são dois exemplos de coisas que fazemos mesmo sabendo que não faz nenhum bem. No início, considerando de maneira mais consciente as suas escolhas, talvez você se veja cometendo alguns crimes. Isso acontece! Anime-se e lembre-se que, com a prática, você verá que escolher uma opção saudável cria uma reação positiva. Depois de sentir algumas reações positivas, a opção saudável se torna mais atraente.

Note que quando o organismo está em estado de desequilíbrio, o que você deseja comer provavelmente irá refletir esse desequilíbrio. Por exemplo, alguém com um organismo que produz muito calor pode ansiar por alimentos que aumentam o calor. O próprio desequilíbrio começa a falar. Quando o organismo volta ao seu estado de equilíbrio, esses desejos vão diminuir. Por enquanto, basta seguir as orientações gerais deste livro relativas às quatro estações para estimular o equilíbrio. A partir daí você poderá notar que certos desejos diminuem, sem que você tenha que pensar muito no assunto.

Como o equilíbrio e o desequilíbrio se manifestam?

Felizmente, o Ayurveda já descreveu os primeiros sinais de desequilíbrio para nos ajudar a saber quando estamos saindo dos eixos. Mas lembre-se, nós não estamos todos no mesmo eixo, já de início, e alguns pontos listados aqui talvez nunca estejam em equilíbrio para você o tempo todo. O desequilíbrio não deve servir para você se martirizar. Pense nos sinais abaixo como um alerta para nos ajudar a reconhecer os primeiros sintomas de desequilíbrio, que podem ser resolvidos com boa alimentação e um estilo de vida consciente.

Preste atenção a estes sintomas:
- Prisão de ventre (não evacuar todos os dias).
- Gases e distensão abdominal após as refeições.
- Pele excessivamente seca, sensação de ardor ou coceira.
- Mãos e pés frios.
- Arrotos frequentes, indigestão ácida.
- Ondas de calor ou transpiração profusa.
- Inchaço.

- Perda de apetite.
- Congestão.
- Insônia.

Em um estado de relativo equilíbrio, podemos desfrutar destes bons sinais:
- Evacuação logo de manhã ao acordar, com fezes bem formadas, que flutuam e são mais ou menos do tamanho, forma e textura de uma banana madura.
- O estômago não se distende após as refeições.
- Apetite saudável e estável.
- Sono profundo, acordar sentindo-se revigorado.
- Tez límpida.
- Temperatura corporal confortável.
- Respiração fácil.

Para ajudar a evitar ainda mais o desequilíbrio, o Ayurveda nos ensina que a doença pode surgir do hábito de suprimir estas necessidades naturais; ou, ao contrário, de forçá-las:

- Eliminar fezes
- Fome
- Urinar
- Dormir
- Soltar gases
- Tossir
- Espirrar
- Respirar
- Vomitar
- Bocejar
- Sede

Agni, prana e *ojas*: favorecendo a digestão, a energia e a imunidade

Esses três conceitos são as chaves para uma saúde vibrante. Incentivar o fogo digestivo, manter a energia circulando tranquilamente e proteger a nossa essência vital compõem a trindade fundamental da prática ayurvédica.

AGNI

Agni é uma palavra que você talvez reconheça. Significa "fogo", um dos cinco elementos. Quando se trata de digestão, *agni* se refere a *jathara agni*, o fogo do estômago. Os textos clássicos do Ayurveda iniciam-se com informações sobre o *agni*. Manter o fogo digestivo forte é a prioridade número um. Se a pessoa tem as quantidades corretas de água, fogo, espaço e comida no estômago, deve digerir bem a comida; ou seja, o estômago fabrica então uma bom *ahara rasa*, o suco dos alimentos. Como já mencionamos, o suco dos alimentos é o componente fundamental de tecidos saudáveis.

Quando o *agni* arde vigorosamente, a toxicidade não se acumula nos tecidos; em vez disso, ela se decompõe e é eliminada. Dessa forma, o bom fogo digestivo mantém o organismo livre da *ama*, a matéria não digerida, que trava o mecanismo, enfraquece o sistema e promove o desequilíbrio. A saúde, a resistência e o brilho do seu organismo começam no estômago.

O *jathara agni* no estômago se constrói como uma pequena fogueira: é preciso ter lenha para acendê-la. Se colocarmos muita lenha, ela abafa o fogo. Se não colocarmos o suficiente, o fogo não arde com força o bastante para criar luz e calor.

Abafar o fogo por comer demais é uma causa comum de baixo *agni*, e facilmente remediada. Basta pular uma refeição para permitir que o fogo aumente de novo (exceto no caso de distúrbios alimentares ou níveis instáveis de açúcar no sangue). Sempre que você sentir perda de apetite, lembre-se de que isso indica que você está com o fogo digestivo baixo, e é uma boa hora para pular uma refeição.

A culinária ayurvédica utiliza os condimentos como material para acender o fogo do *agni*. Por exemplo, comer um pouquinho de gengibre fresco antes de uma refeição vai lhe despertar a fome, pois acrescentar "lenha" faz o fogo aumentar.

A quantidade recomendada de água para se beber numa refeição é de cerca de um terço do tamanho do estômago (de 100 a 200 ml). Isso deixa um terço do seu estômago para a comida e um terço para a movimentação do espaço e do ar. Parte da água pode estar incluída no alimento, como um cozido com bastante caldo ou um vegetal aquoso como o pepino. Ingerir água em quantidades corretas garante que o seu sistema digestório produza um bom suco estomacal com os alimentos. Óleo de boa qualidade, especialmente a manteiga *ghee*, é considerado a melhor substância para acender o fogo e ajudá-lo a transformar os alimentos em suco. O Ayurveda recomenda ingerir cerca de uma colher de chá de óleo por refeição.

Durante todo o processo digestivo, o *jathara agni* é acompanhado por pequenas "fogueiras", decompondo as gorduras e proteínas, metabolizando, absorvendo e construindo os tecidos, como músculos e

CONHECENDO SEU FOGO DIGESTIVO

Comece sentindo seu *agni*. Familiarize-se com o fogo em seu estômago, notando quando você está com fome e que sensação a fome lhe dá. E aprenda a diferenciar entre a fome do estômago da fome da língua. A língua deseja coisas com gosto bom, enquanto o estômago deseja coisas que vão formar, constantemente, componentes fundamentais para a saúde e a vitalidade. Para perceber a diferença, pergunte-se: será que apenas um *cookie* de aveia com gotas de chocolate vai bem agora, ou eu me animaria a comer um prato grande de legumes no vapor? Você já deve estar vendo onde eu quero chegar...

Conhecer seu fogo digestivo é realmente assim tão simples!

gorduras. Esse processo metabolizante é regido por *tejas*, a essência brilhante e energética do fogo e da atividade metabólica.

Está animado para intensificar o seu *agni*? Então mergulhe no Capítulo 2 para iniciar o trabalho.

Lembre-se destes dois conselhos: comer apenas quando estiver realmente com fome e mastigar devagar, de modo a perceber quando você está começando a se sentir satisfeito. Isso é tudo que você precisa fazer para cuidar bem do seu fogo digestivo. Essas práticas simples podem garantir a saúde, o brilho e a resistência física que você está procurando.

PRANA

Prana, que significa algo como "energia vital" ou "energia da vida", já se tornou uma palavra da moda. Esses significados estão corretos, mas *prana* também significa muito mais: é a energia essencial da vida. Um organismo sem *prana* está morto. Pense em você mesmo: sem *prana*, seu corpo seria apenas um amontoado dos cinco elementos, sem nada em movimento.

Mas eis aqui um fato essencial, e que me fascina ao ver como a antiga ciência do Ayurveda está nos reeducando: para onde vai a atenção, o *prana* segue. A energia da vida é serva da mente. Isso significa que é muito importante nos concentrarmos na comida que estamos comendo.

Ao preparar nossa própria comida, cuidar do modo como a compramos, comê-la com toda a nossa atenção – desde comprar até cozinhar e, por fim, comer – temos oportunidades para aumentar a energia vital dos nossos alimentos e, portanto, a energia que recebemos ao ingeri-los. Se você quer se sentir bem, preste atenção!

Culturalmente, a hora da refeição costuma ter muitos pontos focais que não são a comida em si. Eis aqui algumas dicas para aumentar o potencial de *prana* das suas refeições.

"Alimentar-se" não combina com "encontrar-se". Esse lema foi, na verdade, inventado por mim. Quando sou convidada para um almoço de trabalho, sugiro um chá. Ou então faço uma refeição mais completa, tranquila, mais cedo ou mais tarde no mesmo dia, o que me libera para comer um prato leve nesse encontro de trabalho e depender menos dele para a minha nutrição, já que minha atenção vai se focar no assunto da conversa e não nos atos de comer e digerir.

Falar sobre a comida. Se você está desfrutando de uma refeição social ou em família, pode perceber que a comida está sendo servida, mas ninguém nem nota. Procure comentar sobre as lindas cores, os aromas e sabores dos pratos. Seu entusiasmo talvez incentive seus companheiros de mesa a acompanhar você nesse momento de reflexão. E, mesmo que a atenção se desvie depois,

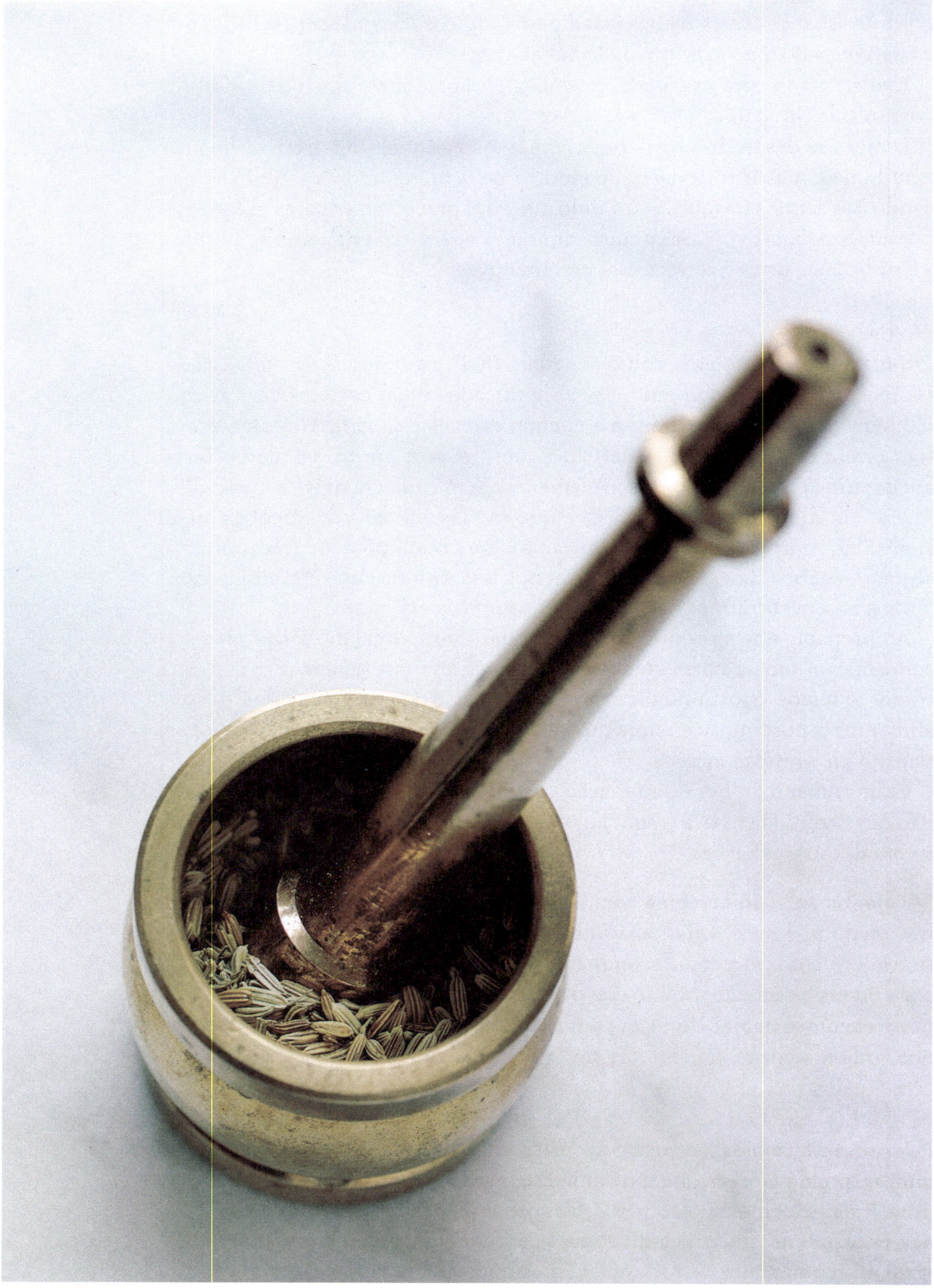

tente iniciar o processo digestivo com apreço e atenção para os alimentos.

Faça três respirações profundas antes de comer. Encher de ar a região abdominal traz *prana* para essa área, ajudando a preparar o organismo para receber os alimentos.

OJAS

Ojas é a essência sutil da nossa energia vital. Ao contrário do *prana*, que é um movimento ou uma vibração da energia, *ojas* é uma substância. Podemos imaginá-la como o creme do organismo, o que ele tem de mais concentrado e nutritivo.

> **RECEITAS PARA FORTALECER O *OJAS***
>
> *Ghee* (p. 130)
> Barrinhas de Proteína de Cânhamo (p. 180)
> *Lassi* de Açafrão (p. 284)
> *Smoothie* Condimentado de Leite de Amêndoas (p. 239)
> Tâmaras Recheadas (p. 279)
> Tônico Rejuvenescedor de Inverno (p. 281)

O *Charaka Samhita*[3] descreve o *ojas* como "aquilo que mantém todos os seres vivos renovados".[4] O Ayurveda sugere que os seres humanos têm uma quantidade limitada, predeterminada de *ojas*. Viver muito intensamente consome o *ojas*. Você chega à Terra com o tanque cheio. Se acelerar demais, vai queimar o combustível mais rápido e, assim... *puf*! Lá se vai sua longevidade – e, no caminho, também sua imunidade.

Na minha cidade, Boston, vejo muita gente que levanta da cama, sai de casa imediatamente, trabalha o dia todo sem parar para almoçar, depois come um jantar farto e em seguida vai dormir. Um estilo de vida assim, que nunca dá tempo para a pessoa se alimentar ao meio-dia, força o corpo a queimar suas reservas. Viver com medo ou estresse tem o mesmo efeito. Desacelerar um pouco o ritmo, respeitar as limitações do nosso corpo e, de modo geral, *fazer menos*, conserva o *ojas*.

O quê? Será que ela disse "fazer menos"? Ora, essa não é a norma do estilo de vida global hoje em dia. Mesmo assim, é uma das principais mensagens do Ayurveda. Hoje existe a expectativa de que os seres humanos têm que funcionar num ritmo incessante de "Avante, marchar!". Considere que isso talvez não seja uma prática sustentável.

É possível fortalecer o *ojas* e, junto com ele, a imunidade do corpo. Este livro contém várias receitas para fortalecer o *ojas* (veja o quadro lateral acima). Os alimentos construtores de *ojas* são os mais ricos, com especiarias caloríficas que ajudam o organismo a digeri-los; devem ser ingeridos com toda a atenção, em quantidades limitadas e no momento oportuno. De fato, certos alimentos que reforçam o *ojas* são reverenciados por sua conexão com a nossa essência vital, tais como tâmaras, amêndoas, leite e manteiga clarificada, ou *ghee*. Esses alimentos são sempre oferecidos nas cerimônias nos templos hindus.

Agora que você já tem algumas informações básicas sobre o Ayurveda, vamos chegar a um aspecto bem prático: o conceito da alimentação ayurvédica.

CAPÍTULO 2

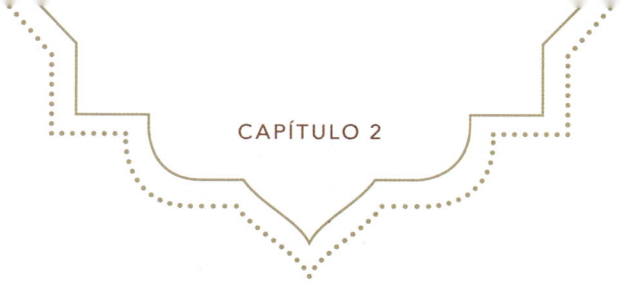

Os Princípios da Alimentação Ayurvédica

A culinária ayurvédica é bem mais do que aquilo que você consegue produzir na cozinha; é todo um modo de vida. A seção de receitas do livro vai lhe dar as linhas mestras da alimentação e do estilo de vida ayurvédico. As receitas são sugestões para incentivar você a começar, mas o verdadeiro objetivo deste livro é ensinar você a integrar os princípios do Ayurveda tanto na cozinha como na sua vida diária. O conceito inclui cozinhar para si mesmo usando alimentos frescos, comer segundo o ritmo das estações do ano e manter horários regulares para as refeições. Vários indicadores ajudarão você a cuidar de aspectos importantes, não relativos aos alimentos em si, mas sim ao papel que a alimentação desempenha na sua vida, de modo geral.

A alimentação ayurvédica leva em conta a intenção e a atitude, a hora do dia, se se trata de uma refeição ou de um lanche, o tamanho da porção, a estação do ano, o espaço onde se come. Neste capítulo você vai encontrar uma dica prática para cada um desses aspectos, para que você logo comece a experimentar novas ideias sobre a comida. Para garantir o sucesso, comece com uma ou duas dicas que sejam bem relevantes para você, em vez de tentar seguir todas de uma só vez. Fazer uma mudança gradual e suave mantém seu corpo/sua mente estável, ao passo que tentar fazer muita coisa ao mesmo tempo, muito depressa, pode resultar em esgotamento.

É o hábito que está ao volante? Pare o carro!

Criar novos hábitos exige disciplina no início, mas quando se ganha impulso tudo fica mais fácil e as novas práticas acabam virando uma segunda natureza. O mais difícil talvez seja identificar seus velhos hábitos e começar a mudar sua maneira de fazer certas coisas. Imagine que você está dirigindo numa estrada lamacenta, seguindo sempre o mesmo caminho. Os pneus começam a afundar nos sulcos da estrada e fica difícil sair dessa trilha. Os primeiros passos para criar um novo caminho são parar o carro, tirá-lo de lá em marcha a ré e recomeçar a avançar numa nova direção. Assim que surgir um desejo ou um hábito antigo, faça uma pausa, respire fundo e pergunte a si mesmo: qual ação fará você se sentir melhor a longo prazo? Conscientizando-se um pouquinho, você vai ficar alerta e parar o carro antes de se afundar naquele velho atoleiro. Tomando um novo caminho, fica mais fácil dirigir e chegar aonde você quer ir.

As dicas práticas a seguir sugerem ações para a mudança, pois os velhos hábitos precisam de novos para tomar o seu lugar. E insisto: você não precisa fazer todas essas ações recomendadas. Comece prestando atenção a esses aspectos importantes do seu mundo da alimentação.

> **Armadilha – Alerta!** Quando você começa a criar novos hábitos, pode haver um intervalo entre observar aquele velho hábito prejudicial e mudar seu modo de agir para uma ação mais benéfica. Você pode se aborrecer com isso; mas respire fundo e seja mais compreensivo consigo mesmo. Lembre-se, há milhares de anos os seres humanos buscam maneiras de viver bem. Julgar seu progresso com muita severidade fará você se sentir insatisfeito, incapaz e, por fim, derrotado. Alegre-se com a sua nova tomada de consciência, afirmando sempre que você está em meio a um processo. Saiba que simplesmente observar seus velhos hábitos de comportamento já é o primeiro passo para a mudança – e pode ser o mais difícil. Antes de partir para a ação, parabenize a si mesmo.

Por que, como, quanto, quando e onde comer
POR QUE E COMO COMEMOS

No Ayurveda, saber *por que* comemos é o fator mais importante na nossa relação com a comida, pois determina de que modo ela será recebida pelo nosso corpo. Quando você começar a usar o alimento como remédio, firme-se na intenção de que a comida seja nutritiva, energizante, saborosa e leve para o seu organismo. Tenha em mente que existe espaço tanto para o prazer como para a nutrição. O Ayurveda fala da fome da língua, assim como da fome do estômago. Agradar o paladar é um aspecto importante da culinária ayurvédica, que conseguimos usando especiarias digestivas e incluindo os seis sabores (p. 34).

O Ayurveda não considera benéfico comer alimentos de que a pessoa não gosta. Embora o foco principal esteja na nutrição, lembre-se de que a comida também deve agradar o seu paladar.

A maneira de comer é, com certeza, mais importante do que *o que* nós comemos. Por exemplo, você pode ter à sua frente um prato cuidadosamente escolhido e preparado com carinho, mas se você comer preocupado, achando que vai engordar, a preocupação pode gerar uma indigestão nervosa ou fazer seu organismo rejeitar a comida.

A chave para comer com a mentalidade certa é se aproximar do alimento com gratidão. Assim como você ouviria com atenção e carinho um amigo em dificuldades, observe com carinho seus alimentos. Assim que seu organismo aspira o cheiro da comida, ele começa a preparar as enzimas adequadas para essa tarefa que já reconheceu. Antes mesmo de dar a primeira mordida, o processo de digestão já começou! Envolva todos os seus sentidos: olhe de perto, sinta o cheiro e perceba as qualidades da comida no seu prato. Que cores, aromas e texturas você vê?

> **DICA PRÁTICA:** Acostume-se a tirar alguns momentos para sentar-se diante da sua refeição e parar um pouquinho antes de comer – apenas algumas respirações para absorver tudo aquilo com os seus sentidos e preparar-se para comer.

QUANTO COMER?

Imagine que seu estômago está dividido em quatro partes. Os antigos textos do Ayurveda sugerem que "duas partes devem ser preenchidas com alimentos sólidos, uma parte com líquidos e a parte restante mantida vazia para acomodar o ar".[1] A quantidade de alimento sólido que cabe nas suas mãos em concha é uma boa medida de referência.

Beber líquidos é uma parte importante de toda refeição. A bebida ideal seria água morna, pura ou com suco fresco de limão, ou um chá digestivo – você vai encontrar essas receitas nas partes dedicadas às estações do ano. Um copo de 150 ml é suficiente. Beber muita água menos de 30 minutos antes da refeição, ou até 2 horas depois, dilui os sucos digestivos. A quantidade certa de líquido produz um bom *ahara rasa*, o suco extraído dos alimentos.

> **DICA PRÁTICA:** Coma devagar e lembre-se: a cada poucos bocados, deixe os talheres na mesa e sente-se mais relaxadamente para trás. Isso pode exigir alguma força de vontade. A recompensa é que, à medida que cresce seu hábito de comer com atenção, você vai simplesmente parar de comer quando começar a se sentir satisfeito. O que indica isso é o primeiro arroto. Ele significa que o estômago está deixando sair um pouco de ar para abrir espaço para a comida – ou seja, se você acrescentar mais comida lá dentro, o estômago ficará sem espaço. Coma devagar para notar o arroto – você verá que ele é o sistema integrado do seu organismo para controlar as quantidades!

QUANDO COMER

Comer no momento adequado do dia é o que determina se a comida será bem digerida ou não. Acredite, é preferível comer um hambúrguer ao meio-dia a uma salada à meia-noite. No Ayurveda, nosso objetivo é comer na hora das refeições e nada mais. A recomendação geral é fazer três refeições por dia; para algumas pessoas, duas podem bastar, enquanto outras podem precisar de quatro. Isso vai depender da quantidade de atividade física da pessoa, do metabolismo e, é claro, da estação do ano – por exemplo, no inverno normalmente sentimos mais fome que no verão e comemos mais para manter o corpo aquecido.

Lembre-se de que o fogo digestivo é como uma fogueira. Se você esperar demais para acrescentar lenha, o fogo vai se apagar. Mas se você acrescentar lenha continuamente vai abafar as chamas e terá que parar e aguardar até que o fogo aumente outra vez antes de colocar mais lenha. A maioria das pessoas tem o hábito de comer muitas vezes ao dia. Assim o fogo nunca atinge sua força total, pois sempre tem algo novo para digerir. A prática de não comer entre as refeições permite que o fogo digestivo aumente.

Quando estiver satisfeito com sua rotina de café da manhã e almoço,

> **DICA PRÁTICA:** Experimente e observe durante algumas semanas quanto você precisa comer no café da manhã para chegar ao almoço sem petiscar. Isso exige cumprir um horário rotineiro para as refeições. É mais fácil passar a manhã sem fazer nenhum lanche do que a tarde.

comece a perceber quanto você precisa comer no almoço para não ficar com muita fome nem se sentindo mal antes do jantar. Talvez você note que tem tendência para comer pouco no almoço e acabar comendo outras coisas (por exemplo, comer doces e tomar café) durante a tarde. Um almoço completo vai deixá-lo satisfeito e sem problemas digestivos.

Levei cerca de seis meses para me sentir bem comendo apenas durante os horários das refeições. Um dia eu sentia muita fome após o café da manhã; no outro dia, ficava estufada! Antes eu nem tinha o hábito de fazer refeições substanciais; passava o dia beliscando, e aquilo tudo era novo para mim. Depois de um ano, eu já sentia vontade de comer apenas na hora das refeições e tinha menos sintomas de má digestão, por permitir que cada refeição fosse totalmente digerida. Mesmo assim, há dias em que digo: "Esquece tudo isso!" e tomo um lanchinho. Gosto de fazer uma pausa na rotina de vez em quando.

NOTA: O metabolismo precisa de tempo para se acostumar a uma mudança nos hábitos alimentares. Não seja demasiado rígido, permita-se o tempo necessário para fazer a transição para o novo hábito de fazer uma refeição completa nos horários determinados do dia. Se você seguir a nova rotina metade das vezes, já estará fazendo um favor para a sua digestão.

FOME DE VERDADE

Está com fome? Tem certeza? Crie o hábito de notar a intensidade da fome antes de comer alguma coisa. Sabemos que cerca de 2 horas após uma refeição (ou mais, se tiver sido uma refeição grande), o estômago abre um "alçapão" e a comida desce para o intestino delgado. De repente, o estômago passou de cheio para vazio, e é esse vazio que você sente. Mas se você comeu há apenas 2 horas, não deve estar com fome de verdade. Espere. Dali a meia hora ou menos, você não vai mais sentir fome, e seu organismo vai começar a aproveitar a energia dos alimentos que você ainda está digerindo. A fome de verdade ficará mais forte se você esperar mais 1 hora; assim, você se sentará para a sua próxima refeição com um fogo digestivo saudável. Repare nesse ritmo da fome cerca de 2 horas após uma refeição e você começará a percebê-lo com mais nitidez.

Lembre-se, se estiver com vontade de comer um biscoito, experimente trocá-lo em pensamento por uma sopa de legumes; se a sopa não acender o seu fogo, é a língua que está com fome e não o estômago. Espere até ficar realmente com fome, e você vai sentir desejo por alimentos mais benéficos.

SUGESTÃO PARA O RITMO DIÁRIO

O calor do fogo digestivo reflete o calor do sol, que vai esquentando e depois esfriando ao longo do dia. Os seguintes horários para as refeições otimizam a digestão, com o apoio desse fluxo natural do dia.

Café da manhã. Antes do meio-dia, o fogo ainda não atingiu seu pico. Tente fazer uma refeição leve para iniciar o dia; mas se você acordou cedo ou fez exercícios antes do desjejum, pode sentir necessidade de algo mais substancial. Coma o suficiente para aguentar até o almoço.

Almoço. Com o sol chegando ao pico logo após o meio-dia, o almoço é o momento ideal para ingerir a maior quantidade de alimentos e/ou alimentos mais complexos, tais como gorduras e proteínas. Também é a hora de comer uma daquelas guloseimas que um colega levou ao escritório hoje, em vez de comê-la entre as refeições.

Jantar. Essa refeição leve visa complementar sua alimentação se você não comeu o suficiente durante o dia. Se você tem o hábito, como muita gente tem, de fazer uma refeição social ou em família à noite, faça um favor a si mesmo: coma bem no almoço. A tentação de comer demais à noite – hora em que o sistema digestório está desacelerando e encerrando as atividades do dia será menor. Lembre-se que o sentido de fazer uma refeição social ou em família não é tanto comer, mas sim passar um tempo precioso junto aos seus entes queridos. Mude seu foco para se sentir bem alimentado pela companhia dos que estão à mesa, e assim você se sentirá satisfeito com uma refeição mais leve.

É bom jantar de 2 a 3 horas antes de ir para a cama, para dormir com o estômago vazio. Isso permite que seus órgãos façam uma limpeza enquanto você descansa, em vez de ter que processar aquele jantar que você comeu tão tarde. Como tudo no Ayurveda, o que conta é o que você faz habitualmente. Não há problema em jantar tarde de vez em quando, mas, como hábito geral, é bom jantar cedo e comer algo leve.

Outro ritmo diário, bom para climas quentes, é fazer apenas duas refeições por dia: uma mais substancial no final da manhã, antes que a temperatura suba muito, e outra mais modesta quando o dia esfria, antes do pôr do sol. Em países quentes, é comum as pessoas fazerem a sesta à tarde e jantarem bem mais tarde, depois de escurecer, quando o dia já está mais fresco.

Nos Estados Unidos e na Europa, o pôr do sol no verão pode ocorrer às 21 horas; assim, faça a segunda refeição por volta das 17 ou 18 horas se você pretende ir para a cama cedo.

VOCÊ MERECE UMA PAUSA PARA O ALMOÇO

Eu enfrento esse conflito o tempo todo: uma funcionária típica, que trabalha no escritório das 9 às 17 horas, me olha como se eu fosse louca quando sugiro que ela levante da mesa de trabalho por 30 minutos para almoçar, ou até mesmo que vire a cadeira para ficar de frente para uma janela, ou que saia para sentar num banco. Quem decidiu que você não tem intervalo para o almoço? *Apenas você e mais ninguém.* Mesmo que no seu local de trabalho você sinta a pressão para engolir a comida às pressas enquanto continua trabalhando, isso não significa que não tenha direito, por lei, a um intervalo. A pressão dos colegas não é motivo para prejudicar a sua saúde. Comer enquanto trabalha faz mal à saúde – isso é um fato. Sou bastante rígida nesse aspecto porque já vi muita gente conseguir equilibrar a saúde por meio de um compromisso lento, porém firme, de fazer um intervalo para o almoço. No início resistiram à ideia, mas, depois de perceber os importantes benefícios da refeição do meio-dia, criaram um novo hábito!

O QUE COMEMOS

O que nós comemos é o aspecto da alimentação mais comentado e discutido; no entanto, é apenas uma parte do sistema geral do Ayurveda. Os alimentos recomendados são os que equilibram as qualidades das estações do ano, ou as qualidades que você está vivenciando no momento. Neste livro, a alimentação com base nas estações do ano garante que você desfrute de todos os sabores, mas nas fases apropriadas do ano. A beleza da natureza é que ela nos fornece os alimentos que são benéficos para cada estação, como a batata-doce roxa no inverno, com suas qualidades construtoras, e o coentro no verão, com suas qualidades refrescantes.

> **DICA PRÁTICA:** Em cada estação, concentre-se nas qualidades apresentadas no início da respectiva seção do livro. Ao longo do ano, você terá tempo para experimentar todas as vinte qualidades, à medida que elas vão surgindo.

ONDE COMER

O lugar onde fazemos nossas refeições será mais benéfico se for tranquilo e calmo, sem estímulos sensoriais em demasia, tais como música alta, conversas, TV, computadores ou fragrâncias artificiais fortes, como perfumes ou aromatizantes de ambientes.

Sente-se à mesa para comer. Comer na mesa de trabalho ou correndo, significa que você está comendo com a atenção voltada para outras atividades. Esse hábito rouba a energia dos seus órgãos digestivos, deixando os alimentos não totalmente digeridos ou os nutrientes não totalmente absorvidos, o que é inaceitável. Considere estabelecer horários rígidos: reserve de 20 a 30 minutos apenas para fazer as refeições e não use esse horário para realizar outras tarefas.

O QUE LEVAR PARA O TRABALHO

No trabalho, a chave para conseguir se alimentar de maneira equilibrada é estar preparado. Compre uma lancheira térmica e alguns recipientes de vidro tipo Tupperware, de tamanhos diferentes, para levar seu almoço – não uma quantidade excessiva. Pode levar também um pequeno recipiente para amêndoas hidratadas, sementes torradas ou outros tipos de castanhas e cereais para misturar. A comida fria é mais difícil de digerir, então não guarde seu almoço na geladeira do trabalho. Se quiser aquecer algum prato, misture um pouquinho de água quente. O micro-ondas destrói o *prana* dos alimentos; assim, sempre que puder, leve seu almoço numa embalagem térmica. Acostume-se a lavar os recipientes logo depois de comer ou assim que chegar em casa, para evitar acúmulo de louça.

> **DICA PRÁTICA:** Comece a procurar lugares calmos no seu local de trabalho para fazer suas refeições. Em casa, embeleze o espaço com plantas ou flores e bonitas toalhas de mesa. Deixe o computador e os celulares em outro aposento.

Dicas tradicionais para melhorar a digestão

Seguir algumas regras práticas pode fazer uma enorme diferença para manter um fogo digestivo saudável, um metabolismo forte e uma eliminação regular. Algumas dessas recomendações parecem simples, mas seus efeitos podem ser profundos. Preste atenção ao ler a lista abaixo e veja se um ou dois itens lhe saltam à vista. Comece a trabalhar justamente nesses hábitos.

- Não tome bebidas geladas, em especial com as refeições. Nos restaurantes, peça água morna ou à temperatura ambiente, sem gás.
- Beba água morna durante todo o dia e em dias frios leve uma garrafa térmica, em vez de uma simples garrafa de água.
- Prefira alimentos cozidos e quentes, e não crus.
- Reduza o consumo de sobras de comida e adquira o hábito de preparar refeições frescas mais vezes.
- Espere 2 horas após as refeições antes de tomar líquidos.
- Dê um intervalo entre as refeições de pelo menos 3 a 4 horas, para permitir a digestão completa antes de comer novamente. É aconselhável fazer essa mudança gradualmente, para deixar o nível de açúcar no sangue se ajustar. Evite beliscar durante o dia – seu fogo digestivo nunca pode se fortalecer se houver uma entrada constante de alimentos.
- Não coma quando não estiver com fome. Tudo bem pular uma refeição se você não estiver com fome; na verdade, faz mal comer sem fome, mesmo que sua mente lhe diga que está na hora de comer. Lembre-se que às vezes você precisa desacelerar para notar se está realmente precisando se alimentar.
- Coma sem pressa e depois descanse um pouco, por volta de 10 minutos, mas não durma logo depois de comer.
- Faça uma caminhada leve depois de comer.
- Se quiser comer alguma guloseima, coma junto com o almoço, quando a digestão está mais forte, e depois não coma mais nada até o jantar.

Para avivar o fogo digestivo e melhorar a assimilação: *deepana* e *pachana*

Certas especiarias culinárias são valorizadas por seu poder de abrir o apetite (*deepana*), melhorar a digestão dos alimentos e a decomposição do *ama* (*pachana*). Embora a melhor maneira de reduzir o *ama* seja seguir as orientações que acabamos de ver, qualquer alimentação ayurvédica também faz uso moderado de temperos digestivos para ajudar a limpar e manter o sistema do corpo em bom funcionamento. Mas felizmente todas essas coisas você provavelmente já tem na sua cozinha, como gengibre, limão-siciliano e pimenta-do-reino.

Você vai encontrar mais utilidade nas substâncias *deepana* e *pachana* quando estiver sentindo:
- Pouco apetite.
- Sensação de peso no estômago.
- Sensação de peso ao acordar.
- Sono depois de comer.
- Digestão lenta, levando mais de 2 horas para digerir uma refeição.
- Problemas para digerir totalmente uma refeição.

DEEPANA: Antes de comer, tente uma dessas duas opções para estimular o pouco apetite.

APERITIVO PICANTE
Num copo cheio de água morna, adicione o suco espremido de ¼–½ de limão-siciliano fresco e uma boa pitada de pimenta-do-reino. Beba de 20 a 30 minutos antes da refeição. Você vai sentir fome!

BOMBA DE GENGIBRE
Corte e descasque uma fatia de gengibre de cerca de ½ centímetro. Esprema 1 colher de chá de suco de limão-siciliano sobre o gengibre. Adicione 1 pitada de sal e mastigue a fatia de gengibre de 20 a 30 minutos antes da refeição.

PACHANA: Depois de uma refeição, para aliviar a distensão estomacal, os gases, o estômago pesado e a letargia, tente uma das seguintes dicas:
Faça uma xícara de chá de gengibre bem forte, relaxe e beba devagar.
Tome um gostoso chá digestivo (vejá as receitas nos capítulos sobre as estações).
Tome algo específico para o seu mal-estar: faça um dos seguintes chás fervendo de 10 a 15 minutos 1 colher de chá da erva ou especiaria (inteira ou recém-moída) para 1 copo de água.
- Para acidez estomacal, chá de erva-doce ou hortelã.
- Para distensão estomacal, chá de gengibre e cúrcuma.
- Para a sensação de congestão, chá de gengibre e cominho.
- Para o desejo de comer doce, chá de canela.

NOTA: Não use suco de limão concentrado em conserva; ele não tem as mesmas qualidades digestivas do limão fresco.

O fluxo alimentar: criando um ritmo

Todos os processos que se movem no organismo o fazem seguindo algum ritmo. As batidas do coração, o ciclo diário do sono, os ciclos mensais dos hormônios – tudo isso segue algum ritmo, que é inerente ao organismo. No entanto, às vezes sua vida exterior se torna arrítmica, ou seja, sem uma rotina regular nos seus dias. Você pode ter o costume de dormir tanto às 3 da madrugada como às 9 da noite e acordar em horários variados. A hora do almoço também varia muito; por vezes você nem consegue almoçar e sequer percebe que não almoçou.

O sistema digestório é como um cãozinho de estimação. Ele criou o hábito de ver você chegar às 6 da tarde e lhe dar de comer. Se você chegar em casa mais tarde, ou se esquecer de lhe dar comida, ele vai ficar confuso, com fome e com medo. O mesmo acontece quando as pessoas ignoram o chamado do apetite natural e não comem na hora certa. Um horário irregular vai criar uma digestão e uma evacuação irregulares, a produção de mais açúcar no sangue e mudanças de humor.

Ao contrário do que acontece com o cãozinho, nos seres humanos a confusão acontece gradualmente e é fácil de ignorar. Mas, assim como o cão, a digestão pode ser treinada. Se você fizer questão de manter um horário regular para as refeições, seus processos corporais vão funcionar sem problemas. Assim como o apetite, os ácidos e as enzimas do intestino vão criar o hábito de se ativar nos momentos adequados do dia, resultando em melhores assimilação e absorção dos nutrientes. Você vai aproveitar melhor a comida, comerá menos e terá menos desejo por alimentos não benéficos. Você vai se sentir melhor, porque um ritmo regular acalma os nervos e um horário regular para as refeições realmente ajuda a diminuir o estresse e amenizar as mudanças de humor.

Essas sugestões para o ritmo diário das refeições se baseiam nos ritmos ditados pela natureza. É um ideal para se almejar, mas nem todos estão em condições de seguir o fluxo ideal. Assim, aqui estão mais algumas opções para ajudar você a criar um ritmo saudável.

UMA PAUSA, POR FAVOR

Lembre-se, os pontos principais do seu ritmo agem como pedras de toque durante todo o dia. Se você conseguir seguir o ritmo diário sugerido com frequência – digamos, quatro ou cinco dias por semana – poderá se orgulhar de uma boa realização. Mas relaxar um pouco a rotina de vez em quando e aproveitar os prazeres e alegrias mantém a pessoa espontânea e versátil. Todo mundo precisa de uma pausa da rotina. A melhor hora para se alimentar é quando você está se sentindo bem, sem ansiedade, raiva ou irritação.

O projeto ritmo

A palavra *projeto* sugere que encontrar um ritmo regular para suas refeições vai dar algum trabalho. No 1º dia, a mudança pode ser assustadora. Eu subdividi o processo nas etapas seguintes, com base no que deu certo para mim e para os meus clientes. Comprometa-se com esse projeto por algumas semanas – tempo o bastante para notar uma melhora em como você se sente. Sentir-se bem vai inspirar você a continuar. Como sempre, dê um passo de cada vez, pois o Ayurveda ensina que as mudanças pequenas são duradouras.

Comece por arranjar um horário regular para se alimentar, encontrando um tempo para a refeição da manhã, o almoço ou o jantar. (Se puder, coma ao meio-dia.) Habitue-se a comer uma refeição durante esse intervalo todos os dias, ou quase, durante uma ou duas semanas.

O próximo objetivo é fazer com que essa refeição seja preparada por você. Isso exige que reserve um tempo para cozinhar. Comece cozinhando em dias alternados. Como a maioria das receitas neste livro rende duas refeições, você pode guardar uma porção para comer no dia em que não cozinhar. Com o tempo, você pode ir se direcionando para o ideal de preparar comida fresca todos os dias. Os alimentos guardados de um dia para o outro perdem muito *prana*. No entanto, preparar sua própria comida em vez de comer fora é muito benéfico, e contar com as sobras do dia anterior, dia sim, dia não seria um ótimo começo. O que o Ayurveda não recomenda é preparar um panelão de comida no domingo e comer a semana toda. Quando você sentir a diferença ao comer o alimento preparado na hora, as sobras do dia anterior vão começar a perder o encanto.

> **DICA DE COZINHA:** Uma boa hora para cozinhar algo rapidamente é de manhã, enquanto está se preparando para o trabalho e para a sua rotina matinal. Você pode deixar uma porção de grãos de molho durante a noite, cozinhar rapidamente pela manhã, usar a metade para o Creme de Cereais e levar o restante para o trabalho, para comer com sopa (em vez de pão) ou mais tarde com uma Salada Cozida no Vapor.

Vejamos um exemplo de café da manhã. Você provavelmente se levanta mais ou menos à mesma hora e se apronta para sair para o trabalho. Dê a si mesmo meia hora para fazer uma das receitas-modelo de café da manhã e sentar-se para comer. Seu café da manhã não será mais uma variável. Se notar que está dormindo demais e comprometendo essa refeição, saberá que sua vida está saindo do equilíbrio. Você está ocupado demais para cuidar bem de si mesmo.

No Apêndice 3 (pp.302-05), ofereço várias técnicas de cozinha que visam a conveniência, tais como diminuir o tempo de cozimento dos alimentos deixando

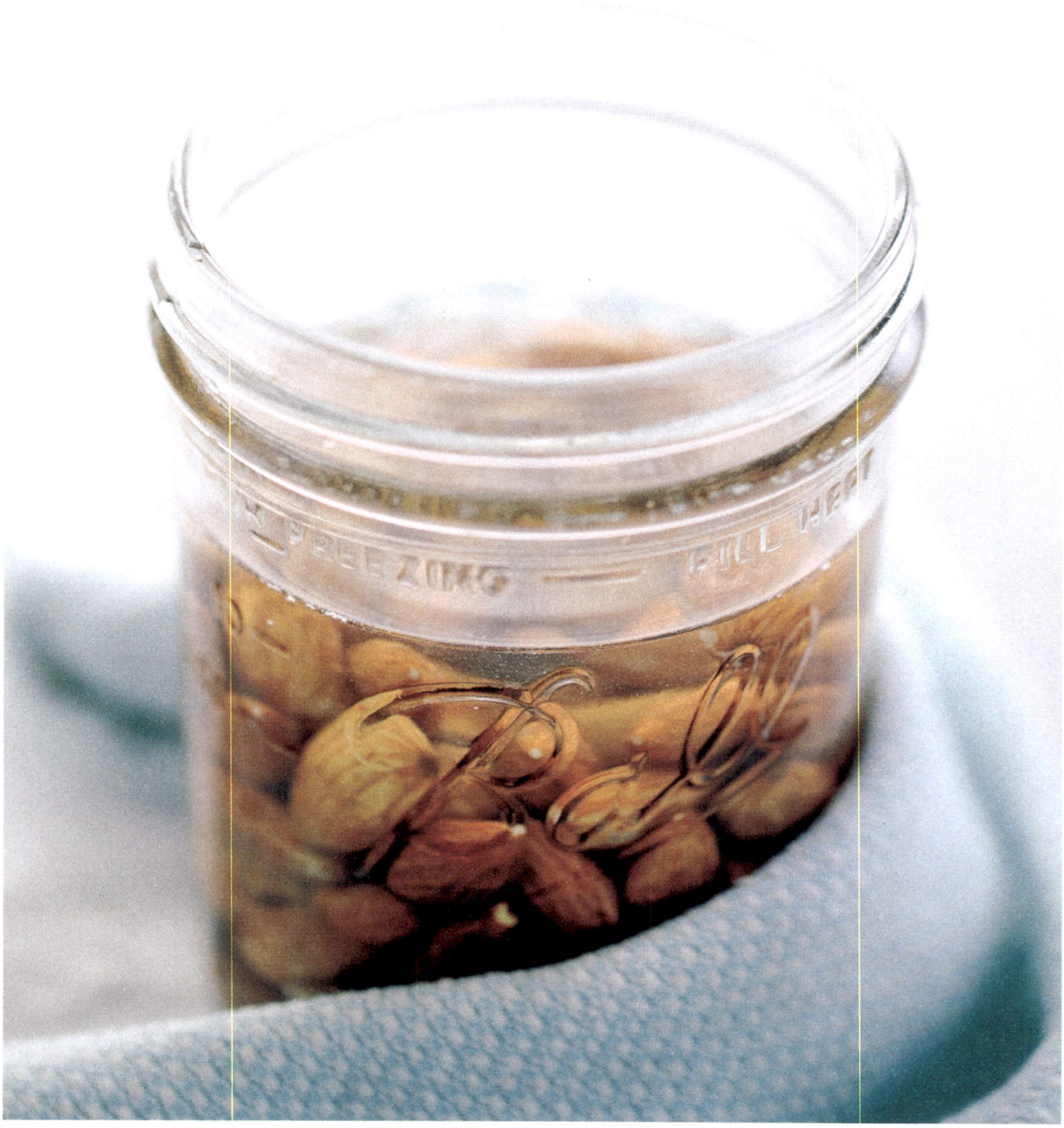

de molho os grãos e as leguminosas durante a noite, ou deixar algumas verduras pré-cortadas num dia em que você não vai cozinhar. Essas técnicas e a simplicidade das receitas, de modo geral, visam lhe dar apoio nas suas mudanças positivas.

> Se você *criar e manter o hábito* de se levantar 30 minutos antes do horário de costume, seu corpo vai reagir sentindo sono mais cedo. E se *ouvir* o seu corpo, você passará, naturalmente, a dormir mais cedo e assim descansar o suficiente. As refeições bem digeridas aumentarão a sua energia, e talvez você venha a perceber que não precisa de tantas horas de sono como julgava.

Combinações de alimentos

Certas combinações de alimentos são incompatíveis, ou seja, têm tendência a fermentar no intestino, resultando em gases e distensão abdominal, ou são pesadas demais para serem totalmente digeridas, resultando na criação de *ama*, o subproduto grosso e viscoso da digestão incompleta. Essa substância é considerada a causa inicial das doenças. Imagine a *ama* como comida não digerida que fica parada até se transformar em algo que o corpo não consegue mais expelir com facilidade.

Veja a seguir boas dicas quanto à combinação de alimentos, especialmente se você não estiver se sentindo bem; mas lembre-se de não ser rigoroso a ponto de ficar estressado. É inevitável comer combinações incompatíveis vez ou outra; a menos que causem mal-estar ou que você tenha distúrbios digestivos crônicos, relaxe. Se estiver fazendo combinações harmoniosas na sua própria cozinha, seu sistema será capaz de processar algumas combinações malucas de vez em quando. No entanto, se você costuma sentir-se inchado ou com gases depois de comer, pode resolver o problema seguindo as combinações corretas.

MISTURAR FRUTAS COM OUTROS ALIMENTOS

As frutas se decompõem mais rapidamente no estômago do que outros alimentos. Ao comer frutas juntamente com outros alimentos, o estômago vai reter as frutas mesmo depois de digeridas, enquanto ainda está decompondo todos os outros alimentos. As frutas digeridas vão começar a fermentar ligeiramente. Após a digestão, essa fermentação confere uma qualidade azeda (*quente* e *cortante*) à comida.

No entanto, frutas cozidas com outros alimentos, tais como as maçãs e as uvas-passas da Maçã Crocante da Kate (p. 233) são menos incompatíveis do que as frutas cruas. O Ayurveda ensina que cozinhar os alimentos juntos na mesma panela aumenta a sua compatibilidade, pois eles são "apresentados uns aos outros" antes de unir-se no estômago. Essas receitas nunca sugerem usar frutas cruas para uma sobremesa ou para enfeitar um prato. Comer frutas cruas após a refeição não é um bom hábito.

DICA PRÁTICA: Se você tiver um intervalo muito grande entre o almoço e o jantar, coma uma fruta da estação uma hora antes. Isso vai sustentar você por um tempo, e seu sistema já vai ter digerido a fruta por completo até a refeição seguinte.

O TEMIDO *SMOOTHIE*: UMA COMBINAÇÃO QUE É UM PESADELO

A rainha das refeições incompatíveis é aquela bomba gelada de liquidificador à base de leite e banana, ou outras frutas, conhecida como *smoothie*. À primeira vista parece uma boa ideia jogar toda a sua alimentação num liquidificador junto com algumas frutas vermelhas congeladas e chamar isso de refeição. Só que, de modo geral, os *smoothies* são muito gelados e muito complicados para o intestino assimilar bem. Este livro inclui algumas receitas de *smoothies* quentes, sem frutas, para você experimentar (veja o *Smoothie* Condimentado de Leite de Amêndoas, (p. 62) e o Tônico Rejuvenescedor de Inverno, p. 281).

Se você adora inventar *smoothies*, poupe seu intestino observando as seguintes orientações:

- Tome seu *smoothie* à temperatura ambiente. Não o faça com gelo. Se necessário, acrescente algumas colheres de água morna.
- Beba *smoothies* frios, de frutas, apenas em dias quentes.
- Prefira frutas de época, frescas e não congeladas.
- Limite o *smoothie* a três ingredientes.
- Não misture leite com bananas. Ambos são alimentos que criam muco e juntos criam um excesso de muco para o estômago processar.
- Acrescente a Mistura de Especiarias Doce (p. 128), com sua qualidade calorífica, para equilibrar a qualidade refrescante do *smoothie*, que pode apagar o fogo digestivo.

Faça refeições simples

Como recomendação geral, cada refeição deve se focar num ingrediente principal, como grãos ou proteína, em vez de se ramificar em todas as direções. Coma o bastante desse ingrediente principal, de modo que não precise beliscar depois. Quanto menos itens você comer de cada vez, mais harmoniosa será sua digestão. Muitas receitas sugerem um segundo prato para acompanhar o primeiro, de modo que você fique satisfeito sem complicar o menu.

EXPERIMENTE O COZIDO COMPLETO

Faça do cozido de panela um prato básico da sua rotina semanal de alimentação. É fácil de fazer, bom para levar em viagem, sustenta muito, e os ingredientes formam uma melodia harmoniosa ao serem cozidos juntos. Se cozidas separadamente ou servidas cruas, essas combinações são mais difíceis de digerir.

A culinária ayurvédica inclui muitos cozidos, incluindo combinações bem condimentadas de legumes, feijões e lentilhas, grãos e outros amidos, castanhas e, às vezes, frutas. Eu não recomendaria comer estes alimentos juntos numa salada, mas cozinhá-los juntos na panela é outra história.

Lembre-se: é melhor não comer a mesma comida durante vários dias. Faça a quantidade certa para uma refeição ou duas e crie o hábito de cozinhar todos os dias, ou pelo menos dia sim, dia não. As receitas devem ser rápidas e simples.

ALIMENTOS QUE VOCÊ NÃO VAI ENCONTRAR NESTE LIVRO E POR QUÊ

Omiti alguns ingredientes dessas receitas porque tendem a causar desequilíbrio. De modo geral é aceitável comê-los de vez em quando; mas você vai notar que os ingredientes excluídos são justamente a base da alimentação nos Estados Unidos hoje em dia. Ao aprender a cozinhar sem eles, você não vai consumi-los com muita frequência e terá a chance de descobrir se eles podem estar lhe fazendo algum mal.

Ao classificar as qualidades das substâncias, o Ayurveda leva em consideração estes dois aspectos:
- De que modo as qualidades dos alimentos são modificadas pelo processamento.
- De que modo o corpo reage aos alimentos, segundo a frequência com que o sistema está acostumado a digeri-los.

Alimentos refinados
Comer alimentos que foram refinados até serem reduzidos aos seus aspectos mais sutis – como grãos de trigo refinados até virar farinha, ou a cana-de-açúcar até virar açúcar granulado, branqueado – juntamente com a prevalência dessas substâncias na alimentação moderna – pode provocar desequilíbrio e drenar suas energias. O Ayurveda sugere que o *prana* (força vital) de um alimento é mais vigoroso quando este está fresco e integral, o máximo possível. O trato digestório processa melhor os alimentos na sua forma original, e incluí-los sempre na sua alimentação, com seus minerais e suas fibras naturais, fará seu sistema digestório funcionar da maneira ideal.

Farinha de trigo
A intolerância ao glúten e aos derivados do trigo, que é cada dia mais comum, pode ser devida, *em alguns casos*, à natureza da farinha refinada. Nesta, a qualidade densa, viscosa e glutinosa do trigo não vem acompanhada pelas fibras naturais do cereal. Isso permite que a viscosidade do trigo o faça aderir aos cílios, que são minúsculos pelos na parede do intestino delgado, responsáveis pelos movimentos peristálticos ondulatórios que fazem o alimento ser processado ao longo do trato digestório. A viscosidade da farinha perturba o movimento dos cílios, e o organismo reage produzindo náusea, gases e/ou diarreia, alertando você para não comer farinha de trigo.

Outras farinhas, sem trigo, podem amenizar o problema substituindo a qualidade glutinosa do trigo por grãos secos como arroz, ou amido de batata ou tapioca. Mas para desfrutar da culinária Ayurveda, que tal aprender algumas receitas que não levam nenhum tipo de farinha? O *dosa*, por exemplo, uma espécie de "pão sírio" do sul da Índia que substitui o pão ou as tortilhas, é feito de legumes e arroz hidratado e depois moído. Com as receitas de forno deste livro você vai aprender a fazer pratos que satisfazem o paladar e o estômago usando cereais integrais, coco ralado e castanhas – ingredientes tradicionais dos doces indianos. Para a maioria das pessoas, não há problema em consumir um pouco de farinha de trigo ocasionalmente, mas contar com outras opções evita que essa farinha se torne um problema na sua alimentação.

Açúcar branco
O Ayurveda tradicional recomenda usar produtos derivados da cana-de-açúcar em diferentes graus de refinamento, pois refinar o caldo da cana prensada o torna mais puro e uma forma pura do sabor doce proporciona qualidades construtoras para o organismo. Contudo, a prática moderna de separar completamente o açúcar dos seus minerais e branqueá-lo cria um produto venenoso.

As fibras e os minerais naturais da cana-de-açúcar se decompõem lentamente. Separados das suas fibras e dos seus minerais, os minúsculos grânulos do açúcar branco entram muito depressa na corrente sanguínea, causando um pico de açúcar no sangue. Essa súbita mudança na química do sangue perturba o equilíbrio de todo o organismo, resultando em níveis inconsistentes de energia e em um sistema nervoso comprometido. Com o consumo regular, o açúcar branco pode colocar o organismo em um estado constante de desconforto, contribuindo para sintomas como hiperatividade, ansiedade, dores ou prisão de ventre.

Quando os preceitos clássicos do Ayurveda foram codificados, há mais de dois mil anos, não existia o açúcar branco na forma atual, clarificado e isolado das suas fibras e dos seus minerais. As receitas clássicas pedem açúcar mascavo ou rapadura, que é o caldo desidratado da cana ou da seiva de palmeira. Não é difícil encontrar esse produto e também o açúcar de coco. O caldo é extraído da cana prensada ou da palmeira e depois seco, formando um bloco que pode ser dividido em grânulos. O açúcar turbinado é o caldo de cana desidratado e processado numa turbina para criar grânulos grandes, e é considerado mais refinado. Procure evitar o açúcar branco e usar adoçantes menos refinados. E esteja ciente de que se um rótulo cita "açúcar" como ingrediente, significa açúcar branco refinado.

A cana-de-açúcar em si não é o problema; é o processamento que é problemático. Muitas outras substâncias doces naturais agora estão sendo vendidas em formas práticas para se usar no dia a dia, tais como o açúcar de coco e o de tâmara (ambos comuns na culinária ayurvédica), *maple syrup* (xarope de ácer ou de bordo) e agave. O agave não é usado neste livro; mas se for uma planta nativa do clima do seu país, procure a versão menos processada e use nas receitas. O mel é reverenciado no Ayurveda, mas não se deve cozinhá-lo, pois isso gera uma substância pegajosa, indigesta, que o organismo não consegue expulsar. Você vai encontrar mel neste livro, mas não nas receitas de forno e fogão.

Todas essas substâncias doces têm efeitos diversos em se tratando de trazer ao organismo qualidades caloríficas, ou então refrescantes. Ao longo do livro elas figuram segundo as estações, de modo que você pode apreciar o sabor doce de maneira adequada, em suas diversas formas.

Solanáceas

O tomate, as batatas, o pimentão e a berinjela são as solanáceas empregadas pelo Ayurveda. Esses vegetais contêm pequenas quantidades de neurotoxinas, que podem não causar distúrbios de imediato, mas se acumulam nos tecidos com o tempo e podem resultar em sintomas como inflamação das articulações, síndrome do intestino irritável e dores de cabeça.

Alho e cebola

O alho e a cebola são alimentos de importância medicinal. Ambos oferecem o sabor pungente e a qualidade calorífica, eficazes para reforçar o sistema imunológico em dias frios; mas são demasiado estimulantes para serem consumidos regularmente, como parte da alimentação diária. Sabe-se que o alho e a cebola excitam a mente; em alguns casos esse efeito é indicado, mas de modo geral o Ayurveda promove uma natureza pacífica, menos reativa. Consumir uma pequena quantidade de cada um por semana deve ser adequado para a maioria das pessoas; contudo, encontramos alho e cebola em tudo, por toda parte. Vale a pena aprender a temperar os alimentos sem usar essas substâncias causadoras de calor e excitação.

Carne

O Ayurveda não exige alimentação vegetariana. A carne, como todos os alimentos, é vista como um medicamento. Seria mais apropriado consumir carne nos meses frios, ou em pequena quantidade, numa sopa ou cozido digestivo para ajudar na construção dos tecidos em casos de deficiência, recuperação de doenças ou perda de peso indesejada. Os textos clássicos de Ayurveda descrevem as qualidades medicinais de diferentes tipos de carne animal, com base no clima do local e no nível de atividade da espécie. Por exemplo, comer carne bovina cultiva qualidades bovinas no organismo: denso, pesado, lento, estático. No Ayurveda, você é o que come!

No entanto, a alimentação ocidental moderna pode ser dependente da carne, com um consumo que excede em muito os níveis medicinais. Considere: a necessidade de consumir regularmente as qualidades construtoras da carne – o pesado, o denso – indica um estilo de vida que exige demais do organismo, a ponto de este requerer alimentos mais densos, a fim de se conservar. Comer animais é um *karma*, uma ação que vincula o organismo às energias mais baixas do universo, chamadas *tamas*, e não sustenta as energias espirituais, o *sattva*, como a alimentação vegetariana. Observe se você está descansando o bastante e dedicando tempo para comer alimentos frescos e integrais, ou se está confiando na carne para manter você num tipo de vida diária que está esgotando suas energias. Este livro lhe oferece receitas vegetarianas que vão nutrir você e manter a sua vitalidade.

CAPÍTULO 3

Da Teoria à Prática

NA COZINHA COM O AYURVEDA, NO DIA A DIA

Meu professor de yoga, Sri K. Pattabhi Jois, era famoso por dizer que a vida é "99% prática, 1% teoria". Ler sobre o Ayurveda pode ajudar você a entender os princípios, mas só quando começar a pôr em prática as recomendações de alimentação e estilo de vida e começará a notar melhorias na sua saúde. Este capítulo está repleto de dicas para ajudar você a organizar sua cozinha, dominar as receitas para o dia a dia e integrar as rotinas do Ayurveda na sua vida diária. Fornece ainda uma introdução ao que você encontrará na Segunda Parte, "Receitas e Rotinas para as Quatro Estações".

A Segunda Parte apresenta receitas, rotinas e práticas de estilo de vida focadas nas quatro estações, divididas em cinco capítulos.

Receitas para o dia a dia

ALIMENTAÇÃO: O Capítulo 4, "Receitas para o Dia a Dia", contém receitas fundamentais, benéficas para qualquer pessoa, para o ano inteiro. Fiz questão de oferecer receitas simples de preparar. Aprender a fazer esses pratos básicos certamente dará a você os conhecimentos necessários para se iniciar na alimentação ayurvédica. Aqui você encontrará a lista de compras para os alimentos básicos – um ótimo recurso para ajudar você a estocar sua despensa ayurvédica e preparar-se para fazer os pratos básicos durante o ano todo.

ESTILO DE VIDA: Além disso, o Capítulo 4 apresenta algumas práticas fundamentais que, quando se tornam rotina diária, vão aumentar a imunidade, atenuar o envelhecimento e proteger o corpo/a mente contra o estresse.

Primavera, verão, outono, inverno

Cada um dos capítulos sobre as quatro estações começa com uma revisão dos elementos e qualidades predominantes na estação, bem como os sinais e os sintomas de desequilíbrio aos quais devemos ficar alertas.

ALIMENTAÇÃO: Em cada capítulo, apresento as qualidades e os sabores que incentivam o equilíbrio durante aquela estação, bem como uma tabela com os alimentos recomendados, organizados numa lista de compras específica para a estação, de modo que você tenha à mão tudo de que precisa para as receitas do capítulo.

ESTILO DE VIDA: Para incentivar a saúde ideal durante cada estação, cada capítulo amplia a rotina diária básica com algumas novas ações fundamentais.

Este Capítulo 3 vai ajudar você a...

ORGANIZAR-SE
- Equilibrar as receitas para o dia a dia com as receitas sazonais.
- Organizar a despensa e o porta-condimentos.
- Utilizar as listas de compras sazonais.

USE SUA INTUIÇÃO: QUANDO E COMO MODIFICAR AS RECEITAS
- Adaptação para diferentes climas.
- Cozinhando para a família.
- Adaptação para viagens.
- Integração das *dinacharya* (práticas de estilo de vida).

A VIDA SAUDÁVEL COMO UM *HOBBY*

Pense no Ayurveda como um *hobby*. Integrar novas formas de cuidar de si mesmo (por exemplo, preparar a maior parte das suas refeições) pode levar algum tempo. Se você escolhesse o tricô como *hobby*, seria sensato comprar primeiro um ou dois novelos de lã e aprender a fazer uma peça simples. Caso contrário, será fácil acabar com uma cesta cheia de sobras de lã, a cabeça cheia de ideias para suéteres e muito pouca perseverança para continuar até o fim. Quando você se adaptar e sentir a simplicidade dos ensinamentos do Ayurveda, pode até achar graça lembrando que no início aquilo parecia um grande problema. Comece, simplesmente, dominando algumas receitas para o dia a dia. Lembre-se, ao dedicar sua atenção para criar novos hábitos, mantenha um espírito de exploração, autoaceitação e senso de humor.

Encontrar o ritmo com as receitas para o dia a dia

As receitas para o dia a dia sugerem um ritmo de três refeições ao dia para os pratos que você preparou, durante todo o ano. O ideal seria um café da manhã de tamanho médio, que satisfaça o seu apetite, um almoço substancial e um jantar leve. Os ingredientes extras sazonais sugeridos fornecem variedade, mas o método de cozinhar não muda, de modo que você não vai precisar reinventar a roda cada vez que a estação mudar. Considere as receitas para o dia a dia como modelos ou fórmulas. Quando você pegar o jeito das práticas básicas, poderá usar mais a sua criatividade para escolher os vegetais, óleos ou especiarias dos pratos para o dia a dia. Para facilitar, há várias receitas sazonais que partem de uma receita diária como modelo.

Se você não fica entediado facilmente, pode fazer apenas as receitas para o dia a dia e desfrutar de uma alimentação de custo acessível, não processada e bem administrável, rica em qualidades que promovem o equilíbrio. Quando dominar essas receitas, poderá ampliar a variedade com os pratos dos capítulos sazonais; e espero que você logo descubra que não precisa mais de receitas para preparar um prato rápido e satisfatório.

TUDO BEM SIMPLES: Lembre-se, especialmente quando começar a incluir os extras, que a eficácia da culinária ayurvédica reside na sua simplicidade. Permita que o seu paladar favoreça, gradualmente, as refeições que contêm poucos ingredientes. Coma uma porção saudável de um prato só, e não pequenas porções de uma miscelânea de sabores. Mantenha tudo bem simples e você vai se sentir melhor.

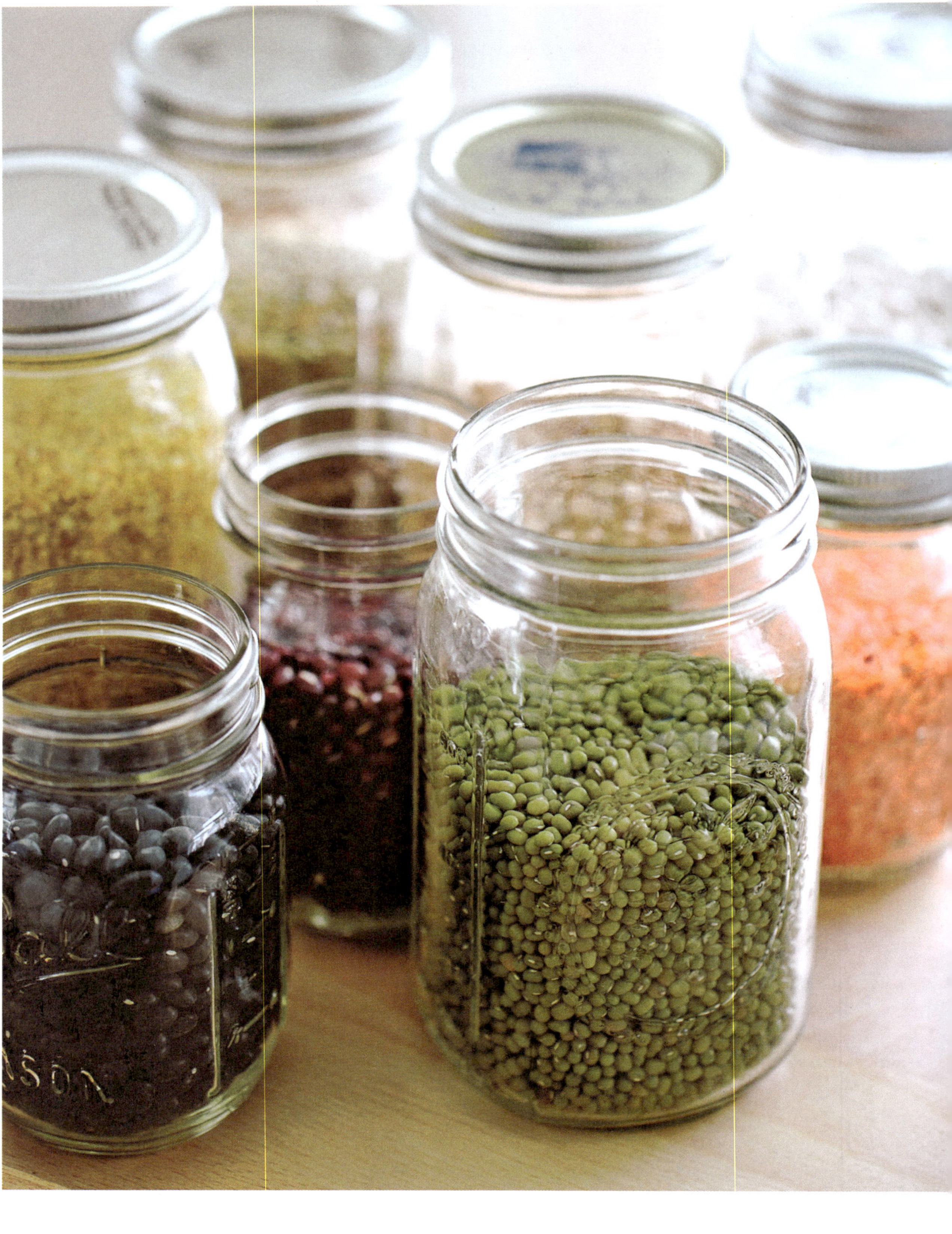

Criar uma rotina alimentar que muda com as estações do ano é uma prática de estilo de vida baseada em estar consciente de como seu corpo se sente. As receitas deste livro sugerem ideias para alimentos que vão facilitar as transições, mas cabe a você prestar atenção às mudanças nos atributos dos meses. Com a prática acumulada durante algumas estações, sua intuição e sua criatividade para mudar sua alimentação ao longo do ano se tornarão uma segunda natureza. Faça com que tudo seja divertido e flexível.

Organizar a despensa e o porta-condimentos

Guarde seus ingredientes básicos como grãos, leguminosas, castanhas e frutas secas em potes de vidro – eles conservam a sua despensa bem organizada e bonita. Para evitar guardar alimentos em sacos plásticos meio escondidos nas prateleiras, ou empilhados e esquecidos, vale a pena adquirir alguns potes bonitos, que vão ficar bem encaixados em uma prateleira ou gaveta. E de toda forma é uma boa ideia parar de usar sacos plásticos na cozinha, pois são todos feitos com produtos químicos, e não se sabe se estes vão acabar contaminando seus alimentos. Use potes de conservas, que vêm em vários tamanhos e têm uma tampa metálica para facilitar a limpeza e o armazenamento. Estão à venda em lojas de utilidades domésticas.

TIFIN, A MARMITA INDIANA

A palavra *tifin* pode se referir a uma pequena refeição ou à marmita onde é guardada. Na maior parte da Índia, a comida é armazenada em recipientes de aço inoxidável com tampa de trava, às vezes empilháveis para conter recipientes separados de arroz, *dal* e legumes. É comum ver pessoas indo trabalhar de bicicleta com suas três marmitas penduradas no guidom. Na Índia, elas estão à venda nos mercados e lojas de produtos naturais em diversas formas e tamanhos.

LISTA DE COMPRAS PARA MONTAR UMA COZINHA BÁSICA

Potes de vidro, de 500 ml e 1 litro, para guardar alimentos.

Recipientes herméticos de vidro em vários tamanhos.

Lancheiras térmicas (se você costuma comer fora de casa). Procure as impermeáveis e que vão se encaixar bem na sua pasta ou bolsa de trabalho.

Garrafa de vidro ou aço para água (para os dias quentes).

Garrafa térmica para bebida quente (substituindo a garrafa de vidro nos dias frios); procure garrafas de aço inoxidável e à prova de vazamentos.

Garrafa térmica para sopa, de aço inoxidável, com a boca larga para facilitar sua refeição fora de casa.

Moedor de pimenta.

Polvilhadores de vidro de 100 ml (tipo saleiro, com orifícios na tampa, para os sais e as misturas de especiarias).

Pilão e socador (para moer as especiarias).

ERVAS E ESPECIARIAS

Você aproveitará todo o valor medicinal das especiarias se comprá-las inteiras. Elas terão validade de cerca de um ano e você pode moer uma certa quantidade mensalmente. Assim que uma semente é moída, seu sabor e sua eficácia diminuirão após cerca de um mês.

A culinária ayurvédica tradicional por vezes faz uso dos dois tipos de condimentos, tanto inteiros como moídos, para uma dada receita de sopa, cozido, arroz ou verduras. O prato ficará mais saboroso com as especiarias em pó, enquanto as sementes inteiras acrescentam explosões de sabor mais intenso e variedade visual. Em algumas receitas deste livro, as especiarias inteiras são opcionais. Como você está começando, é melhor moer mensalmente um lote de temperos que atendam às suas necessidades de sabor, boa digestão e qualidades sazonais e usar apenas esse lote. Quando ficar mais experiente na cozinha, pode começar a incrementar as receitas com especiarias inteiras também, para deixar os pratos mais variados e interessantes.

Compre em lojas de produtos naturais que vendem ervas aromáticas e especiarias a granel. Você também pode encomendá-los de empresas especializadas em produtos ayurvédicos. Uma boa quantidade seria cerca de 250 gramas de cada tipo de tempero.

Armazenamento. Guarde suas especiarias em potes de vidro ou numa caixa de especiarias, a *masala* (p. 75), se tiver a sorte de encontrá-la nas lojas. Essa é a forma tradicional de guardar as especiarias indianas, pois os sabores se misturam no recipiente. Potes de 500 ml podem guardar uma boa quantidade de especiarias inteiras, que devem ser usadas dentro de um ano. Guardar e lavar potes de manteiga vegetal ou outros produtos da mercearia é uma maneira

- ANIS-ESTRELADO
- GENGIBRE FRESCO
- SAL ROSA
- SEMENTES DE COENTRO
- SEMENTES DE ERVA-DOCE
- ASSA-FÉTIDA
- SEMENTES DE MOSTARDA
- SEMENTES DE COMINHO
- SEMENTES DE CARDAMOMO
- CRAVOS
- CÚRCUMA
- COENTRO FRESCO

econômica de reunir uma coleção uniforme de potes; outra opção é comprar potes especiais para conservas.

Para uso diário, guarde no porta-condimentos. Mantenha as especiarias moídas em polvilhadores de vidro, de tampa com orifícios, que também podem ser encontrados em qualquer loja de artigos domésticos ou de cozinha. Deixe na mesa o moedor de pimenta com grãos de pimenta-do-reino.

Para fazer as misturas de especiarias para o dia a dia, você vai precisar de:
- Sementes de coentro.
- Sementes de erva-doce.
- Sementes de cominho.

Quanto às especiarias seguintes, é melhor comprá-las em pó, pois são difíceis de moer:
- Cúrcuma.
- Cardamomo (apesar de que as vagens inteiras ficam bonitas nos pratos de arroz e no chá).
- Canela.
- Gengibre.
- Sal rosa ou sal marinho.

Quando você adquirir o hábito de usar as listas de compras sazonais, decerto vai comprar alguns temperos extras a cada estação e poderá criar misturas variadas no seu misturador de temperos. Também poderá preparar vidros de temperos só para os sabores do Ayurveda e outros para as receitas de estilo ocidental.

Comprar ervas frescas é sempre melhor, mas nem sempre é fácil encontrá-las. No entanto, durante o ano todo você pode cultivar alguns temperos favoritos em vasinhos no peitoril da janela e cortar alguns pedacinhos frescos para enfeitar os pratos. Salsinha, tomilho, alecrim e hortelã crescem muito bem dentro de casa.

Quando as ervas estão na estação, pode-se comprá-las nas feiras, pendurá-las para secar na cozinha e depois guardar nos potes de vidro. Elas também podem ser usadas para fazer os sais de cada estação. Você pode comprá-las em lojas que vendem especiarias a granel. Um pouquinho rende muito; basta comprar mais ou menos ¼ de xícara para durar toda a estação. Se estiver cozinhando para toda a família, compre ½ xícara.

GENGIBRE FRESCO

O gengibre fresco é essencial e deve ser comprado semanalmente e guardado fora da geladeira. Procure raízes com dedos pequenos, que são macias e de sabor delicado. No final da estação de colheita, você vai encontrar na feira o "gengibre novo". São raízes pequenas, rosadas, que têm utilização medicinal na culinária ayurvédica clássica. Compre quando estiverem na estação e use o máximo que puder.

A CAIXA DE ESPECIARIAS

A *masala dabba*, uma caixa redonda de aço inoxidável, é uma forma tradicional de guardar as especiarias ayurvédicas. A *masala* contém vários potinhos para especiarias, inteiras e moídas, que podem então harmonizar seus aromas já dentro da caixa. Ao cozinhar, você pode ter acesso a todos os temperos em um só recipiente. Eu amo minha caixa de especiarias, que contém sete tigelinhas: cúrcuma em pó, coentro em pó, pimenta em grão, sementes de cominho, sementes de coentro, sementes de erva-doce e sementes de mostarda. Também tenho uma caixa separada para as especiarias doces para o *chai*, o chá indiano. À medida que você descobrir os seus sabores favoritos nas listas deste livro, escolha os sete principais e coloque-os na sua caixa de especiarias.

GRÃOS E LEGUMINOSAS

Divirta-se variando seus grãos e leguminosas segundo as listas de compras sazonais; mas guarde os principais em potes de um litro para as receitas do dia a dia. Se cozinhar para a família, pode guardar recipientes maiores na despensa, se achar que um vidro de um litro acaba muito depressa.

- Arroz basmati, integral e branco.
- Feijão-mungo, tipo verde e tipo amarelo partido.

CASTANHAS, SEMENTES E FRUTAS SECAS

As sementes são mais leves que as castanhas e aparecem em receitas para as quatro estações, enquanto as castanhas não constam de todas as listas sazonais. As frutas secas são utilizadas em base sazonal e aparecem principalmente quando as frutas frescas não estão no mercado; assim, guarde-as segundo as estações. Guarde estas reservas em potes de vidro na geladeira:

- Sementes de girassol cruas.
- Amêndoas cruas.
- Coco ralado.
- Sementes de chia.

> **TÂMARAS GRANDES!**
>
> As tâmaras secas, em geral do tipo *deglet nour*, não têm caroço e são convenientes para as receitas de forno. No entanto, o Ayurveda nos diz que as tâmaras "moles" são preferíveis às secas, porque são mais frescas (mais *prana*) e não aumentam tanto o teor de açúcar no sangue. Se você conseguir tâmaras frescas, compre, como faria com qualquer fruta; mas em climas mais frios compre a tâmara Medjool, bem semelhante à fresca. Se você não se importar em tirar os caroços, use as frescas em vez das secas sempre que puder.

ÓLEOS

É importante consumir óleos frescos. O óleo fica rançoso e assim não é metabolizado pelo organismo, resultando em *ama*, matéria tóxica não digerida que se acumula nos tecidos. Não guarde óleos de cozinha por mais de alguns meses. As listas de compras indicam os óleos apropriados para cada estação, de modo que você possa utilizar todo o seu estoque e mudar de variedade na próxima estação. Por exemplo, alguns óleos, como o de gergelim, são mais pesados, apropriados ao tempo frio; o óleo de coco é refrescante, recomendado para os dias mais quentes. Mas o *ghee* (p. 130) é benéfico durante o ano inteiro e pode ser conservado por um mês fora da geladeira e até três meses na geladeira.

Lembre-se: a manteiga clarificada (*ghee*) e o óleo de coco têm maior tolerância ao calor (não ficam rançosos com a temperatura quente) e são usados em todas as receitas de forno neste livro. Outros óleos de cozinha, como azeite de oliva e o óleo de gergelim, podem tolerar o calor médio e são aceitáveis para cozinhar.

Usando as listas de compras sazonais

Comemore cada mudança de estação dedicando um tempinho para "sazonalizar" sua despensa, do mesmo modo como mudamos nosso guarda-roupas de acordo com a estação. Em vez de conservar sempre os mesmos óleos, grãos, castanhas, frutas secas e leguminosas estocadas durante o ano inteiro, lembre-se com saudades dos alimentos e sabores que você não vê há algum tempo. Dedicar um tempinho para apreciar a variedade que a natureza nos oferece é algo que alimenta a alma e os sentidos.

Cada capítulo das receitas apresenta uma lista sazonal de compras, indicando os alimentos adequados para equilibrar as qualidades que mudam no seu organismo a cada época do ano e que dão uma agradável variedade à sua mesa. Seguindo a lista para se abastecer, você estará pronto para fazer a maioria das receitas da estação.

À medida que as qualidades do ambiente começarem a mudar, elimine os alimentos que não aparecem na lista da nova estação, utilizando tudo que você tem guardado. Dedique algumas horas para preparar ou comprar os itens da nova estação e, ao voltar para casa, organize a cozinha. Mude o que está guardado nos seus recipientes de vidro, assim como as variedades de legumes, grãos, castanhas e óleos na despensa; prepare algumas misturas novas de sal e especiarias da estação. Assim você estará pronto para preparar as receitas da nova estação e para equilibrar as qualidades do seu organismo, cuidando com carinho da sua alimentação.

Você vai encontrar muitas sugestões para verduras e frutas frescas nas listas de compras. Não compre todas de uma vez! Calcule para apenas uma semana, pensando em quantas pessoas há na sua mesa, e apenas duas ou três variedades de cada vez. Compre mais verduras do que frutas. Para simplificar, tente fazer um rodízio das frutas e verduras a cada compra, de modo a experimentar todas as variedades. Compre apenas o que você puder preparar e comer dentro de alguns dias ou uma semana, a fim de consumir sempre produtos frescos e evitar que apodreçam. Como regra geral, se algo lhe parece apetitoso, você provavelmente desejará comê-lo. (Não estamos falando de *brownies*...) Compre uma nova verdura que lhe atrai e experimente usá-las numa receita. Cada vez que você experimentar verduras ou legumes desconhecidos, estará expandindo suas habilidades culinárias.

Lembre-se, as Receitas para o Dia a Dia foram pensadas para orientar você a preparar refeições usando apenas os ingredientes básicos que estão sempre na despensa. Se não conseguir renovar os ingredientes logo que a estação mudar, tudo bem – mas continue cozinhando!

Rendimento das receitas

Quanto mais complicada a receita, maior o rendimento. A lógica é simples: se você dedicou muito tempo para fazer um prato, decerto vai querer desfrutar de mais porções do produto final. A maioria das receitas deste livro é simples e rende duas porções, mas as sopas e os ensopados que precisam cozinhar durante um tempo em fogo baixo em geral rendem quatro porções. (Nota: podem ser quatro tigelas modestas, se a sopa for um acompanhamento, ou dois pratos fundos, se for o prato principal.) Em vez de ensinar a fazer pratos elaborados em grandes quantidades e comer o que sobra durante vários dias, este livro busca incentivar você a cozinhar com mais frequência, fazendo pratos mais simples. Mais alimentos frescos trazem mais vigor à saúde.

Talvez esteja cozinhando apenas para você e queira comer a metade num dia e guardar a outra metade para a próxima refeição, ou levar para o trabalho. Se estiver cozinhando para duas pessoas, dobre a receita para que ambos possam levar um bom almoço para o trabalho no dia seguinte.

Cozinhando para a família

Para alimentar a família, você precisará dobrar ou triplicar a maioria das receitas. Mas um dos prazeres que este livro proporciona é que você vai ver como é simples preparar um prato para uma pessoa só. Talvez seu organismo não esteja pedindo carne com batatas ou espaguete com queijo, alimentação muito comum nos Estados Unidos. Em vez disso, você pode dar uma fervura em algumas verduras frescas, processar a metade com um misturador de mão e fazer uma simples sopa verde só para você (Sopa Verde de Limpeza, p. 118). A outra metade dos legumes servirá como acompanhamento para o resto da família. Você pode aumentar sua sopa com um pouco de carne e assim comerá muito menos batatas do que se não tivesse sua sopa como acompanhamento. Ensinar você a ser fiel ao que o seu corpo precisa, sem o trabalhão de preparar várias refeições ao mesmo tempo, é um dos objetivos deste livro.

Para personalizar os modelos de Receitas para o Dia a Dia, cada pessoa pode escolher seus acompanhamentos para acrescentar à receita básica. No café da manhã sirva, por exemplo, Creme de Cereais (p. 94) feito com um pouco menos água do que a receita pede e acrescente leite de vaca para uma pessoa e leite de amêndoas para outra. Ou sirva a Salada Cozida no Vapor (p. 104) para o jantar com duas ou três opções de molhos e acompanhamentos – uma pessoa pode preferir carne, a outra, sementes torradas.

Notas para o mestre-cuca da família:
- Deixar as misturas de especiarias à mão, em polvilhadores, incentiva cada pessoa a temperar os pratos a seu gosto.
- Deixe na mesa também uma garrafa de *ghee* ou óleo de coco, juntamente com uma colher limpa, para quem quiser acrescentar mais óleo ao prato.
- Na Índia a maioria das casas tem panela de pressão. Se você aprender a usá-la, é uma maneira rápida de fazer feijão e vegetais suaves e macios. Segundo a culinária ayurvédica, cozinhar na pressão é a melhor maneira de fazer com que alimentos secos e duros fiquem mais digeríveis. Outra maneira é cozinhar lentamente, o que requer mais planejamento, mas também é ótimo para amolecer os alimentos.
- As crianças precisam do sabor doce, e acostumá-las com comida adoçada naturalmente vai formar seu paladar e suas papilas gustativas de uma maneira que não exigirá açúcar branco. Tâmaras ou passas cozidas no *Kichari* (p. 110) com certeza vão cair bem.
- Faça novas porções de *chutneys*, molhos e pastinhas a cada semana. Se alguém na mesa não se interessar imediatamente pelo prato que você serviu, talvez se apaixone colocando *chutney* de manga em cima.
- As crianças estão na fase de desenvolvimento e precisam de mais alimentos pesados e densos, como laticínios, ovos, batata-doce e manteigas vegetais. As receitas de *muffins* deste livro podem ser a salvação do mestre-cuca da família e eles são ótimos para levar na lancheira. Você não precisa lhes dizer o nome, mas o Tônico Rejuvenescedor de Inverno (p. 281) também é um nutritivo ideal para crianças e restaura suas energias após um dia de escola.
- As crianças em fase de crescimento em geral precisam comer mais vezes que os adultos, com menos quantidade em cada refeição. Mas, mesmo se você alimentar seus filhos cinco vezes por dia, procure manter seu próprio esquema, de apenas três refeições.

Adaptação para diferentes climas

Reserve alguns momentos para reler a tabela "As Dez Qualidades Construtoras e Suas Opostas" (p. 30). É importante perceber essas qualidades ao observar suas sensações diárias e notar quaisquer sintomas iniciais de desequilíbrio. Depois de compreender de que modo as receitas usam os alimentos para equilibrar as qualidades sazonais, você pode modificá-las para contrabalançar as qualidades que estão agindo no seu organismo. Na dúvida, prefira os alimentos neutros sugeridos nas Receitas para o Dia a Dia.

As seguintes qualidades formam a base para os capítulos de receitas sazonais:
PRIMAVERA: Pesada, oleosa/úmida, lenta, turva, estável.
VERÃO: Quente, cortante/brilhante, oleosa/úmida.
OUTONO: Fresca, leve, seca, áspera, móvel (ventosa), límpida.
INVERNO: Fresca, muito seca, leve, áspera, móvel, dura, límpida.

SEU AMBIENTE INTERNO

Lembre-se: se você passa muito tempo em lugares fechados, terá que levar em conta o ambiente interno, que pode ser igual o ano inteiro. Tanto o ar-condicionado como o calor são secos, muito secos. Alguns locais de trabalho, como escritórios e lojas, são mantidos em temperatura muito fria; sendo assim, adapte-se a esse ambiente ao planejar a refeição e a bebida que você leva para o trabalho.

Os alimentos típicos da primavera promovem a secura e o calor, pois devem derreter os resíduos de inverno, e pedem muito pouco sal. Se a primavera no território em que você mora é menos úmida e fria do que seria típico dessa estação, você pode temperar as receitas com um pouco mais de sal e de óleo.

Os alimentos típicos do verão devem ser refrescantes e com pouco óleo. Se o verão no território em que você mora é seco, não úmido, você pode acrescentar mais gordura e óleo nas receitas.

As receitas de outono favorecem alimentos quentes e cozidos, embora sem ingredientes caloríficos demais, como a pimenta. Os alimentos preferíveis são construtores, estabilizadores, bastante oleosos e muito nutritivos, para preparar seu corpo para um longo inverno. Se o inverno que você está esperando não é tão longo como nas regiões frias, consuma alimentos construtores por um período mais curto. E se na sua região há uma estação mais prolongada para o cultivo de vegetais, você também pode acrescentar mais verduras frescas às receitas.

As receitas de inverno favorecem alimentos caloríficos, servidos quentes, aquosos e oleosos, com um pouco de tempero. Se o inverno no território em que você mora não for muito seco e frio – por exemplo, se chove muito no inverno – você pode preferir as receitas de inverno que aquecem, mas corte um pouco o óleo e as gorduras pesadas. Neste caso, reduza também os sabores azedos e salgados, pois estimulam o organismo a reter líquido.

Compreendendo o clima interno

Na verdade, você deve considerar dois climas diferentes ao fazer suas escolhas alimentares: o do seu ambiente externo e, o mais importante, seu clima interno. Cada organismo contém uma composição única dos cinco elementos ayurvédicos. É possível, por exemplo, nascer com uma propensão a sentir-se frio e seco, mesmo durante as estações com qualidades quentes e úmidas.

Um indivíduo com tendência a sentir frio pode se sentir mais forte e mais integrado durante os meses quentes e pode relaxar um pouco seus esforços para manter-se quente e oleoso nessa época; mas esse indivíduo certamente *não* deve procurar alimentos frios e secos, em nenhuma época do ano. Provavelmente sente as mãos e os pés frios a maior parte do tempo. Mas ele *pode* comer alguns alimentos frescos e secos de que gosta no clima quente, se sentir vontade. Consumir muitas receitas típicas da primavera pode fazer essa pessoa se sentir mal, talvez com a pele seca ou gases. Basta acrescentar um pouco de gordura e óleo de boa qualidade aos seus pratos e a pessoa sentirá alívio.

Outra pessoa pode sentir calor internamente, manifestando-se talvez como acidez estomacal ou uma sensação de quentura, mesmo no inverno; mas esse calor interno é pior no verão. Seria bom reduzir a ingestão de bebidas fortes como café e álcool. Em vez disso, prefira os refrescos de verão e desfrute de condimentos refrescantes, como *Chutney* de Coentro e Hortelã, durante o ano todo.

Outro exemplo: alguém que tem facilidade para ganhar peso durante o ano todo, em especial no inverno. Embora o ambiente externo seja claro e seco no inverno, o corpo dessa pessoa tem qualidades pesadas e oleosas no interior. A alimentação típica do inverno pode ser pesada e gordurosa demais para ela. Os grãos e legumes secantes e adstringentes das receitas típicas da primavera podem tornar algumas receitas do inverno mais leves para essa pessoa.

Com uma alimentação simples você pode perceber como os diferentes alimentos fazem você se sentir, ou que qualidades eles apresentam. (Será um calor gostoso? Ou irritação? Sente um peso depois de comer ou uma boa energia?) Observando, você compreenderá como modificar as receitas de acordo com o seu clima interno.

TRÊS ESTUDOS DE CASO SOBRE O CLIMA INTERNO

Nem sempre "Quanto mais quente melhor"

O clima que Cindy mais detesta é de um dia de verão quente e úmido. Sua tez rosada fica de um vermelho vivo quando ela sente calor; tem tendência para arrotar e ter indigestão ácida com comida muito condimentada. Cindy também nota que costuma ter espinhas antes da menstruação, especialmente quando toma aquele segundo café gelado da tarde todos os dias e se permite o hábito de tomar alguns drinques depois do trabalho. Quando as coisas ficam estressantes no escritório, às vezes ela tem que correr para o banheiro após as refeições. Não surpreende que sua época favorita do ano seja o inverno, quando ela se sente repleta de energia.

A preferência natural de Cindy pelo inverno e suas tendências a superaquecimento, acidez estomacal, acne e digestão rápida sugerem um ambiente interno quente. Possivelmente ela nota que essas tendências se intensificam no clima úmido, quando predominam qualidades cortantes, caloríficas e oleosas. As receitas do capítulo Receitas de Verão devem aliviar os sintomas de calor interno em qualquer época do ano. Cindy pode comer um pouco de comida picante de vez em quando no tempo frio, mas seu bom senso lhe diz que não deve fazer isso quando o clima está quente lá fora. Ela gosta de tomar a Limonada com Cardamomo e de comer o *Chutney* de Coentro e Hortelã com suas refeições durante todo o ano. Ela adora café, mas sabe quando está tomando café demais – sente acidez estomacal e fica com fome, então evita tomar café de estômago vazio.

Tudo engorda
Frank está sempre tentando perder peso. Parece que se ele come qualquer doce (que ele sente vontade o tempo todo, especialmente quando não faz sua rotina de exercícios) não consegue queimar aquelas calorias. Quando começa a se exercitar sente uma forte energia; mas se não se exercita pela manhã, sente-se preguiçoso e desmotivado o dia todo. Sua pele é com frequência úmida e fria ao toque, embora ele não relate sentir frio. A estação do ano de que ele menos gosta é a primavera, quando fica com o nariz congestionado e não sente o sabor de nada. O clima quente e seco faz Frank se sentir mais leve e com vontade de sair ao ar livre.

A aversão natural de Frank pelo clima úmido e sua tendência para ganhar peso e sentir congestão nasal sugerem um ambiente interno úmido e frio. Embora a congestão apareça no final do inverno ou na primavera, pode resultar de comer demais no jantar ou tomar sorvete em qualquer época do ano. Se Frank escolher as receitas leves e secas do capítulo sobre a primavera quando se sentir letárgico ou com congestão nasal, poderá aliviar esses sintomas típicos de um ambiente interno úmido. Ele gosta muito dos *Muffins* de Abóbora-Manteiga e *Cranberry* que, embora seja uma receita do outono, lhe agrada o ano todo; mas aprendeu a preferir as receitas da primavera, como a Sopa *Pho* Matinal (p. 139) ou o Cereal Revigorante de Frutas Vermelhas (p. 136), quando o dia está chuvoso e frio; do contrário ele se sente pesado a manhã toda.

Sempre com frio
Phyllis está sempre com frio; não pode ir a lugar nenhum sem levar um suéter na bolsa. Mas se tomar água gelada num restaurante e comer só uma salada, vai ser difícil se aquecer novamente. Por vezes pede uma sopa quente, mesmo quando faz calor lá fora – mas não com feijão, que lhe dá gases. Sempre sofre um pouco no inverno: fica com a pele muito seca e nem sempre evacua diariamente. Para Phyllis a felicidade é um banho quente ou férias num lugar tropical.

A preferência de Phyllis pelo banho quente e pela sopa quente sugere que ela tem um ambiente interno frio e deve sentir-se melhor com as receitas de outono e inverno. As qualidades estabilizadoras e úmidas desses alimentos vão ajudá-la a sentir-se aquecida e confortável. Ela sabe que deve esperar a volta do calor para apreciar uma salada; e, mesmo no verão, prefere os alimentos cozidos aos crus, pois já percebeu que assim tem menos gases e distensão abdominal.

Consulte com frequência a tabela abaixo de "Sinais e Sintomas Sazonais" para rever o que causa desequilíbrio e quais qualidades predominam em cada estação. Isso vai ajudar você a reconhecer as qualidades que necessitam de equilíbrio e se elas correspondem à estação atual ou estão presentes apenas no seu organismo.

SINAIS E SINTOMAS SAZONAIS		
ESTAÇÃO	QUALIDADES DA ESTAÇÃO	SINAIS E SINTOMAS DE DESEQUILÍBRIO
PRIMAVERA	Fresca, pesada, oleosa (úmida), lenta, turva, estável	Congestão, alergias sazonais, ganho de peso, retenção de líquido, letargia, tristeza
VERÃO	Quente, penetrante, oleosa (úmida)	Indigestão ácida, refluxo, fezes moles, espinhas, erupções cutâneas, inchaço, irritabilidade, dores de cabeça
OUTONO	Fresca, leve, seca, áspera, móvel (vento), límpida, irregular; o início do outono também é quente	Gases e distensão abdominal, prisão de ventre, secura na pele e no couro cabeludo, erupções que coçam ou ardem, mãos e pés frios, insônia, ansiedade
INVERNO	Fria, muito seca, leve, áspera, móvel, dura, límpida	Prisão de ventre, secura na pele e no couro cabeludo, estalos nas articulações, mãos e pés frios, ansiedade, fadiga

VIDA NA CIDADE

A presença constante de luz e barulho (mesmo à noite), os anúncios luminosos, a vibração dos aparelhos eletrônicos, o movimento dos veículos – todos esses elementos do entorno urbano aumentam a mobilidade da mente e a atividade dos órgãos sensoriais. Esses dois efeitos exigem algumas ações para contrabalançar. Seja qual for a estação, quem mora na cidade precisa cultivar qualidades como estabilidade, densidade, lentidão, maciez. Por exemplo, meditação, massagem com óleo ou yoga suave ajudam a cultivar essas qualidades, assim como buscar contato com o mundo natural (grama, folhas flores ou mesmo um animal de estimação) e dedicar alguns momentos a sentir a suavidade da pele.

Pé na estrada: dicas de viagem

Se você viajar para um lugar com outro clima, vai notar dentro de um ou dois dias os efeitos das qualidades do novo ambiente. Se você de repente se encontrar num lugar úmido e não estiver acostumado com isso, terá uma forte sensação de estar imerso na umidade e no calor e desejará sentir secura e frescor. Prepare-se para mudar sua alimentação quando estiver nesse novo lugar, tal como faria numa mudança de estação. Saiba ainda que as viagens aéreas têm uma qualidade extremamente seca e leve. Se viajar de avião, procure comer alimentos quentes e úmidos e hidratar a pele ao chegar; essas práticas simples compensam os efeitos da viagem.

Não é preciso abandonar a sua rotina ayurvédica quando viajar. Aqui, mais uma vez, o segredo é estar preparado. Pode haver problemas na viagem se você não levar nenhum óleo para massagem ou esquecer a garrafa térmica. Tenha sempre um *kit* de viagem preparado, numa embalagem plástica transparente; isso vai ajudar a manter sua rotina enquanto estiver na estrada. O *kit* deve incluir:

- Um raspador de língua (p. 290).
- Um recipiente plástico hermético de 100 ml com óleo de massagem. Antes do seu voo, coloque um pouquinho de óleo dentro do nariz, inalando profundamente. Como alternativa, compre um óleo para *nasya* para seu *kit* de viagem (p. 293). Um banho e uma massagem com óleo (*abhyanga*) ao desembarcar farão maravilhas para contrabalançar a secura do voo (p. 294).
- Água floral de rosas. Se seus olhos ficarem secos, use água floral de rosas em gotas ou *spray*.
- Saquinhos de chá de gengibre. Não tome bebidas geladas nem álcool no avião; peça água quente para o seu chá.
- *Trifala*, se você tem tendência à constipação intestinal (veja quadro ao lado)

Leve água numa garrafa térmica ou numa garrafa de vidro ou aço inox. Se viajar de avião, peça ao comissário de bordo água morna para a sua garrafa.

Às vezes é difícil encontrar alimentos não processados quando estiver viajando. Por outro lado, uma alimentação ayurvédica em casa melhora a capacidade digestiva; então, se tiver que comer num restaurante

TRIFALA

Trifala significa "três frutos". É uma fórmula suave para limpeza intestinal composta por três frutos secos: *amalaki, haritaki* e *bibhitaki*. Disponível na maioria das lojas de produtos naturais, a *trifala* é ótima para regular o intestino durante viagens e momentos de tensão. Esse composto repara e suaviza os órgãos da digestão e da eliminação e contém cinco dos seis sabores. A *trifala* é apropriada para a maioria dos tipos de organismos. Consulte um terapeuta ayurvédico para a dosagem e o uso.

ou numa lanchonete de vez em quando, seu fogo digestivo estará com força total. Mas se tiver que comer alimentos processados todas as noites da viagem, pode acabar com sintomas de desequilíbrio, tais como estômago dilatado, gases, acidez estomacal ou irregularidade intestinal. Quando for a um restaurante, peça água quente com limão ou chá de hortelã. Procure comer pratos com grãos e também legumes grelhados ou cozidos no vapor; e peça azeite de oliva verdadeiro e fatias de limão ou vinagre balsâmico para temperar a salada. Lembre-se de que você tem opções para o que colocar no seu organismo, mesmo num restaurante, e se pedir vegetais a cozinha sempre terá alguma coisa para oferecer.

Agora é a hora

Integrar o Ayurveda à sua vida diária, incluindo a alimentação, as práticas de estilo de vida e a sabedoria, pode levar algum tempo. É mais agradável e também mais eficiente começar com algo simples. Lembre-se de que pequenas mudanças são duradouras.

Sendo assim, amigos e amigas, vamos para a cozinha! Vire a página e comece a mudar a sua vida, uma refeição de cada vez.

SEGUNDA PARTE

RECEITAS E ROTINAS PARA AS QUATRO ESTAÇÕES

CAPÍTULO 4

Receitas para o Dia a Dia

PRATOS INDISPENSÁVEIS
PARA O ANO INTEIRO

Para você dar início à sua culinária ayurvédica, este capítulo fornece uma seleção básica e equilibrada de receitas apropriadas para cada estação do ano, que ajudarão você a manter sua saúde e seu bem-estar. As receitas para o dia a dia são bases completas, mas você pode variá-las com extras opcionais para adaptá-las às mudanças das qualidades de acordo com o clima da estação e o seu apetite. Se você começar por dominar estas receitas básicas e versáteis, estará no caminho certo para comer mais refeições preparadas por você mesmo e aprender a ter criatividade, rapidez e satisfação na cozinha. Além disso, você vai notar melhorias em sua saúde e na sua digestão.

O que é uma receita para o dia a dia?
- As receitas para o dia a dia são neutras (ao contrário das que refrescam ou aquecem), servidas quentes e preparadas apenas com alimentos integrais.
- Nenhuma delas contém uma lista de ingredientes muito longa nem exige muito tempo de preparo.

Cada um desses pratos é tão importante na culinária ayurvédica – ou tão prático – que vale a pena investir tempo para aprender a fazer todos eles.

O que são extras?

Extras são ingredientes opcionais que trazem para o seu prato um ou mais dos seis sabores e suas qualidades benéficas. Em sua maioria, são básicos e de sabor neutro. Os extras dão a você a oportunidade de alternar alimentos e sabores diferentes conforme o ritmo das estações. Por exemplo, o Creme de Cereais é muito simples e fornece as qualidades essenciais de construção do sabor doce, assim como qualquer prato à base de grãos. Em climas úmidos, no entanto, você pode incluir a qualidade seca do sabor adstringente, acrescentando passas às suas receitas. No tempo frio, você pode aumentar a umidade e a densidade dos pratos acrescentando tâmaras e uma colher de chá de *ghee* e salpicando por cima a explosão do sabor pungente do gengibre em pó para equilibrar a densidade. Utilizadas dessa forma, as Receitas para o Dia a Dia se tornam a sua base de referência e, por serem versáteis, você não irá se entediar com a sua culinária.

Além disso, os extras podem servir para decorar um prato simples sem formar combinações indigestas de alimentos. Por exemplo, se uma tigela de aveia no café da manhã não lhe dá energia suficiente para você chegar até o almoço sem fazer lanches, talvez seja necessário acrescentar algo mais, como algumas castanhas ou um ovo *poché* (mas não os dois juntos). Escolha os extras listados para cada estação e atente para as instruções de cada um, a fim de evitar misturas indevidas. Refeições simples vão sustentar você por mais tempo e têm mais fácil digestão, fornecendo uma boa energia até a refeição seguinte.

Guia de alimentação diária

ALIMENTOS A PRIVILEGIAR O ANO INTEIRO
- Alimentos neutros e especiarias; grãos, legumes e verduras cozidos.
- A maioria das refeições é servida quente.
- Legumes e verduras da estação: se é verde e está na época, coma!
- A couve-crespa e a couve-manteiga podem ser colhidas mesmo durante o inverno em algumas regiões.
- Frutas neutras, frescas e maduras, tais como maçãs e peras (para cozinhar no tempo frio).

- Feijão-mungo com arroz basmati branco é a maneira mais simples e digerível de combinar feijões e grãos em qualquer estação.
- Sementes de girassol, chia, cânhamo, gergelim e linhaça.
- *Ghee* e óleo de coco para cozinhar e assar.
- Quantidades moderadas de especiarias neutras, como salsinha, coentro, cominho, erva-doce, canela, cardamomo, gengibre e cúrcuma.
- Algas, como *kombu* e *dulse*.
- Leite de amêndoas fresco, feito em casa, e amêndoas hidratadas.
- Iogurte fresco, diluído em água (*lassi*).

ALIMENTOS A REDUZIR O ANO INTEIRO
- Cafeína, especialmente o café (e qualquer café que você beba deve ser orgânico).
- Açúcar branco.
- Bebidas alcoólicas.
- Solanáceas: tomate cru; berinjela; pimentão, especialmente o verde; batata-inglesa.
- Alho e cebola (limitar a uma ou duas vezes por semana).
- Comidas e bebidas geladas.
- Alimentos fermentados, especialmente comprados em lojas, ou velhos: frutas e legumes em conserva, *kombuchá*, queijos curados, *kimchi*. Use em pequenas quantidades, apenas para condimentar.

Orientações gerais de estilo de vida para o ano todo

Você pode demorar um pouco para incorporar na sua vida as rotinas *dinacharya*, listadas a seguir, mas não precisa fazer todas essas mudanças de imediato. Ao experimentá-las uma a uma, você verá que esses novos hábitos aumentam a vibração e a produtividade em sua vida diária. Você vai descobrir que alguns desses hábitos são mais importantes para você do que outros, e será mais útil manter alguns deles do que tentar fazer tudo de uma só vez.

- A primeira atividade da manhã deve ser raspar a língua, antes de beber ou comer qualquer coisa (p. 290).
- Lave os olhos algumas vezes com água fresca (p. 292).
- Em vez de correr logo para a cafeteira, comece o dia com o Chá Matinal Tranquilizante (p. 120), que leva o mesmo tempo de preparo, se não menos, que o café ou o chá com cafeína.
- Hidrate a pele diariamente com óleos neutros, tais como óleo de amêndoas, de girassol ou de cúrcuma (p. 294).
- Vá para a cama às 10 da noite e acorde naturalmente com o sol.
- Reduza o tempo de exposição às telas (TV, computador, celular) logo ao acordar e após as 9 da noite.

- Faça de 30 a 45 minutos de exercícios moderados, várias vezes por semana. Exercite-se apenas até o ponto em que o suor começa a se formar; em seguida, deixe o corpo esfriar.
- Caminhe ao ar livre, no ar fresco, todos os dias.
- Evite beber água meia hora antes das refeições e espere pelo menos 1 hora depois de comer para ingerir mais água.
- Beba 200 ml de chá de gengibre, *tulsi* ou erva-doce durante ou após as refeições.
- Coma só quando estiver com fome; reduza os lanches fora de hora.

LISTA BÁSICA DE COMPRAS PARA O DIA A DIA
Para sugestões sobre a quantidade a comprar, consulte "Organizar a Despensa e o Porta-Condimentos" no Capítulo 3 (p. 71).

LISTA BÁSICA DE COMPRAS PARA O DIA A DIA				
VEGETAIS Acelga Beterraba Cenoura Couve-crespa Couve-manteiga Salsa fresca **FRUTAS** Limão-siciliano Maçã, na estação Pera, na estação **GRÃOS** Arroz basmati branco	**FEIJÕES** Feijão-mungo amarelo partido Feijão-mungo verde **GORDURAS** Amêndoas cruas Azeite de oliva Iogurte fresco, leite integral Manteiga sem sal (para fazer o *ghee*) Óleo de coco Óleo de linhaça	Semente de cânhamo Semente de girassol Semente de linhaça Sementes de chia **ESPECIARIAS** Canela em pó Cardamomo em pó Cúrcuma Gengibre em pó Gengibre fresco	Sal marinho Sal rosa Semente de coentro Semente de cominho Semente de erva-doce **EXTRAS** Caldo de legumes (se não puder usar caldo feito em casa, use caldos embalados,	*tamari*, aminoácidos líquidos *Braggs*, caldo em cubos ou *Better than Bouillon*) Chá de gengibre Chá de tulsi Mel *in natura* (exceto no verão, ver p. 137) Raspador de língua, de cobre ou aço inoxidável

Para entender as receitas para o dia a dia

As receitas para o dia a dia apresentadas nas páginas a seguir incluem tabelas de alimentos que você pode acrescentar e substituir em cada estação. Essas variações introduzem as seguintes qualidades a serem equilibradas em cada estação:

PRINCIPAIS QUALIDADES DAS ESTAÇÕES

PRIMAVERA	VERÃO	OUTONO	INVERNO
Calorífica, leve, seca	Refrescante, seca, leve	Estabilizante, úmida, macia, um pouco oleosa	Calorífica, estabilizante, úmida, oleosa

POR QUE COMPRAR PRODUTOS ORGÂNICOS?

Em benefício do seu corpo
Em geral, frutas e legumes de casca macia (como frutas vermelhas, uvas, maçãs, pêssegos e tomates) têm mais probabilidade de conter altos níveis de resíduos químicos que não saem ao lavar. Essas substâncias químicas podem se acumular no organismo ao longo do tempo, perturbando a inteligência natural do corpo e levando ao acúmulo de *ama*, que é a causa básica de todas as doenças.

Em benefício de todas as pessoas
As escolhas que você faz quando vai às compras têm consequências de longo alcance. Apoiar a indústria da agricultura orgânica garante que o alimento será produzido com compaixão pela terra, pelo seu corpo e pelos agricultores e suas comunidades. Se você está indeciso, peço que embarque na compra dos orgânicos. Você pode usar o dinheiro que economizar não comendo fora e preparando mais refeições em casa para comprar alimentos orgânicos!

Em benefício das suas finanças
O Grupo de Trabalho Ambiental (Environmental Working Group – EWG) publica listas anuais dos alimentos convencionais (não orgânicos) que contêm as maiores e menores quantidades de resíduos de pesticida depois de lavados. Se o seu orçamento estiver apertado, consulte as listas "Os 12 Mais Sujos" (Dirty Dozen) e "Os 15 Mais Limpos" (Clean Fifteen) do EWG e opte pelos orgânicos ao comprar os alimentos da primeira lista.

POR QUE USAR FEIJÃO-MUNGO?

O Ayurveda privilegia o feijão-mungo. Os textos clássicos nos dizem que o feijão-mungo é leve, benéfico para todos os tipos de organismo, desintoxicante e de fácil digestão. Você pode utilizá-lo em três variedades: germinado, partido e sem casca e inteiro. Para saber mais sobre o broto de feijão-mungo, veja a receita *Dal* de Brotos de Feijão-Mungo com Iogurte (p. 263). Você pode optar por consumir o *mungo dal* em uma dessas três formas, duas ou três vezes por semana, e assim variar a cor e a consistência do seu prato: verde, amarelo, cremoso ou crocante. Veja o glossário de fotografias (pp. 309-10) para ver como são os feijões-mungo inteiros e partidos.

CREME DE CEREAIS

rende 2 porções

Com apenas um *mixer* manual e um pouco de leite de amêndoas, você pode transformar simples grãos numa refeição especial e nutritiva. Mudando o grão que você usa a cada estação, você pode alterar as qualidades com que começa o seu dia e desfrutar de um café da manhã quente e rápido. Esta receita é uma ótima maneira de usar os grãos cozidos que restaram de outra refeição. Veja a receita Cereal Revigorante de Frutas Vermelhas para se inspirar (p. 136) e Refeição Matinal Cremosa de Coco, Pêssego e Cevada (p. 179).

- 2 xíc. de grãos de sua escolha, cozidos
- 1 xíc. de leite de amêndoas ou água
- 2 a 3 col. sopa de frutas secas como passas, tâmaras, *cranberries* (também chamadas de oxicocos) desidratadas ou sementes (girassol, linhaça, cânhamo)
- 2 col. chá de Mistura de Especiarias Doce

Numa panela pequena, misture os grãos cozidos, o leite ou a água, as frutas secas (se for usá-las) e a Mistura de Especiarias. Tampe e aqueça a mistura em fogo de médio a baixo por 5 minutos. Quando começar a ferver, desligue o fogo e use um *mixer* manual para dar a consistência desejada: mais macio ou com alguns grãos inteiros para enfeitar e mastigar, se preferir. Não misture demais, pois isso dará ao cereal uma textura de goma.

Sirva numa tigela. Caso queira acrescentar sementes em vez de frutas, pode espalhar por cima, para decorar o prato. Não cozinhe sementes de linhaça nem de cânhamo, pois os óleos que elas contêm são sensíveis ao calor.

CREME DE CEREAIS SAZONAL

Para variar o seu Creme de Cereais, siga o método acima, utilizando os seguintes ingredientes de acordo com a estação do ano:

MEDIDAS	PRIMAVERA	VERÃO	OUTONO	INVERNO
2 xíc. de grãos cozidos	Amaranto ou centeio	Quinoa ou cevada	Aveia ou trigo *bulgur* (trigo para quibe)	Aveia ou trigo *bulgur* (trigo para quibe)
1 xíc. de líquido	Água	Água	Leite de amêndoas	Leite de vaca
3 col. sopa de extras	Passas ou ameixas secas picadas ou sementes de linhaça	Pêssegos em fatias ou *blueberries* (também chamados de mirtilos) com ½ col. chá de sementes de erva-doce	Maçã ralada, damascos secos ou amêndoas picadas	Maçã ralada e/ou tâmaras picadas
1 col. chá de gordura	Não	Não	Ghee ou óleo de coco	*Ghee*
2 col. chá de Mistura de Especiarias	Não	Não	Mistura de Especiarias Doce	Mistura de Especiarias Doce

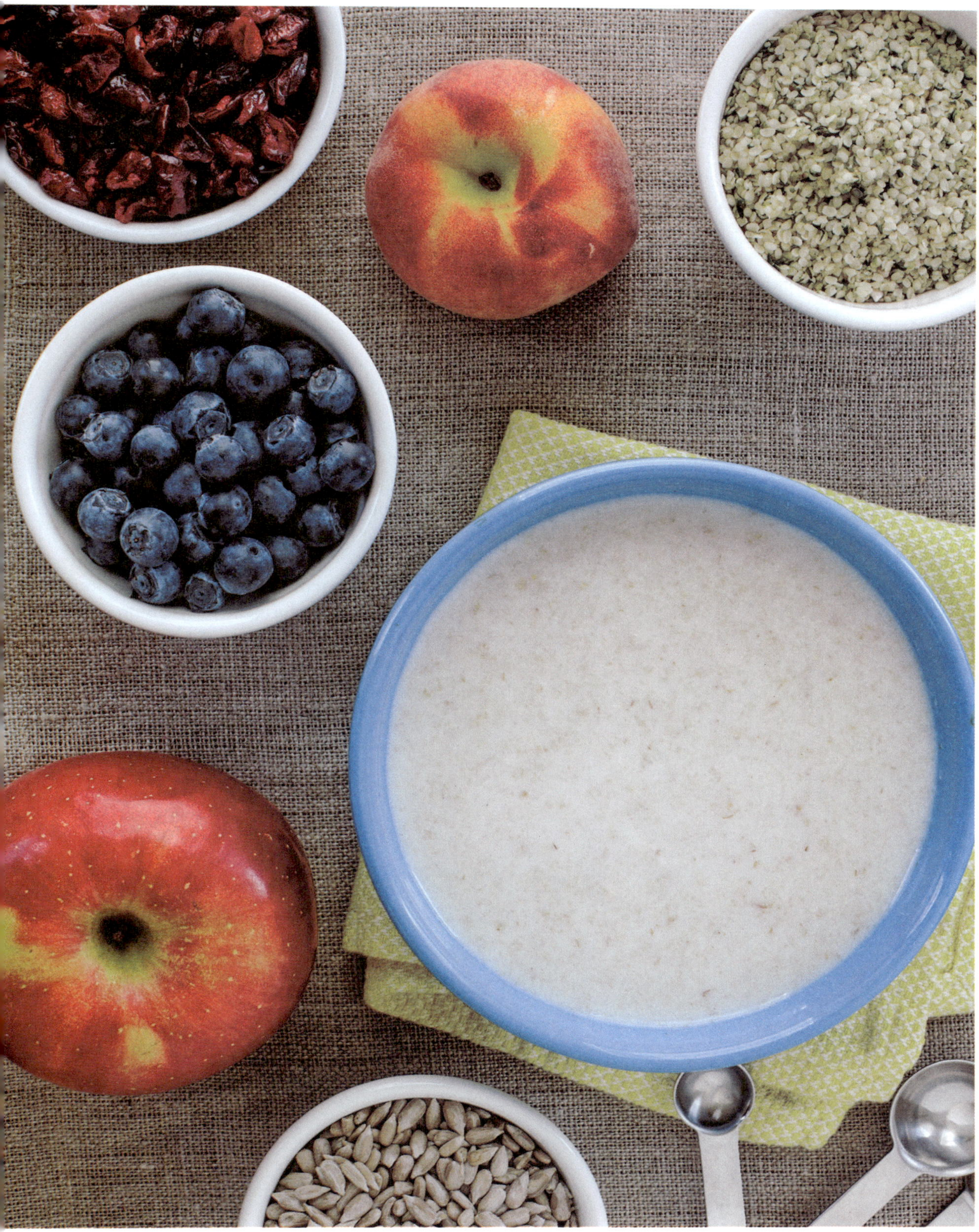

PUDIM DE CHIA

rende 2 porções

As sementes de chia não aparecem nas receitas tradicionais do Ayurveda, mas seus benefícios são muitos. Pode-se comê-las várias vezes por semana. A chia é um alimento úmido e estabilizador; contém gorduras boas, fibras e tem qualidade lubrificante – uma boa combinação para remediar a digestão lenta. Da perspectiva da medicina ayurvédica, a ação profundamente hidratante das sementes de chia estimula o *ojas* que sustenta a vida (p. 47) e equilibra a natureza degenerativa da qualidade seca, porque mantém as membranas internas úmidas – o que é especialmente importante nas épocas secas do ano.

2 col. sopa de sementes de chia
1 xíc. de leite de amêndoas

EXTRAS:
Acrescente um ou mais dos ingredientes abaixo para dar sabor:
1 a 2 col. chá de xarope de bordo (*maple*)
1 col. chá de Mistura de Especiarias Doce
½ col. chá de extrato puro de baunilha

Deixe as sementes de chia de molho em leite de amêndoas por 5 minutos ou mais. Bata as sementes, o leite de amêndoas e os extras no liquidificador, em velocidade alta, por 2 minutos. Quanto mais tempo e mais rápido você bater o pudim, mais leve e macio ele ficará. Você pode usar um *mixer* manual, mas o pudim vai ficar menos macio e fofo.

Deixe a mistura descansar por alguns minutos para encorpar antes de servir em taças.

FAÇA UM *SHAKE*: Você pode reduzir pela metade a quantidade de sementes de chia para transformar a receita num *milk-shake* grosso em vez de um pudim. Pode também agitar a mistura num recipiente com tampa, sem usar o liquidificador. Isso vai produzir um pudim grosso, no estilo pudim de tapioca, e isso é muito prático!

ESTÉVIA DOCE

As folhas da estévia, planta nativa da América do Sul, são muito doces. Elas são fervidas e transformadas em extrato líquido. Vendido na seção de suplementos das lojas de produtos naturais, pode-se acrescentar o extrato de estévia a alimentos e bebidas para adoçá-los, sem aumentar as calorias nem afetar o açúcar no sangue. Um pouco de estévia pode ajudar a reduzir o uso de açúcares, mas tome cuidado para não exagerar, colocando demais no prato ou copo, nem usando em tudo. Se for usada em demasia, a estévia deixa um sabor amargo na boca e pode facilmente estragar uma refeição. Quando o seu paladar se habitua a essa doçura intensa, você perde o gosto pela doçura natural e sutil encontrada nas frutas, nos grãos e nos legumes de raiz. Recomendo apenas 3 ou 4 gotas do extrato para cada xícara de líquido ao preparar uma receita.

PUDINS DE CHIA SAZONAIS

Siga o método que acabamos de apresentar, utilizando os ingredientes e extras a seguir para preparar um pudim de chia especial para cada estação:

MEDIDAS	PRIMAVERA	VERÃO	OUTONO	INVERNO
2 col. sopa de sementes de chia	✓	✓	✓	✓
1 xíc. de líquido	Suco de romã	Água de coco	Leite de amêndoas	Leite de amêndoas aquecido
Adoçante	1 col. chá de mel, 3 ameixas hidratadas ou ¼ col. chá de extrato de estévia	1 col. chá de açúcar de coco, 1 tâmara picada ou ¼ col. chá de extrato de estévia	2 col. chá de xarope de bordo (*maple*), 2 tâmaras picadas ou 2 col. chá de açúcar de coco	½ col. chá de melaço ou 2 tâmaras picadas
Mistura de Especiarias	1 col. chá de gengibre fresco ralado	Não	1 col. chá de Mistura de Especiarias Doce	1 col. chá de gengibre fresco ralado
Extras (opcional)	1 xíc. de frutas vermelhas	1 xíc. de *blueberries* (também chamados de mirtilos), raminho de hortelã fresca	½ xíc. da abóbora de sua preferência, 1 col. chá de óleo de coco, coco ralado a gosto	½ xíc. de purê de batata-doce, 1 col. sopa de manteiga vegetal ou 1 col. sopa de castanha-de-caju hidratada

Veja a minha receita favorita de pudim sazonal: Pudim de Abóbora-Moranga e Chia (p. 238).

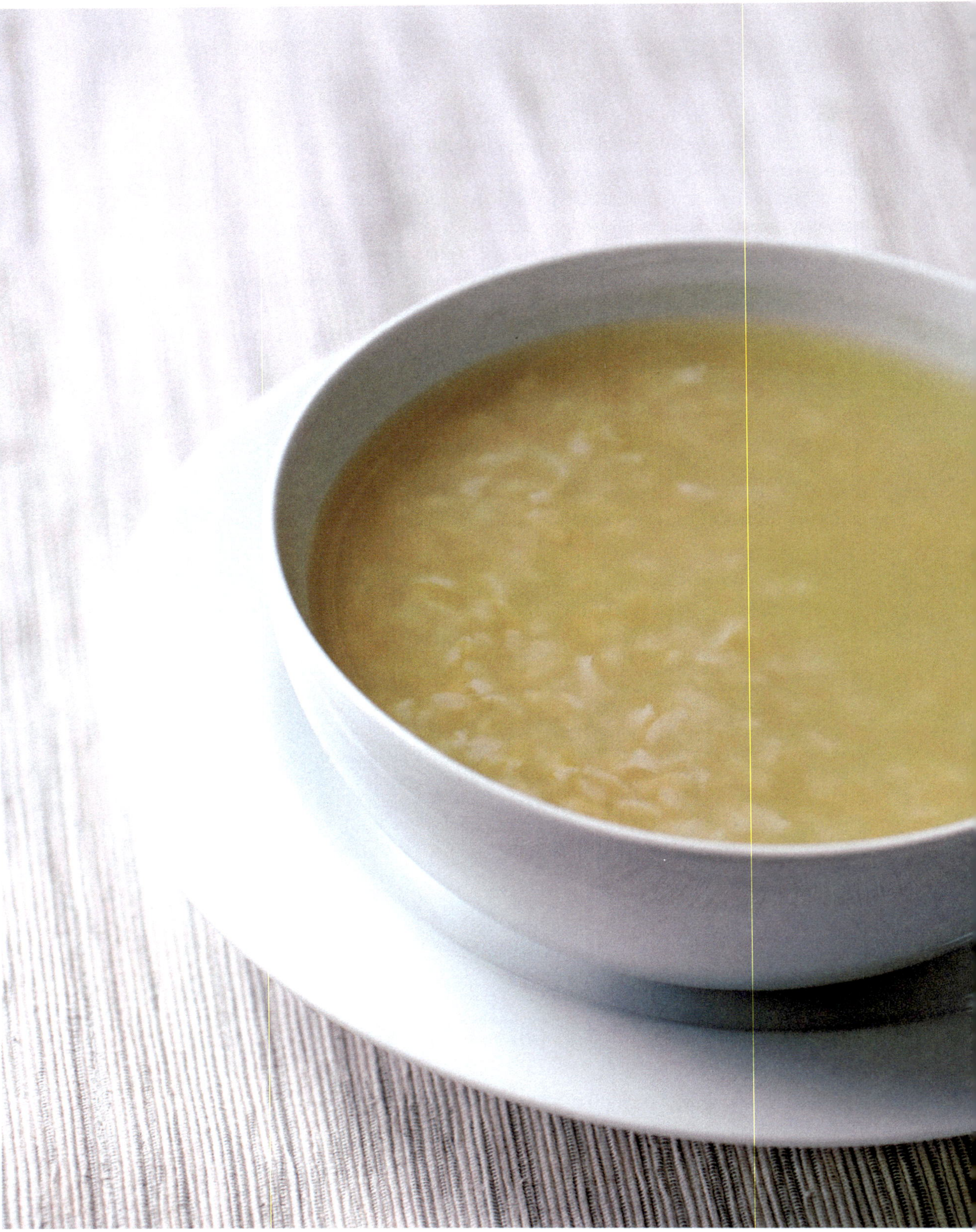

KANJI

rende 4 porções

Kanji significa "mingau" e pode ser preparado com diferentes grãos de cada localidade, dependendo da região da Índia. O *kanji* é o alimento curador absoluto para todas as horas. Até os dias de hoje, nos hospitais e clínicas ayurvédicas, os médicos tradicionalmente cuidam da digestão debilitada de um paciente alimentando-o com *kanji*, servido cada vez menos ralo à medida que o paciente começa a se sentir melhor. No dia seguinte a uma refeição muito pesada, percebo que anseio por um *kanji*, e uma simples tigela tem o poder de me colocar de volta nos trilhos. Comer esse alimento reconfortante periodicamente dá um descanso para a digestão e diminui a probabilidade de experimentar sinais e sintomas de desequilíbrio.

Para fazer um jejum breve, coe os grãos de arroz e beba a água do *kanji* ao longo do dia. Para usar todos os dias, sugiro consumir o *kanji* como uma refeição matinal simples ou um jantar leve, escolhendo diferentes grãos para cada temporada, a seu gosto.

1 xíc. de arroz basmati integral
8 xíc. de água
1 pitada de sal, de cúrcuma e de gengibre em pó

Numa panela grande, ferva a água, o sal e as especiarias em fogo alto. Acrescente o arroz. Deixe a água ferver de novo, então abaixe o fogo. Tampe o arroz e cozinhe por 1 hora, até os grãos começarem a partir. Coloque 2 xícaras de *kanji* em cada tigela e sirva.

KANJIS SAZONAIS

Siga a receita do *Kanji*, substituindo o arroz pelos grãos na tabela abaixo e usando estes temperos alternativos:

MEDIDAS	PRIMAVERA	VERÃO	OUTONO	INVERNO
1 xíc. de grãos, não cozidos	Trigo-sarraceno, cevada, centeio ou painço	Quinoa ou cevada	Amaranto, quinoa ou aveia	Grãos de trigo ou grãos de aveia
8 xíc. de água	✓	✓	✓	✓
Especiarias	½ col. chá de gengibre fresco ralado, ½ col. chá de feno-grego	1 col. chá de sementes de erva-doce	2 col. chá de Mistura de Especiarias Doce (opcional)	Uma pitada de cominho e de canela
Frutas secas	Não	1 col. sopa de uvas-passas	Não	2 tâmaras picadas

FRITTATA

rende de 4 a 6 porções

Esta versão do clássico prato de ovos cozidos não contém queijo, pois o Ayurveda considera que a combinação de ovos com laticínios é demasiado pesada e indigesta. O queijo de cabra, no entanto, é mais quente e mais leve do que o queijo de vaca, por isso eu o incluí neste livro como um complemento para o clima frio e para pessoas que digerem bem alimentos complicados. Pode-se usar claras de ovos nesta receita; elas são indicadas para pessoas com acidez estomacal ou quando qualidades pesadas e densas predominam no organismo. Para preparar uma *frittata* menor, reduza a receita pela metade, utilize uma frigideira de 20 a 25 centímetros e reduza o tempo de cozimento também pela metade.

2 xíc. de vegetais picados em pedaços pequenos (especialmente verduras frescas, ou escolha os recheios na tabela sazonal abaixo)
2 col. chá de *ghee*
8 ovos
½ xíc. de Leite de Amêndoas (ou caldo de legumes, se preferir)
½ col. chá de sal
¼ col. chá de pimenta-do-reino
½ col. chá de cúrcuma em pó

Coloque os vegetais e 1 colher de sopa de água numa frigideira, tampe bem e refogue em fogo médio por 7 a 10 minutos, até ficar macio. Retire o excesso de água da frigideira – menos água vai ajudar a *frittata* a ficar pronta mais rápido.

Derreta o *ghee* numa frigideira de 20 a 25 centímetros, em fogo médio. (Frigideiras de ferro fundido são ótimas para fazer *frittata*.) Numa tigela, despeje os ovos, o leite ou o caldo de legumes, o sal, a pimenta-do-reino e a cúrcuma e bata energicamente com um garfo por 1 a 2 minutos. Despeje os ovos batidos na frigideira quente. Distribua os vegetais cozidos de maneira uniforme sobre os ovos e cozinhe em fogo médio até que os ovos estejam quase prontos, ou por 8 a 10 minutos. Para verificar se a *frittata* já está pronta, faça um pequeno corte no meio dela; quando estiver quase pronta, um pouco do ovo cru vai escorrer para o corte. Tampe e cozinhe por mais 5 a 7 minutos, ou até que os ovos estejam completamente cozidos.

Na própria frigideira, corte a *frittata* em fatias ou vire-a inteira num prato para servi-la à mesa. Esse prato combina bem com verduras cozidas no vapor ou com a Sopa Verde de Limpeza (p. 118).

OVOS E AYURVEDA

Tradicionalmente, os ovos são cozidos com uma pitada de cúrcuma e pimenta-do-reino, para ajudar o corpo a digerir a gema do ovo, que é pesada. Um prato de ovo quente é preferível a um ovo cozido já frio ou a um ovo frito em muito óleo. Em geral, o Ayurveda tradicional considera que os ovos aumentam o calor e estimulam a excitabilidade. Assim, eles não são recomendados para consumo diário, mas, em vez disso, podem ser consumidos de uma a quatro vezes por semana, dependendo do calor existente nos ambientes interno e externo do seu organismo. (O que significa isso? Leia "Compreendendo o Clima Interno", p. 80).

FRITTATAS SAZONAIS

Personalize a *Frittata* em cada estação com uma das combinações de verduras e legumes sazonais listadas abaixo. Observe que o espinafre e a rúcula não precisam ser pré-cozidos. Simplesmente misture as verduras picadas nos ovos batidos antes de despejar na frigideira.

MEDIDAS	PRIMAVERA	VERÃO	OUTONO	INVERNO
2 xíc. de vegetais picados	Couve-de-bruxelas, brotos de samambaia, aspargo, corações de alcachofra, brócolis, rúcula, espinafre	Brócolis, abobrinha libanesa, abóboras de verão de sua preferência, couve-flor	Cenoura, couve-de-bruxelas, couve-crespa, espinafre	Cenoura, couve-crespa, couve-manteiga, acelga
2 col. chá de ghee	✓	✓	✓	✓
8 ovos	✓	✓	✓	✓
½ xíc. de leite	Leite de soja ou caldo de legumes	Leite de soja ou caldo de legumes	Leite de vaca ou caldo de legumes	Leite de vaca ou caldo de legumes
½ col. chá de sal	✓	✓	✓	✓
¼ col. chá de pimenta-do-reino	✓	✓	✓	✓
½ col. chá de cúrcuma	✓	✓	✓	✓
Extras			Cubra com 60 g de queijo de leite de cabra esfarelado, depois que os ovos começarem a ficar cozidos	Acrescente junto com os vegetais: ¼ xíc. de azeitonas picadas e ¼ xíc. de tomates picados (para dar cor)

SOPA CREMOSA SURPRESA

rende 2 porções

As sopas cremosas de legumes e verduras são aquosas, estabilizadoras, leves e suaves. Essas qualidades equilibram a vibração instável resultante de uma agenda ocupada. Uma simples sopa cremosa – preparada com ou sem os laticínios tradicionais – ajuda a sustentar você num dia muito movimentado.

Se você seguir as listas de compras sazonais deste livro, terá à mão algumas opções de bases de "creme". Aprenda a técnica básica descrita abaixo e, em pouco tempo, descobrirá os alimentos que prefere para inventar novas sopas cremosas!

- 4 xíc. de água ou caldo de legumes
- 4 xíc. de couve-crespa picada, couve-manteiga, acelga e/ou cenouras
- 2 col. chá de Mistura de Especiarias Salgada ou Sais Digestivos
- ½ col. chá de cúrcuma em pó
- 2,5 cm de gengibre fresco descascado e picado
- 2 col. chá de *ghee*
- 1 xíc. de leite de amêndoas

Numa panela média, ferva a água ou o caldo de legumes em fogo alto. Acrescente os legumes e verduras, a Mistura de Especiarias ou os Sais, a cúrcuma e o gengibre. Abaixe o fogo e deixe ferver, com a panela tampada, por cerca de 10 minutos. Quanto mais você deixar cozinhar, mais cremosa a sopa vai ficar; menos tempo de cozimento significa que a sopa vai ficar mais grossa e os legumes e verduras vão ficar mais *al dente*. Verduras como o espinafre *baby* levam apenas alguns minutos para murchar; para os vegetais mais duros, como o aipo e a cenoura, eu recomendaria o tempo completo de 10 minutos de cozimento, ou até mais. Se você gosta da sua sopa muita cremosa, cozinhe as verduras e os legumes duros, como as cenouras, por mais 5 minutos.

Transfira os vegetais e a água em que foram cozidos para um liquidificador. Acrescente o *ghee* e o leite de amêndoas – o leite vai esfriar a mistura e evitar que o liquidificador esquente demais. Comece batendo na potência média, depois aumente a velocidade e bata até a mistura ficar homogênea. Ou use uma batedeira manual de imersão e processe a sopa diretamente na panela, junto com o *ghee* e o leite de amêndoas, até ficar homogênea.

A sopa ainda deve estar quente para ser servida logo em seguida. Sirva em 2 tigelas grandes e delicie-se! Esta sopa combina bem se servida com *Dosa*.

SOPAS CREMOSAS SURPRESA SAZONAIS

Siga o método apresentado, substituindo os ingredientes por estes, conforme a estação:

MEDIDAS	PRIMAVERA	VERÃO	OUTONO	INVERNO
4 xíc. de água ou caldo de legumes	✓	✓	✓	✓
4 xíc. de vegetais	Aspargos, aipo, folhas de mostarda, vagem, espinafre	Abóboras de verão de sua preferência, bulbos de erva-doce, vagem	Vagem, couve-crespa, acelga, abóboras de sua preferência, cenoura, beterraba	Verduras escuras, batata-doce, cenoura, beterraba, pastinaca
2 col. chá de Mistura de Especiarias ou de Sais	Primavera	Verão	Outono	Inverno
½ col. chá de cúrcuma em pó	✓	✓	✓	✓
2,5 cm de gengibre fresco, descascado	✓	✓	✓	✓
2 col. chá de gordura	*Ghee*, óleo de semente de girassol ou óleo de semente de uva	*Ghee*, óleo de coco ou óleo de semente de girassois	*Ghee*, óleo de coco ou azeite de oliva	*Ghee*, óleo de gergelim ou azeite de oliva
1 xíc. de leite	1 xíc. de feijão-branco ou couve-flor cozida para substituir o leite	Feijão-branco, 230 g de tofu macio, leite de coco ou couve-flor cozida	Leite de vaca, leite de cabra, leite de coco ou 230 g de tofu macio	Leite de vaca, leite de cabra, ½ xíc. de castanhas-de-caju hidratadas misturadas com ½ xíc. de água ou 230 g de tofu macio

Para ter algumas alternativas saborosas, confira a Sopa Surpresa de Brócolis Cremoso (p. 231) e a Sopa de Feijão-Branco com Aspargos (p. 144).

SALADA COZIDA NO VAPOR

rende 2 porções

Eu gostaria que todas as pessoas adquirissem o hábito de comer mais alimentos cozidos. Os alimentos que são quentes, leves e úmidos estabilizam o sistema e são digeridos mais facilmente do que os crus. Quanto mais agitado for o seu dia, menos apropriada para o seu corpo será uma refeição crua ou fria – em qualquer clima. Nesta receita básica, sugiro uma tigela de grãos ou proteínas coberta por uma porção farta e colorida de legumes e verduras cozidos no vapor, complementada com diversos molhos, boa para o ano todo. Legumes e verduras cozidos no vapor reduzem de volume, o que torna mais fácil obter uma porção medicinal dos vegetais.

Acentue o sabor dos legumes com patês de feijões da estação do ano, grãos cozidos, *chutneys*, uma pitada de Gomásio Mineral (p. 267) ou usando qualquer um dos molhos e pastinhas dos capítulos das quatro estações – isso vai trazer variedade para o seu elenco rotativo de legumes sazonais (para um lista rápida, veja o Apêndice 4, "Listas de Compras Sazonais", p. 306). Sementes de girassol torradas funcionam bem em qualquer época do ano. Além disso, em "Saladas no Vapor Sazonais" (p. 106), eu incluí proteínas sazonais específicas para encorpar a sua salada no vapor e torná-la uma refeição completa.

---

4 folhas de couve toscana
6 folhas de acelga arco-íris
2 cenouras
½ xíc. de repolho roxo picado
½ xíc. de brotos de feijão-mungo (p. 264)
2 xíc. de arroz basmati cozido, branco ou integral
Molho para Salada (abaixo) e um punhado de sementes de girassol torradas

Retire os talos da couve e da acelga e pique as folhas em tiras grossas, de 5 cm. Coloque as verduras numa frigideira grande com 1 colher de sopa de água. Tampe bem e refogue por 10 minutos.

Usando um descascador de legumes, ou *julienne*, corte as cenouras em tiras. Acrescente-as ao refogado, junto com o repolho picado e o feijão. Cozinhe por mais 5 minutos. Retire do fogo e deixe a tampa semitampada.

Cubra o fundo de 2 tigelas ou pratos grandes com 1 xícara de arroz e coloque os legumes e as verduras por cima. Em seguida, pegue metade do Molho para Salada para Todas as Estações e despeje um pouco sobre cada porção e finalize polvilhando com as sementes de girassol tostadas.

MOLHO PARA SALADA PARA TODAS AS ESTAÇÕES

½ xíc. de suco de limão-siciliano fresco
¼ xíc. de azeite de oliva prensado a frio
1 col. chá de Sais Digestivos ou 1 col. chá de sal e 1 col. chá de Mistura de Especiarias Salgada
1 pitada de pimenta

Agite todos os ingredientes num recipiente pequeno. Conserva-se na geladeira por até 5 dias.

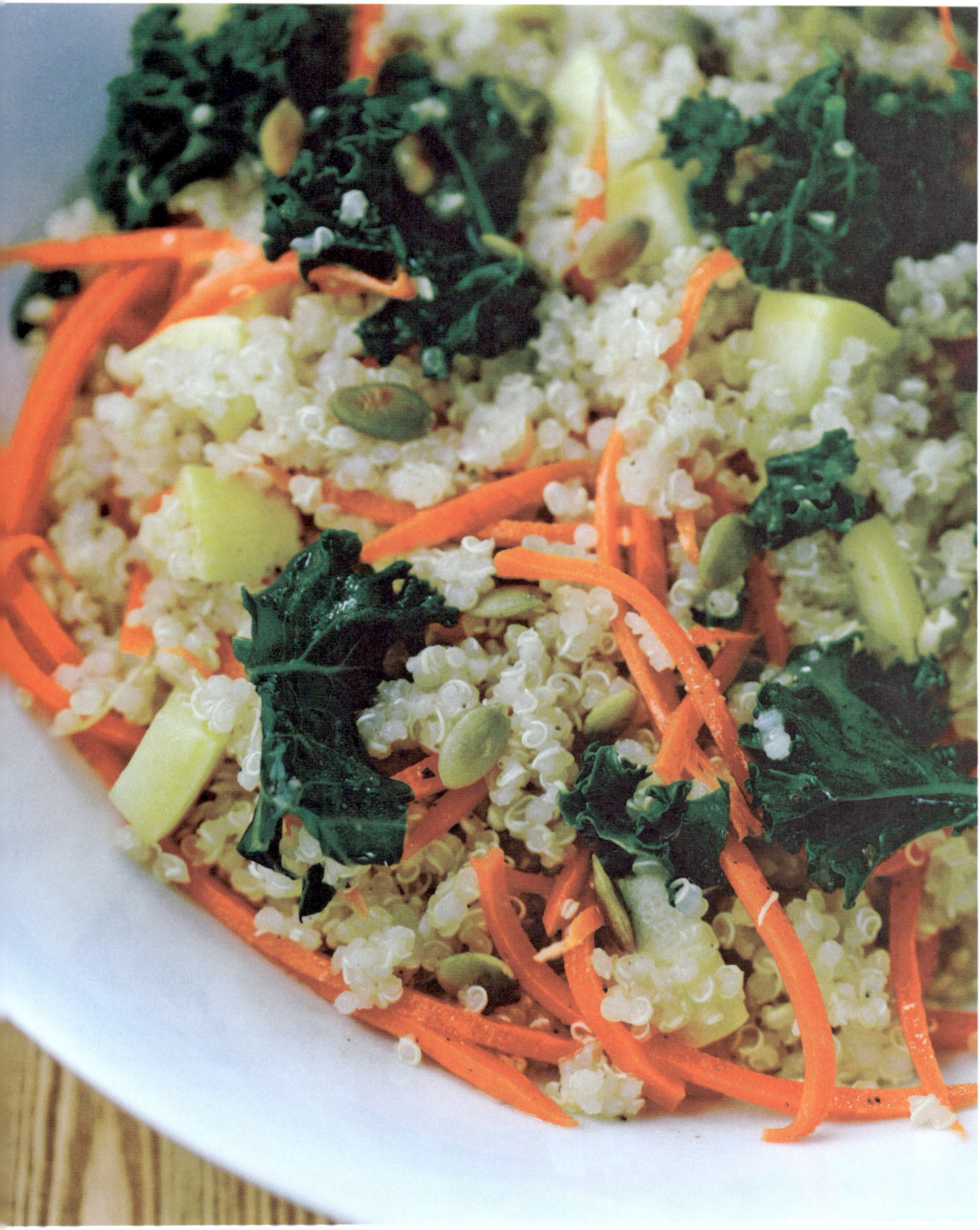

SALADAS NO VAPOR SAZONAIS

Siga o método apresentado, substituindo os legumes e as verduras, as proteínas e os molhos de acordo com a tabela sazonal abaixo. Na variação de inverno, estação que pede nozes e castanhas, observe que elas podem ser picadas e polvilhadas sobre a salada ou servidas inteiras e crocantes.

MEDIDAS	PRIMAVERA	VERÃO	OUTONO	INVERNO
4 xíc. de legumes e verduras	Chicória, rúcula, folhas de dente-de-leão, endívia, couve-de-bruxelas, brócolis, aspargo	Couve-flor, brócolis, aipo, quiabo, vagem, abóbora-moranga, abóboras de verão de sua preferência	Abóboras de sua preferência, couve, espinafre, ervilha, vagem, batata-doce, beterraba, cenoura	Batata-doce, couve-crespa, espinafre, abóboras de sua preferência, tomate, beterraba, cenoura
2 xíc. de grãos	Cevada	Quinoa	Quinoa	Trigo *bulgur* (trigo para quibe)
Molhos	Vinagrete Balsâmico de Mostarda (p. 171)	*Chutney* de Coentro e Hortelã (p. 208)	Molho de *Tahine* Batido (p. 221)	Molho de Missô de Gergelim (p. 289)
Coberturas	Clara de ovo cozida, sementes de cânhamo, cerejas desidratadas ou levedura nutricional em flocos	Sementes de cânhamo ou levedura nutricional em flocos	Ovo poché, Gomásio Mineral (p. 267) ou Sementes de Abóbora Umê (p. 232)	Ovo poché ou um punhado de castanhas, tais como caju, avelãs, castanhas-do-pará, macadâmia ou Amêndoas Torradas em Xarope de bordo (p. 271)

PIRÂMIDE DE ALIMENTOS SAZONAIS

Qual é a maneira mais fácil e melhor de saber quais produtos estão na época (além de fazer compras na feira, onde todos os alimentos são cultivados na própria região e colhidos frescos)? Ao entrar num supermercado, você muitas vezes verá pilhas em formato de pirâmide, transbordando de frutas ou legumes com preços mais baixos. Se um item está em promoção e em exposição, destacado, você sabe que há fartura dele naquele momento. Compre o que está nas pirâmides em promoção para ter sucesso em cada estação!

DOSA

rende cerca de 12 porções

Cada cultura tem seus crepes e pães sírios, suas panquecas e tortilhas. A Índia nos dá um presente chamado *dosa*, que se parece muito com o crepe francês. A *dosa* é tradicionalmente servida com uma sopa picante e *chutney*. Esse pão tipo sírio em geral é feito com arroz branco polido ou parboilizado e *urad dal* partido, que é um feijão-mungo descascado. Esta receita pede *mung dal* partido e arroz basmati branco; ambos são leves e secos, mas são estabilizadores e nutritivos quando hidratados, cozidos e servidos quentes. Cozinheiros mais aventureiros podem substituir o *mung dal* por *urad dal*, que é altamente nutritivo e mais pesado, fazendo uma ótima variação da receita para os dias mais frios. Ao contrário das outras receitas para o dia a dia, que apresentam variações sazonais, esta receita simples de *dosa* pode ser servida como prato básico o ano inteiro.

Uma *dosa* quentinha combina bem com pratos doces e salgados. Você pode comer *dosa* com *ghee* (especialmente se precisa equilibrar a qualidade seca) e xarope de bordo (*maple*) no inverno, com Creme de Avelã Notella (p. 156) para satisfazer a vontade de comer doces na primavera ou com leite de coco adoçado no verão.

NOTA: Esta receita exige que os ingredientes fiquem de molho durante a noite, portanto planeje-se com antecedência.

---

1 xíc. de arroz basmati branco

1 xíc. de feijão-mungo amarelo partido

1 ¼ xíc. de água fresca

½ col. chá de sal

½ col. chá de coentro em pó (opcional)

óleo de coco para fritar

Usando uma tigela grande e peneira de malha fina, lave e coe o arroz e o feijão-mungo duas vezes ou até que a água saia límpida. Transfira o arroz e o feijão para uma panela de 4 litros ou para uma tigela. Cubra a mistura com água fresca e deixe de molho por pelo menos 6 horas ou durante a noite inteira. Após o período de hidratação, coe e lave o arroz e o feijão-mungo.

Em seguida, triture esses dois ingredientes. Se estiver usando um processador grande, coloque o arroz e o feijão no processador, acrescente a água, o sal e o coentro e triture em velocidade alta por 5 minutos. Se estiver usando um liquidificador, coloque metade do arroz e do feijão e metade da água e bata em velocidade alta por 1 minuto. Depois, vá acrescentando mais arroz e feijão até a mistura ficar como massa de panqueca, batendo em velocidade alta por pelo menos 3 minutos. Se o seu liquidificador esquentar, pare. Talvez você tenha que processar essa receita em duas etapas.

Coloque a massa de volta na tigela ou panela, cubra com um pano de prato e deixe num local quente para fermentar de 8 a 12 horas, ou de um dia para o outro. Se você vive num local de clima frio, deixar a tigela sobre a geladeira ou dentro

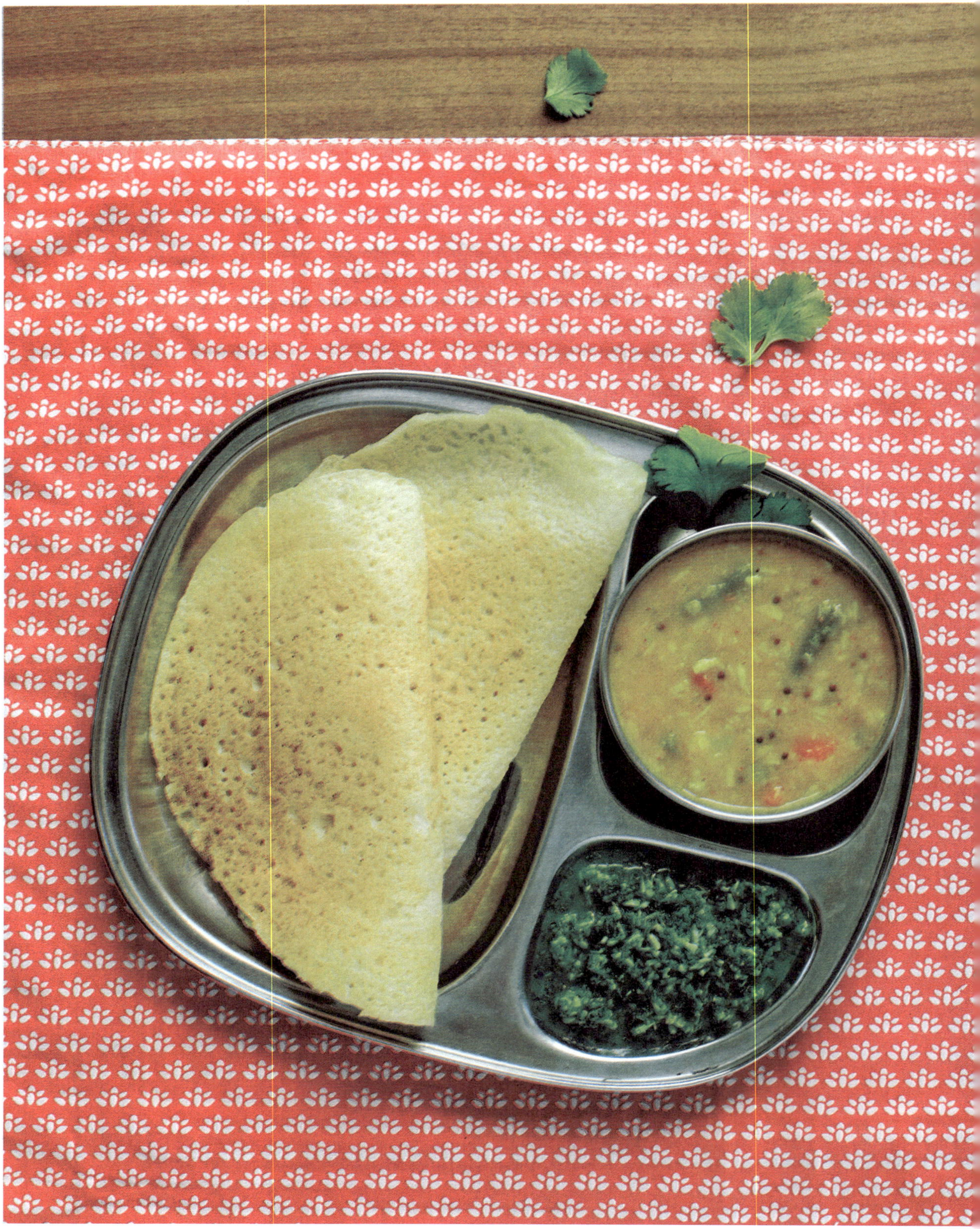

do forno (desligado) funciona bem. A fermentação fará a massa crescer na tigela. Quanto mais a massa fermentar, mais leve e macia a *dosa* vai ficar.

Aqueça uma frigideira de cerâmica antiaderente em fogo médio e use ½ colher de chá de óleo de coco para cada *dosa* (se estiver usando óleo de coco em *spray*, pulverize uma vez a cada *dosa*). Pingue algumas gotas de água na superfície da panela; quando a água chiar, a panela está pronta. Prepare a *dosa* como se fosse uma panqueca. Despeje $^1/_3$ de xícara de massa de *dosa* na frigideira. Incline e gire a frigideira para espalhar a massa de maneira uniforme. Se a massa estiver muito espessa, use as costas de uma colher grande para espalhá-la em círculos até que a *dosa* fique mais fina.

Quando a massa borbulhar e as bordas começarem a desgrudar da frigideira, verifique se o fundo da massa está bonito e dourado. Está pronta! Se você prefere uma *dosa* mais crocante, vire-a de novo e frite por mais alguns minutos. Cada *dosa* leva por volta de 5 minutos para ficar pronta. Experimente servi-las com um acompanhamento bem tradicional: uma pequena tigela de *Sambar* do Sul da Índia (p. 140) para usar como molho e talvez uma porção de *Chutney* de Coentro e Hortelã (p. 208). Você vai descobrir que a *dosa* combina bem com muitas sopas e molhos deste livro.

DOSA PARA TODA A FAMÍLIA

A *dosa* caseira é uma delícia, boa para ser compartilhada com a família e com os amigos. Você pode preparar algumas *dosas* e reservá-las num forno quente até que tenha uma quantidade suficiente para servir. Nas famílias indianas, quem está cozinhando fica na cozinha preparando as *dosas* e traz uma de cada vez para servir à família ou aos convidados. O cozinheiro ou a cozinheira continua preparando e trazendo as *dosas*, enquanto as pessoas à mesa descansam e conversam. A refeição continua até que todos estejam satisfeitos com a quantidade de *dosas* que comeu. Eu já vi o homem da casa comer seis *dosas*!

KICHARI

rende de 4 a 6 porções

O *kichari* é o alimento básico balanceador do Ayurveda. Servido regularmente em centros e clínicas ayurvédicos, é um alimento neutro, leve e suave que limpa e nutre o organismo sem causar desequilíbrios de qualquer tipo. Na verdade, acredita-se que o *kichari* remove as toxinas do sistema. Esta refeição bastante completa é uma mistura de feijão-mungo descascado e arroz, cozidos com diferentes legumes e especiarias, e é conhecida por ser de digestão suave. Depois de aprender a preparar esta receita, você pode experimentar fazer o *kichari* com diversos outros tipos de feijões e grãos da estação. A maioria das pessoas pode consumir esse prato de três a quatro vezes por semana; eu faço isso e me sinto ótima.

6 xíc. de água
1 xíc. de arroz basmati branco
½ xíc. de feijão-mungo amarelo partido (de preferência hidratado por 1 hora ou mais)
1 col. sopa de Mistura de Especiarias Salgada
1 pitada de assa-fétida em pó (opcional)
2 xíc. de verduras e legumes (escolha na Lista de Compras sazonais, no Apêndice 4, p. 306), os legumes picados em cubinhos de 1cm e as verduras picadas em tiras
½ a 1 col. chá de sal
coentro fresco para enfeitar

PARA O REFOGADO

1 a 2 col. sopa de *ghee*
½ col. chá de sementes de cominho
½ col. chá de sementes de coentro
½ col. chá de sementes de erva-doce (opcional)

Numa panela grande, ferva 5 xícaras de água em fogo alto. Reserve a última xícara de água para acrescentar durante o cozimento conforme necessário.

Lave o arroz e o feijão-mungo duas vezes ou até a água sair límpida. Coloque-os na água fervente, junto com a Mistura de Especiarias e a assa-fétida (opcional) e mantenha em fogo alto até o líquido voltar a ferver. Assim que levantar fervura, abaixe o fogo. Se estiver usando legumes duros como batata, cenoura e abóboras, acrescente os cubinhos nesse momento. Deixe a panela semitampada e deixe cozinhar por 20 minutos sem mexer. Depois de 20 minutos, verifique se precisa de mais água. Se o *dal* não estiver totalmente imerso, será preciso colocar mais água. Despeje a xícara extra de água por cima, mas não mexa. Se estiver usando vegetais de rápido cozimento como verduras, vagens e afins, agora é a hora de acrescentá-los por cima para cozinharem no vapor. Deixe ferver, com a panela semitampada, por mais 10 minutos.

Para fazer o refogado, aqueça o *ghee* numa frigideira pequena em fogo médio. Acrescente o cominho, o coentro e as sementes de erva-doce (opcional) e frite até as sementes começarem a pular, mais ou menos de 2 a 3 minutos. Retire do fogo e despeje no *kichari*. Acrescente o sal, mexa bem e deixe repousar, coberto, por alguns minutos.

O *kichari* deve ficar com uma consistência de sopa cremosa. Sirva em tigelas, como se serve um ensopado. Decore com coentro fresco.

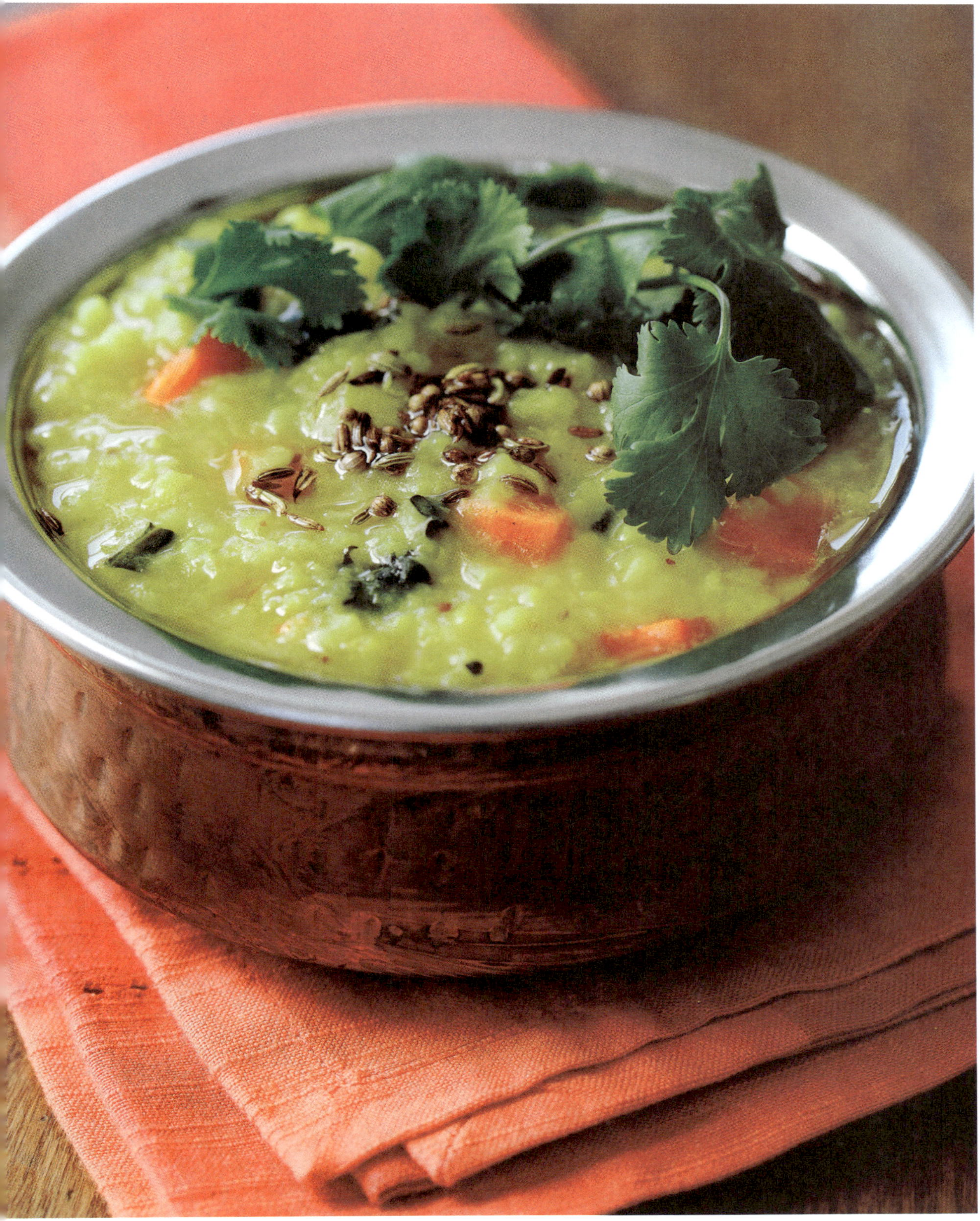

KICHARIS SAZONAIS

Siga a receita básica de *Kichari* (p. 110), substituindo os ingredientes por estas variações para cada estação:

MEDIDAS	PRIMAVERA	VERÃO	OUTONO	INVERNO
6 xíc. de água	✓	✓	✓	✓
1 xíc. de arroz *basmati*	✓	✓	✓	✓
½ xíc. de feijão-mungo amarelo partido	✓	✓	✓	✓
1 col. de sopa de Mistura de Especiarias	Primavera	Verão	Outono	Inverno
Uma pitada de assa-fétida	✓	✓	✓	✓
2 xíc. de legumes e verduras (escolha um)	Rúcula, folhas de dente-de-leão, endívia, repolho, couve-de-bruxelas, brócolis, aspargos, brotos de feijão-mungo	Couve-flor, brócolis, aipo, quiabo, vagem, abobrinha libanesa e abóboras de verão de sua preferência, brotos de feijão-mungo	Abóbora-moranga, abóboras de sua preferência, couve-crespa, couve-manteiga, acelga, espinafre, ervilha, vagem, batata-doce, cenoura, algas	Batata-doce, couve-crespa, couve-manteiga, acelga, espinafre, abóboras de sua preferência, cenoura, algas
Refogado	✓	Sim. Você pode substituir o óleo de coco pelo *ghee*	✓	✓
½ a 1 col. chá de sal	✓	✓	✓	✓
Guarnição	Suco de limão-siciliano	Rodelas frescas de limão ou ervas frescas como salsinha, manjericão ou folhas de tomilho	Acrescente coco ralado ao refogado e doure por 1 minuto	Regue o *kichari* com uma colher de chá de *ghee* derretido

DICAS DE PREPARO PARA O *KICHARI*

Simplifique: tempere apenas com a Mistura de Especiarias e acrescente *ghee* em cada tigela antes de servir.

Dê um toque especial ao *kichari*: quanto mais você deixar o *kichari* cozinhando, mais delicioso e digerível ele vai ficar. Você pode deixá-lo cozinhar por cerca de 1 hora. Nesse caso, cozinhe o arroz e o feijão-mungo por 40 minutos com a panela tampada. Acrescente os legumes mais duros nos últimos 20 minutos. As verduras de cozimento rápido devem ser colocadas por cima, nos últimos 10 minutos, para cozinhar no vapor. A meio-tempo de cozimento, verifique novamente, porque pode ser preciso acrescentar mais um ou dois copos de água quente para manter o *kichari* macio. O *kichari* também pode ser preparado numa panela elétrica de cozimento lento ou panela elétrica de arroz, assim sua refeição estará pronta quando chegar em casa depois do trabalho.

Dica para os legumes e verduras: quanto menores os legumes forem picados, mais rapidamente eles vão cozinhar. Legumes duros de inverno, cortados em cubinhos de menos de 2 centímetros, cozinham em 20 a 25 minutos. O espinafre *baby* ou a rúcula, que são naturalmente finos, podem ser acrescentados no final, junto com o refogado.

O QUE SÃO ALERGIAS ALIMENTARES?

O que no Ocidente conhecemos como alergias ou sensibilidades alimentares, o Ayurveda vê como um resultado da má digestão e da má eliminação. Geralmente, um *agni* fraco e/ou uma evacuação incompleta permitem que substâncias tóxicas se acumulem no corpo. Isso leva a uma resposta alérgica, especialmente a alimentos viscosos, difíceis de digerir, como o trigo e os produtos lácteos. Órgãos totalmente intoxicados são incapazes de decompor certos alimentos, então o corpo rejeita ou não digere os alimentos, o que leva à criação de *ama*, ou seja, mais toxicidade no corpo.

Uma série de fatores – que dependem muito de cada indivíduo – influencia as alergias e sensibilidades. O desequilíbrio no fogo digestivo pode advir de:

- Não digerir bem uma substância.
- Ingerir uma substância com frequência exagerada.
- Ingerir uma quantidade grande demais de uma só vez.
- Comer na hora errada do dia.
- Processamento: o processamento moderno e a engenharia genética podem estar criando substâncias que são desconhecidas para o corpo e que são indigestas, portanto o corpo as rejeita.

O tratamento ayurvédico em relação às alergias e sensibilidades alimentares começa com o fortalecimento do fogo digestivo. O *kichari* é o alimento mais adequado para ajudar o sistema reativo a descansar e a se recuperar. Para saber como cuidar do seu fogo digestivo, consulte o Capítulo 2, "Os Princípios da Alimentação Ayurvédica".

ARROZ BASMATI

O arroz basmati é um prato básico de acompanhamento e é o centro de qualquer refeição ayurvédica por seu sabor doce e seu efeito refrescante. O basmati de preparação rápida combina muito bem com a Sopa Verde de Limpeza ou com o *dal* e pode ser consumido uma ou duas vezes por semana. O arroz basmati é valorizado por seu aroma e sua textura leve. Note como os grãos crus são finos e longos e como o produto final permanece delicado e leve. O basmati branco é considerado de fácil assimilação pelo organismo e nutritivo para todos os tipos de corpos. Enxague bem o arroz para remover o excesso de amido e hidrate os grãos antes de cozinhar. Isso vai amolecê-los um pouco, garantindo um arroz basmati leve e bem digerível.

1 xíc. de arroz basmati branco
2 xíc. de água
¼ col. chá de *ghee*
¼ col. chá de sal

Usando uma peneira de malha fina, lave o arroz em água corrente fria. Depois mergulhe a peneira com o arroz numa tigela de água fria e deixe de molho por 30 minutos. Escorra o arroz e lave em água corrente fria até a água sair límpida.

Coloque o arroz numa panela de tamanho médio e acrescente a água, o *ghee* (que impede que o líquido transborde e equilibra a qualidade seca do grão) e o sal. Mantenha o fogo de médio a alto até começar a ferver. Em seguida, tampe a panela, abaixe o fogo e deixe cozinhar por 17 minutos. Não "perturbe" o arroz enquanto ele cozinha – nada de ficar espiando o arroz por debaixo da tampa nem mexer os grãos! Depois de 17 minutos, tire o arroz do fogo e deixe descansar por 5 minutos, ainda tampado. Por fim, retire a tampa, afofe o arroz com um garfo e sirva.

ARROZ BRANCO OU INTEGRAL?

O farelo fibroso da casca não é retirado do arroz integral, mas é removido do arroz do tipo branco. Na Índia, quando os grandes feixes de arroz são colhidos, os agricultores tradicionalmente os colocam na estrada para os caminhões passarem por cima dos grãos e quebrarem as cascas. Assim, o farelo nutritivo fica preso aos grãos; esse é o arroz integral. Quando o arroz é descascado, retirando-se o farelo, tem-se o arroz "polido" ou branco. Embora no Ocidente a tendência à alimentação saudável sugira que apenas o arroz integral é benéfico, o Ayurveda considera o arroz basmati branco (grão não parboilizado, ou grão curto) mais digerível que o integral, especialmente quando o fogo digestivo não é forte o bastante para digerir bem a casca ou quando se tem um aparelho digestivo sensível ou inflamado, caso em que a fibra pode ser dura demais para a digestão.

Tradicionalmente, o Ayurveda faz menção a muitas variedades de grãos locais. O painço preto, chamado *ragi*, e o arroz vermelho são dois grãos do sul da Índia de que eu gostei. Enquanto o paladar médio está acostumado a comer arroz branco na Índia, observo que está havendo um movimento de retorno aos grãos integrais para o bem da saúde, apoiado pela sabedoria ayurvédica.

PATÊ DE FEIJÃO

rende 4 porções

O feijão geralmente é um alimento seco, adstringente e leve. Isso faz dele uma boa opção para estimular a perda de peso e aliviar a retenção de líquido. Mas, se o seu corpo está ressecado, acrescente um pouco mais de azeite e sal em seus patês. No Ayurveda, o feijão enlatado é considerado "velho", mas o feijão cozido em casa e transformado em purê é suave, macio, fácil de digerir e versátil. Cada patê sazonal contém um tipo de feijão, óleo, sal, especiaria e um toque especial. O feijão acrescenta proteína a qualquer refeição (como nos *Wraps* de Couve-Manteiga com Patê de Lentilhas Vermelhas, p. 269), à Salada Cozida no Vapor ou a grãos simples.

---

1 xíc. de lentilhas vermelhas cozidas
½ a 1 xíc. de água
1 col. chá de Mistura de Especiarias Salgada
½ col. chá de missô vermelho
1 col. chá de azeite de oliva
1 col. chá de suco fresco de limão-siciliano

Coloque as lentilhas cozidas numa tigela grande e acrescente ½ xícara de água, a Mistura de Especiarias, o missô, o azeite e o suco de limão. Amasse os ingredientes com um garfo ou bata com um *mixer* manual até ficar com uma textura macia. Se necessário, acrescente a outra metade da xícara de água para atingir a consistência desejada.

Sirva o patê como acompanhamento para a Salada Cozida no Vapor; num *wrap* com couve-manteiga, *nori* ou *dosa*; ou como molho para servir com talos de vegetais ou biscoitos.

Veja a receita de Patês de Feijão Sazonais na p. 117.

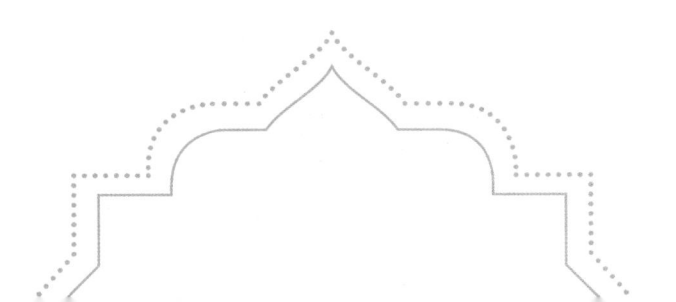

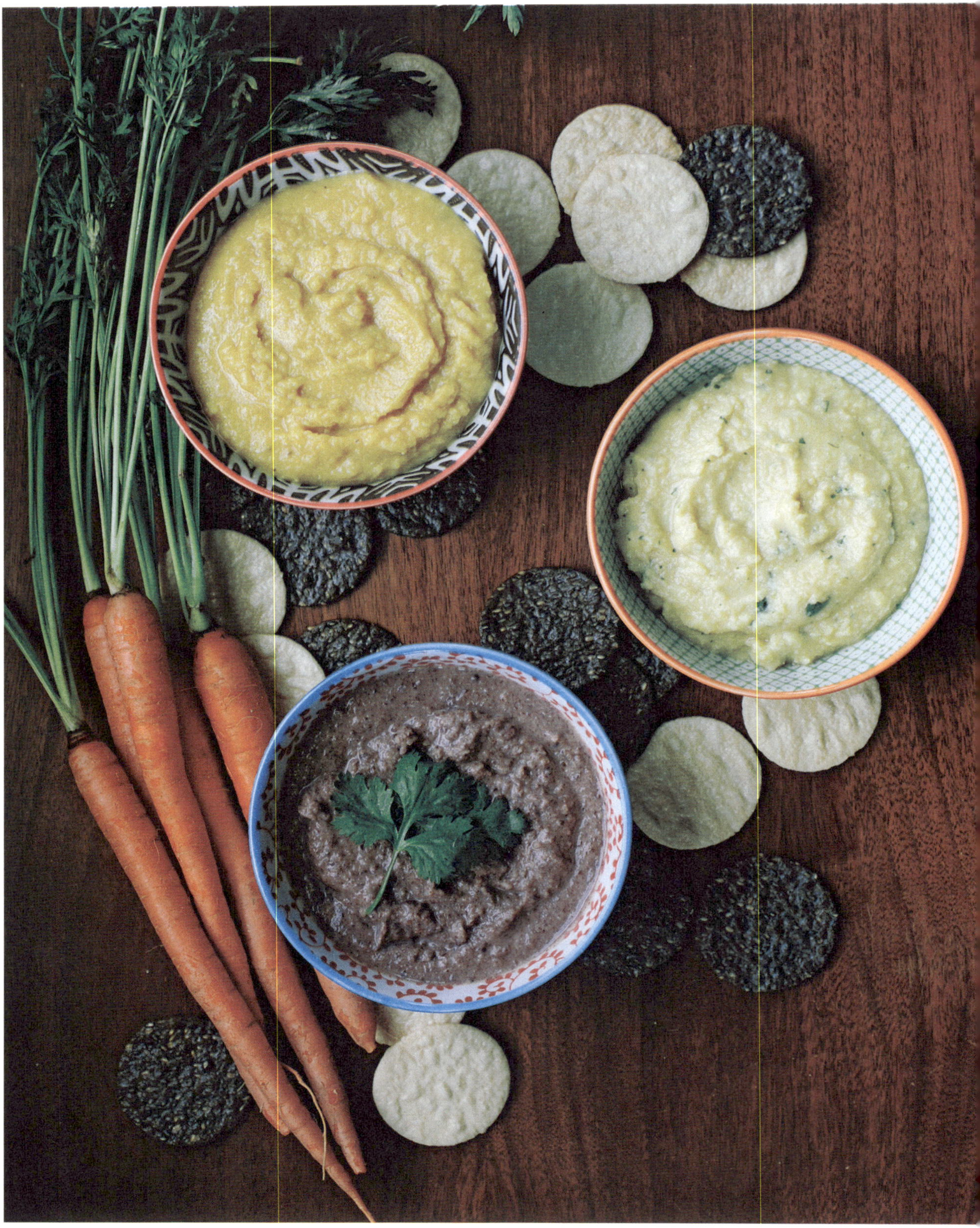

PATÊS DE FEIJÃO SAZONAIS

Você pode criar patês de feijão especiais para cada estação seguindo o método do patê na p. 115, substituindo os ingredientes pelos da tabela abaixo.

MEDIDAS	PRIMAVERA	VERÃO	OUTONO	INVERNO
1 xíc. de leguminosas cozidas	Lentilhas vermelhas	Feijão-mungo partido	Feijão-azuqui	Lentilhas vermelhas
½ a 1 xíc. de água	✓	✓	✓	✓
1 col. chá de Mistura de Especiarias	Primavera	Verão	Outono	Inverno
½ col. chá de missô vermelho	✓	✓	✓	✓
1 col. chá de gordura	Óleo de semente de uva	Azeite de oliva	Azeite de oliva	Óleo de gergelim
1 col. chá de limão-siciliano ou vinagre	Vinagre de maçã	Suco fresco de limão-siciliano	Suco fresco de limão-siciliano	Vinagre de arroz
Especiarias/ervas adicionais	Uma pitada de pimenta-de-caiena ou de chili *powder*	2 col. sopa de ervas frescas picadinhas (coentro, manjericão ou salsinha)	¼ col. chá de gengibre em pó	nenhum
Sugestão de como servir	Embrulhe em folhas de couve--manteiga ou sirva como molho para palitinhos de vegetais escaldados	Sirva com biscoitos de arroz e palitinhos de vegetais crus	Sirva como cobertura para abóboras de sua preferência, assadas e fatiadas, ou como recheio para o *Nori* Torrado	Sirva com fatias de batata-doce assada, arroz ou torrada de grãos germinados

Para criar novas versões do patê de feijão, consulte o Húmus Picante de Feijão-Preto (p. 168) e *Wraps* de Couve-Manteiga com Patê de Lentilhas Vermelhas (p. 269).

SOPA VERDE DE LIMPEZA

rende de 2 a 4 porções

A Sopa Verde de Limpeza é uma alternativa quente ao suco verde gelado. Os vegetais verdes sempre contêm gosto adstringente e amargo. Esses dois sabores, somados ao pungente, representam as qualidades redutoras no Ayurveda. Esta sopa é indicada para qualquer ocasião em que você precise dar um descanso dos alimentos pesados, queira perder peso ou deseje melhorar a digestão ou o humor. Tomar a Sopa Verde de Limpeza é um bom hábito e já vi muitos clientes meus se apaixonarem por ela!

- 3 xíc. de caldo de legumes
- 1 col. chá de cúrcuma em pó
- 1 cm gengibre fresco
- 1 xíc. de couve-crespa picada (umas 2 folhas pequenas)
- 4 xíc. de acelga picada (umas 4 folhas grandes)
- 1 xíc. de folhas de salsinha sem os talos (uns 2 punhados grandes)
- 2 col. chá de *ghee* ou óleo de coco
- Sal e pimenta a gosto

Numa panela de tamanho médio, coloque, em fogo alto, o caldo de legumes e a cúrcuma em pó e espere ferver. (Se você planeja usar um liquidificador, reserve 1 xícara do caldo em temperatura ambiente para acrescentar depois.) Descasque e pique o gengibre em pedaços e acrescente-os à panela. Acrescente a couve picada e a acelga. Tampe a panela e deixe cozinhar em fogo médio por 10 minutos. Acrescente a salsinha e o óleo.

Retire do fogo. Se estiver usando uma batedeira manual de imersão, processe o caldo dentro da panela até ficar completamente homogêneo. Se estiver usando um liquidificador, transfira o líquido e as verduras para o liquidificador e acrescente a xícara de caldo reservada para esfriar a mistura. Comece batendo na potência baixa e vá aumentando a velocidade aos poucos até a sopa ficar cremosa. Talvez seja preciso bater uma metade do caldo de cada vez, se não couber tudo no liquidificador.

Saboreie esta sopa com uma cobertura de sementes de girassol torradas, como acompanhamento para a *Dosa* ou para torradas de grãos germinados com *ghee* e, nos dias mais quentes, experimente servi-la com húmus e centeio ou ainda com biscoitos de arroz.

SOPAS VERDES DE LIMPEZA SAZONAIS

Siga o método apresentado, usando os ingredientes desta tabela para cada estação:

MEDIDAS	PRIMAVERA	VERÃO	OUTONO	INVERNO
3 xíc. de caldo de legumes	✓	✓	✓	✓
1 col. chá de cúrcuma em pó	✓	✓	✓	✓
2,5 cm de gengibre fresco	✓	✓	✓	✓
1 xíc. de couve-crespa picada	✓	✓	✓	✓
4 xíc. de verduras e legumes picados (qualquer combinação)	Brócolis, rúcula, repolho, couve-de-bruxelas, aipo	Abóboras de verão de sua preferência, abobrinha libanesa, vagem, aipo, brócolis	Espinafre, ervilha, vagem	Espinafre, couve-de-bruxelas, broto de feijão-mungo, repolho
1 xíc. de folhas de salsinha	✓	✓	✓	✓
2 col. chá de gordura	Ghee ou óleo de semente de uva	Óleo de coco	Ghee ou óleo de coco	Ghee ou óleo de coco + ½ a 1 abacate descascado (opcional)
Sal e pimenta a gosto	✓	✓	✓	✓

CHÁ MATINAL TRANQUILIZANTE

rende 1 porção

Como seu nome já diz, recomenda-se que este chá quente seja a primeira refeição da manhã. O limão-siciliano estimula um jato de limpeza ao incentivar a produção de bile, o que colocará o organismo em movimento! Se pela manhã você sentir um muco pegajoso na garganta, use o mel na receita, que é conhecido por sua ação de raspagem – ele remove qualquer acúmulo noturno da boca e da garganta. No tempo frio, prepare uma bebida de inverno que vai aquecer o seu corpo, fervendo na água uma colher de chá de gengibre ralado antes de acrescentar o limão. Se você não tiver muco ou se tem pouca tolerância ao sabor doce, pode retirar o mel da receita.

1 ¼ xíc. de água
suco de ¼ de limão-siciliano
1 col. chá de mel (opcional)

Numa panela pequena ou chaleira, ferva a água. Retire do fogo e despeje a água fervente numa caneca grande.

Para servir, misture o suco fresco de limão-siciliano e o mel (opcional).

CONVERSANDO SOBRE O CAFÉ

Já que estamos falando sobre as bebidas matinais... o que o Ayurveda diz sobre o café?

A cafeína, em qualquer forma, é adstringente, e adstringente equivale a secante. Você vai notar que fica com a boca seca depois de beber o café, o chá preto e até mesmo o chá verde.

O café aquece, é penetrante, leve, ligeiramente oleoso e secante. Essa pesada combinação cria um ambiente interno quente e seco. A única vez na minha vida que desejei profundamente um café foi na ilha de Kauai (que, aliás, tem um ótimo café). Depois de alguns dias de chuva e ar parado, a secura e a leveza do café caíram como uma dádiva de Deus, porque equilibraram o clima insistentemente pesado e úmido. Porém, o café é um remédio forte e há maneiras mais sustentáveis de encontrar equilíbrio para o organismo.

Já vi clientes conseguirem reduzir a ingestão de café lentamente, uma xícara ou meia xícara de cada vez. Em alguns casos, uma pequena xícara por dia é tolerável e vale a pena pelo *joie de vivre* que proporciona. Em outros casos, vi clientes se absterem do café por completo, substituindo a bebida escura, amarga e torrada pela raiz de dente-de-leão torrada, uma planta nativa da Europa e das Américas e conhecida por beneficiar o fígado. Muitas vezes ouço as pessoas dizerem que beber café é apenas um hábito, um ritual, como se elas nem mesmo se importassem com a substância em si. Tente substituir, no seu ritual, o café comum pelo café torrado de raiz de dente-de-leão. Ele contém as mesmas qualidades do café normal, mas não é penetrante nem seco.

Lembre-se, quando o café começa a entrar sorrateiramente mais de uma vez no seu dia ou quando a sua xícara diária começa a ficar cada vez mais cheia... está na hora de controlar a ingestão de café.

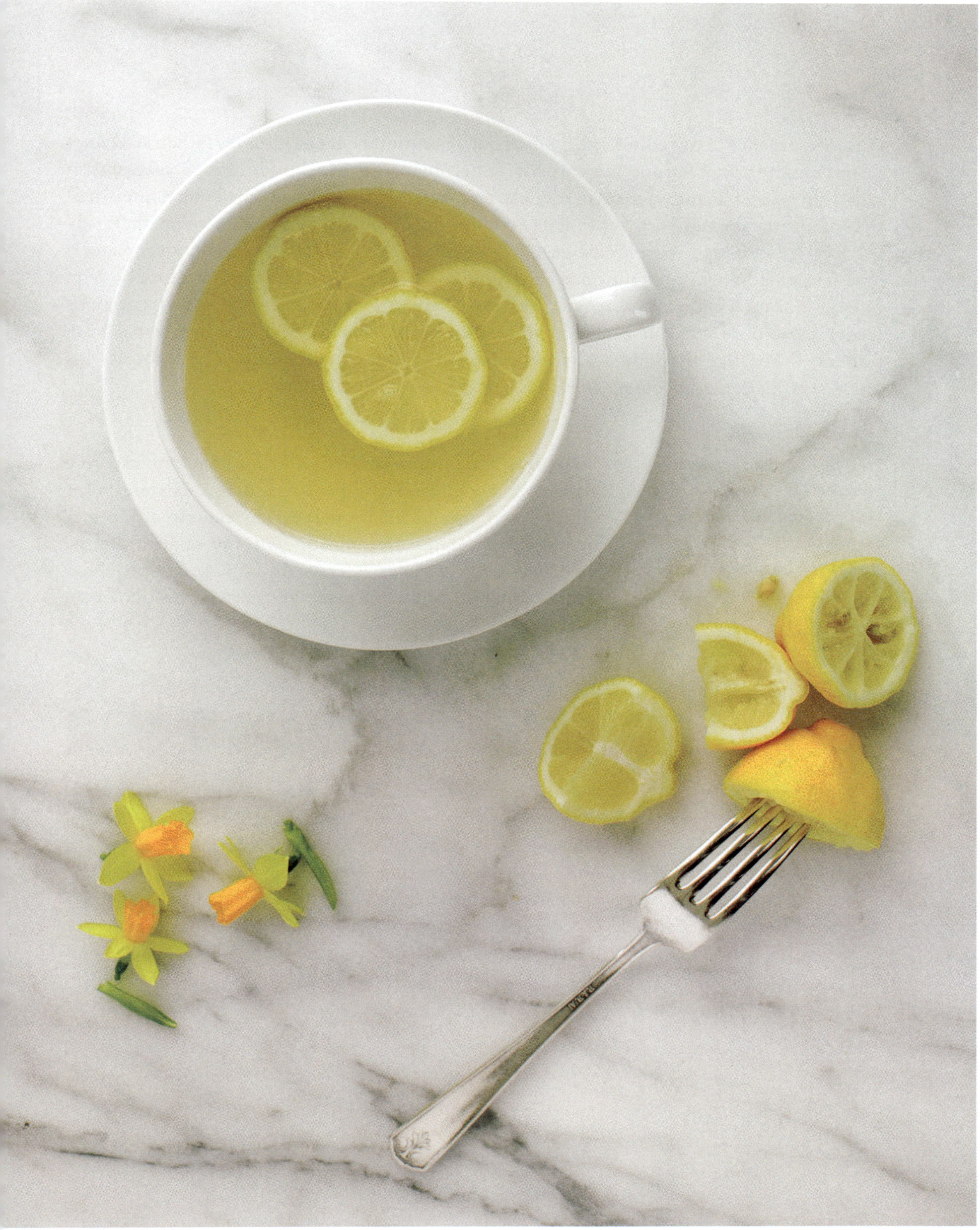

LASSI DIGESTIVO

rende 2 porções

O *lassi* ayurvédico é bem diferente do *lassi* que se encontra em restaurantes indianos. O *lassi* de restaurante é muito grosso e encorpado, feito com iogurte não diluído, muitas vezes misturado com gelo e banana ou manga. Essa não é uma bebida digestiva; é uma bomba intestinal! O caminho medicinal para beber leite fermentado é dilui-lo com água e retirar parte da gordura. Quanto mais fraca for a digestão de alguém, mais gordura deve-se remover. Bater o leite fermentado com água introduz os atributos de leveza e mobilidade à gordura do leite integral, que é, de outra forma, pesada, densa e oleosa. Para esta receita você pode usar iogurte ou *kefir*, não o soro de leite coalhado que é vendido nos mercados. O *lassi* tradicional é um probiótico pós-digestivo que acalma o estômago e aumenta a digestão e a absorção dos nutrientes. Ele é mais recomendável após a refeição do meio-dia.

1 xíc. de água em temperatura ambiente
¼ xíc. de iogurte de leite integral orgânico
1 pitada de cúrcuma em pó
1 pitada de gengibre em pó

Coloque a água numa jarra de vidro de tamanho médio e acrescente o iogurte e as especiarias. Bata a mistura por 1 minuto com uma batedeira manual de imersão até formar uma espuma. Alguns resíduos do leite vão se acumular na superfície e grudar nas laterais da jarra como pequenas bolhas. Quando o líquido assentar, retire os resíduos com uma colher e descarte-os.

Sirva em dois copos longos.

IOGURTE FRESCO DE LEITE INTEGRAL

O Ayurveda recomenda consumir iogurte ou *kefir* fresco, pois quanto mais um produto lácteo fermentado fica armazenado, mais azedo se torna o seu sabor doce. Se você não está preparando seu iogurte e seu *kefir* em casa, tente comprar um iogurte ou um *kefir* artesanal, feito na sua região. Além disso, o iogurte desnatado é mais azedo do que o feito com leite integral, pois, ao remover a gordura, o sabor doce também é retirado. Dar preferência ao iogurte feito com leite integral e separar a gordura você mesmo, batendo o leite conforme descrito na receita, produzirá um *lassi* mais benéfico do que se usar o iogurte desnatado.

LASSIS DIGESTIVOS SAZONAIS

Crie variações para cada estação seguindo o método apresentado e utilizando os ingredientes desta tabela.

MEDIDAS	PRIMAVERA	VERÃO	OUTONO	INVERNO
1 xíc. de água em temperatura ambiente	✓	✓	✓	✓
¼ xíc. de iogurte de leite integral	✓	✓	✓	✓
Especiarias	Uma pitada de cúrcuma e gengibre em pó + ¼ col. chá de coentro moído	Uma pitada de cardamomo em pó e 4 a 6 folhas de hortelã	¼ col. chá de canela	1 pitada de cúrcuma e gengibre em pó
Adoçante	½ col. chá de mel *in natura*	Não	½ col. chá de xarope de bordo (*maple*) ou açúcar de coco	1 tâmara Medjool descaroçada e picada

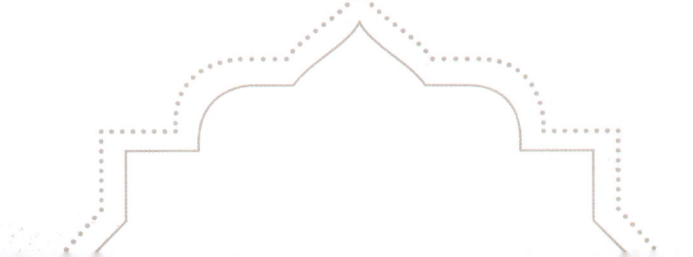

LEITE DE AMÊNDOAS

rende 1 litro

A dieta ayurvédica muitas vezes inclui amêndoas por sua ação nutritiva e refrescante, que atinge rapidamente todas as camadas dos tecidos. Também se considera que as amêndoas beneficiam a pele, aumentando seu brilho e sua beleza. Além do tempo de hidratação, o leite de amêndoas fresco leva apenas alguns minutos para ser preparado e oferece muito mais vitalidade do que o leite de caixa. O Leite de Amêndoas é a base para muitas sopas e receitas de cozidos neste livro; você pode preparar um litro de leite alguns dias da semana e guardar as amêndoas restantes para cozinhar. Esta receita pode ser conservada de 3 a 5 dias na geladeira, mas eu tenho o hábito de fazer meio litro dia sim, dia não. Ele é tão delicioso fresquinho!

⅔ xíc. de amêndoas cruas
4 xíc. de água mais umas 2 xíc. para hidratar
uma pitada de sal (opcional)

Deixe as amêndoas de molho por 6 horas ou mais (pode deixá-las hidratando da noite para o dia) em água suficiente para cobri-las, ou seja, umas 2 xícaras. Escorra e descarte a água e lave as amêndoas. Usando um *mixer* manual ou um liquidificador, processe as amêndoas com 1 xícara de água até ficar homogêneo. Acrescente as 3 xícaras de água restantes. Bata novamente até ficar homogêneo e espumoso.

Para servir ou usar em outras receitas, coe o leite numa peneira fina ou num morim (pano de coar queijo). Coe duas vezes se prefere um leite bem homogêneo. Guarde o resto da polpa para preparar outros pratos ou para engrossar sopas batidas no liquidificador.

VARIAÇÕES PARA O LEITE DE CASTANHAS EM CADA ESTAÇÃO

O leite feito com amêndoas hidratadas é benéfico em todas as estações, mas você também pode desfrutar das receitas sazonais de leite a seguir. Siga as mesmas instruções de preparo do Leite de Amêndoas, mas observe que o tempo de hidratação poderá variar de acordo com os ingredientes, assim como pode-se ou não usar a água da hidratação no leite e escorrer e lavar as castanhas ou as sementes primeiro.

MEDIDAS	PRIMAVERA	VERÃO	OUTONO	INVERNO
⅔ xíc. de castanhas ou sementes	Sementes de cânhamo	Sementes de girassol cruas	Aveia em grãos	Castanha-de-caju crua
Quantidade de água	2 xíc. mais 1 xíc. para hidratar	4 xíc. de água mais 2 xíc. para hidratar	4 xíc. de água mais 2 xíc. para hidratar	2 xíc. de água mais 2 xíc. para hidratar
Uma pitada de sal (opcional)	Não	✓	✓	✓
Método de hidratação	Você só precisa hidratar as sementes de cânhamo por 15 minutos. Pode reutilizar a água da hidratação na receita	Hidrate as sementes de girassol durante a noite. Escorra e lave antes de usar. Descarte a água da hidratação	Hidrate a aveia em grãos durante a noite. Escorra e lave antes de usar. Descarte a água da hidratação	Deixe as castanhas de molho por 4 a 8 horas. Pode reutilizar a água de hidratação na receita

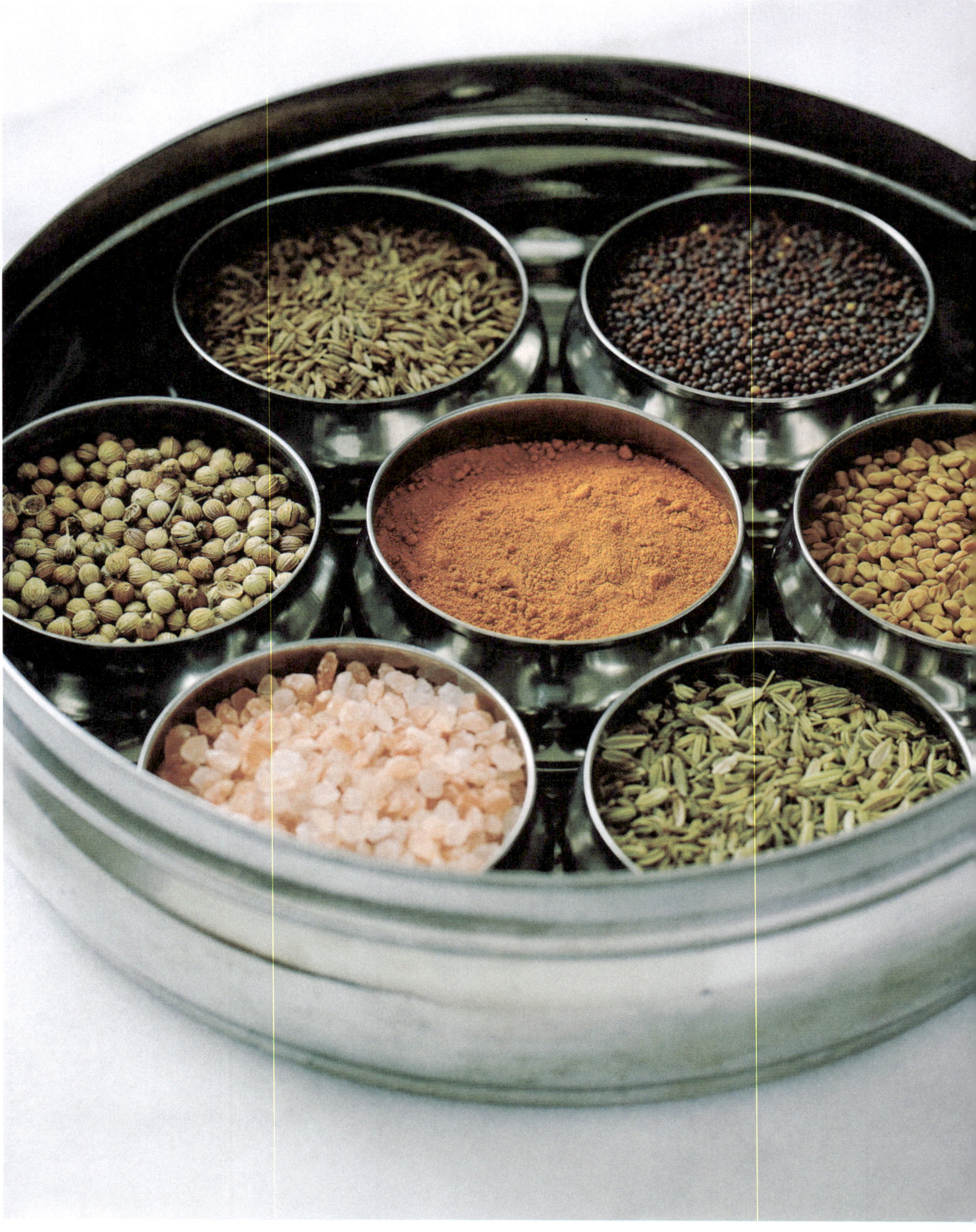

MISTURAS AYURVÉDICAS DE ESPECIARIAS E SAIS

Duas misturas de especiarias simples, uma doce e uma salgada, aparecem em muitas receitas deste livro e podem ser bastante úteis também na culinária não ayurvédica ou como condimentos. Verduras e legumes cozidos no vapor cobertos com *ghee* e Mistura de Especiarias Salgada não precisam de nenhum outro molho especial. Frutas cozidas ou cereais com uma pitada da Mistura de Especiarias Doce estão prontas para serem apreciadas. O gosto familiar dos Sais Digestivos consegue abrilhantar quase todas as receitas com o mínimo de esforço. Tenha sempre essas misturas na cozinha para aproveitar suas qualidades benéficas e neutras, para comer e curar-se durante o ano inteiro.

MISTURA DE ESPECIARIAS SALGADA

rende ¼ xícara

A combinação de cúrcuma, cominho, coentro e erva-doce é uma fórmula digestiva tradicional e equilibrada para acender o *agni*, que estimula a função hepática e modera o elemento fogo. Você vai notar que essa mistura é a base para todas as misturas de especiarias sazonais e é, na verdade, a base para a maioria dos salgados ayurvédicos. Recomendo que você prove as especiarias uma a uma primeiro, para ter certeza de que gosta do sabor delas. Se um dos sabores não lhe agradar, você pode reduzir a quantidade dessa especiaria e adaptar a receita ao seu próprio gosto. (Geralmente leva algum tempo para se acostumar com a erva-doce!)

1 col. sopa de sementes de coentro
1 col. sopa de sementes de cominho
1 ½ col. chá de sementes de erva-doce
1 col. sopa de cúrcuma em pó

Toste as especiarias numa frigideira por alguns minutos até que elas liberem o aroma. Deixe-as esfriar por completo. Num moedor de café reservado para especiarias, ou mesmo à mão com um pilão, triture até obter uma consistência uniforme. Transfira para uma tigela pequena e misture com a cúrcuma em pó.

Usando uma colher de chá e um funil ou um pedaço de papel dobrado em forma de cone, despeje tudo num polvilhador com tampa hermética e conserve a mistura nesse recipiente.

MISTURA DE ESPECIARIAS DOCE

rende ¼ xícara

Eis uma receita indispensável para as manhãs frias. Saboreie essa Mistura de Especiarias sempre que quiser acrescentar ou reforçar o sabor doce; ela também aquece, por isso ajuda a digestão. Não há nenhum mal em usar a Mistura de Especiarias Doce generosamente, como poderia haver com o açúcar ou outros adoçantes. Com essa mistura, no outono e no inverno você pode transformar a maioria dos pratos à base de grãos na primeira refeição do dia. Pode também usá-la para dar mais sabor às frutas cozidas ou misturá-la com leite quente para preparar uma bebida condimentada instantânea.

2 col. sopa de canela em pó
2 col. sopa de gengibre em pó
1 col. sopa de cardamomo

Misture as especiarias em pó num polvilhador de vidro. Esta mistura pode ser usada em qualquer época do ano.

NOTA: No Ayurveda, em geral recomenda-se moer as especiarias frescas, inteiras, mas não é nada prático moer essas três em casa. Recomendo comprá-las em pó, em quantidades pequenas, na seção de produtos a granel numa loja com boa rotatividade, para garantir que as especiarias estejam frescas.

SAIS DIGESTIVOS

rende ½ xícara

Sal, gengibre e limão-siciliano são conhecidos por aumentarem o fogo digestivo, estimulando a proporção correta de fogo e de água no estômago. Acrescentar sais digestivos às refeições, em vez de sal comum, fará os sucos digestivos fluírem bem. Use o sal com moderação na primavera, quando o elemento água se acumula; e no verão, quando o fogo se acumula, porque o sal estimula tanto a produção de água como a de fogo no organismo.

1 limão-siciliano orgânico bem bonito
½ col. chá de sementes de erva-doce (opcional)
½ xíc. de sal marinho ou sal rosa
½ col. chá de gengibre em pó

Preaqueça o forno a 150 graus.

Para obter as raspas do limão-siciliano, rale a casca da fruta com um ralador fino.

Se estiver usando as sementes de erva-doce, triture-as o melhor que puder com um pilão ou com um moedor de café reservado somente para especiarias.

Misture 1 colher de chá de raspas de limão, a base de sementes de erva-doce, o sal e o gengibre em pó numa tigela e espalhe a mistura numa assadeira, verificando se não ficou nenhum pedaço. Asse por aproximadamente 15 minutos, tempo suficiente para secar as raspas de limão. Se as raspas estiverem grandes demais para passarem pelos furos do polvilhador, triture novamente com o pilão.

Deixe esfriar por completo e transfira para um polvilhador.

CALDO DE LEGUMES

rende 3 ½ xícaras

O caldo de legumes pode ser apreciado puro, como bebida para acompanhar ou substituir uma refeição ou para sustentá-lo entre as refeições. Usado como base para sopas e para cozinhar grãos e feijões, este caldo aprimora não apenas o sabor dos grãos e feijões, mas também o valor nutritivo dos alimentos. Você pode guardar um saco de sobras de verduras e legumes orgânicos lavados (por exemplo: cabeças de aipo, cascas de cenoura e de batata-doce) no *freezer* e, uma vez por semana, fervê-las com ervas ou gengibre fresco para preparar o seu próprio caldo fresco. Ou você pode começar do zero.

- 5 xíc. de vegetais picados (cenouras, batatas, alho-poró, couve-crespa, pastinaca, erva-doce) e/ou cascas de legumes
- 2 col. sopa de *ghee*
- 1 punhado de ervas frescas, com talos (tomilho, alecrim, orégano, sálvia, salsinha), ou 5 cm de gengibre fresco picado, lavados e cortados em fatias grossas
- ½ col. chá de sal
- 1 pitada de pimenta-do-reino moída na hora
- 7 xíc. de água

Numa panela grande e funda, refogue os vegetais no *ghee* em fogo médio até começarem a amolecer, por aproximadamente 10 minutos, mexendo de vez em quando. Acrescente as ervas frescas ou o gengibre, o sal, a pimenta-do-reino e a água e deixe ferver. Abaixe o fogo, com a tampa semiaberta, e cozinhe por 60 minutos. Retire do fogo e coe numa peneira fina de metal num recipiente de vidro, numa panela ou em qualquer outro recipiente resistente ao calor, apertando a massa com as costas de uma colher para extrair o máximo de líquido possível.

Deixe o caldo esfriar e depois transfira para recipientes de armazenamento. Guarde na geladeira por até 1 semana. Se levar ao *freezer*, consuma no prazo de 1 mês.

VARIAÇÕES DE CALDOS

Se você não está encontrando tempo para preparar seu próprio caldo, pode tentar usar uma pasta vegetal concentrada, tal como a *Better than Bouillon*; caldos orgânicos em cubos; ou caldos prontos em caixinhas. O ideal é fazer seu próprio caldo, é claro, mas quando eu não tenho nenhum à mão, conto com os sabores das Misturas de Especiarias, com um sal de qualidade e com os próprios vegetais para preparar minhas receitas. Se você comprar caldo em cubos e for sensível ao trigo, procure pelos que não usam farinha de trigo como aglutinante.

GHEE

rende 168 gramas

Também conhecido como manteiga clarificada, e muito utilizado na culinária francesa, o *ghee* é considerado o meio de cozimento mais benéfico no Ayurveda e a "joia da coroa" da cura ayurvédica. Este óleo é o mais tolerante de todos ao calor; é leve e, portanto, de fácil digestão e penetra nos tecidos do corpo, fornecendo a nutrição e a gordura não saturada necessárias para as camadas de tecido mais profundas do organismo. Pense no *ghee* como um portador que leva as mercadorias para as partes mais profundas dentro do corpo. Quando as especiarias são refogadas no *ghee*, as qualidades medicinais das ervas alcançam esses tecidos. O *ghee* deve ter qualidade medicinal, portanto a base desta receita deve ser feita com manteiga orgânica da mais alta qualidade.

Para fazer o *ghee*, remova os resíduos da manteiga, cozinhando-a em fogo baixo. À medida que a manteiga cozinha, a água será liberada na forma de pequenas bolhas e os resíduos vão se separar; depois, basta coá-los e descartá-los. O truque é não deixar queimar, e para isso você deve ficar perto do fogão durante os 15 minutos que se leva para a separação. Observe enquanto a manteiga muda de forma e orgulhe-se muito de cada porção de ouro amarelo que você criar e retirar às colheradas. Fazer *ghee* é uma tarefa muito satisfatória e divertida que transforma você num curandeiro da cozinha.

Esta receita rende o suficiente para duas semanas, mais ou menos. Depois de pegar o jeito, você pode dobrar a receita e preparar seu *ghee* uma vez por mês.

220 g (2 tabletes) de manteiga orgânica sem sal

Coloque 2 tabletes de manteiga numa panela pequena. Derreta a manteiga em fogo médio, depois abaixe o fogo. Após aproximadamente 5 minutos, a manteiga vai começar a formar uma espuma branca na superfície e você vai ouvir os estalidos da umidade evaporando. Continue monitorando o *ghee*; não se afaste nem faça outras tarefas ao mesmo tempo. Note quando os estalidos se tornarem mais intermitentes: essa é a hora de não sair mais de perto. Quando os resíduos no fundo da panela começarem a ficar de um tom dourado (depois de 10 a 15 minutos), retire do fogo.

Espere a manteiga amornar, por volta de 15 minutos. Coe com uma peneira ou um morim numa jarra de vidro esterilizada (um pote vazio de manteiga vegetal funciona muito bem). Retire os resíduos de espuma que possam ter restado.

O *ghee* não precisa ser levado à geladeira se for consumido em até um mês; deixe-o tampado na bancada da cozinha e use sempre um utensílio limpo para pegar um pouco de *ghee* do recipiente. Se quiser conservar o *ghee* por mais tempo, recomendo guardá-lo na geladeira, mas tire-o da geladeira para amolecer antes de começar a cozinhar.

O *ghee* é ótimo para ser usado no lugar da manteiga em quase todas as ocasiões: para passar na torrada, como óleo de cozinha para preparar ovos, misturado com grãos. Ele tem mesmo um sabor e uma textura diferentes da manteiga e, por isso, não se integra a receitas de forno muito minuciosas, mas com certeza você vai encontrar o *ghee* nas minhas receitas de assados!

CAPÍTULO 5

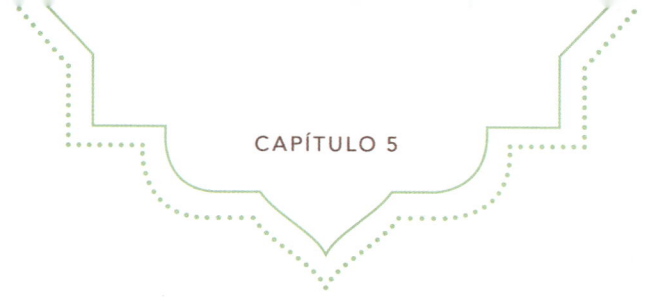

Receitas de Primavera

Os rios estão repletos de neve derretida e a seiva está começando a correr pelas árvores. Toda a umidade que estava presa pelas temperaturas congelantes agora está se movendo para limpar a estagnação do inverno. E, para o nosso corpo, a primavera é o momento ideal para ficar leve e límpido. O peso e a densidade acumulados no inverno devem ser decompostos e queimados. A necessidade que o organismo tem de alimentos ricos no inverno muda para um desejo por alimentos simples, leves, secos, que digerem facilmente. Atice o fogo digestivo e estimule a limpeza natural do corpo nessa época do ano com os sabores pungentes, amargos e adstringentes encontrados nas folhas verdes, nas frutas de um vermelho vivo, no gengibre fresco, na cúrcuma e nas sopas picantes da estação.

Visão geral da dieta e do estilo de vida da primavera

Os Elementos: Terra e água.
Sensações: Pesado, fresco, úmido, lento, turvo, viscoso, estável.

QUALIDADES A INTRODUZIR
Quente
Leve
Seca
Móvel (colocar em movimento)
Cortante
Penetrante

QUALIDADES A REDUZIR
Fria
Pesada
Oleosa
Estática (ficar sentado)
Letárgica
Lenta

SINAIS E SINTOMAS DE DESEQUILÍBRIO
Perda de apetite
Sinusite ou congestão torácica
Alergias sazonais de primavera
Falta de ânimo ou letargia

SABORES PARA DESFRUTAR
Amargo
Adstringente
Pungente

Guia de Alimentos da Primavera

Preferir alimentos quentes, leves e bem temperados.

ALIMENTOS A PRIVILEGIAR
- Especiarias de sabor pungente, como o gengibre, a pimenta-do-reino, o limão-siciliano e a cúrcuma.
- Grãos secos como a cevada, o centeio, o milho, o painço e o trigo-sarraceno.
- Frutas adstringentes como maçã, pera, frutas vermelhas, cerejas desidratadas, uva-passa e ameixa. Em lugares de clima frio, a maioria das frutas que você encontra na primavera são desidratadas.
- Proteínas magras como feijão, lentilha e clara de ovo, e carne branca para não vegetarianos.
- Vegetais amargos como rúcula, couve-de-bruxelas, repolho, brócolis, folhas de dente-de-leão e aspargos.
- Mel *in natura*, com moderação.

ALIMENTOS A REDUZIR

- Qualquer alimento frio ou bebida gelada.
- Laticínios.
- Frutas doces e pesadas como tâmara, figo, banana.
- Trigo.
- Adoçantes (exceto o mel *in natura*).
- Carnes gordas.
- Castanhas assadas.
- Sal.

ORIENTAÇÕES PARA O ESTILO DE VIDA DA PRIMAVERA

- Use um óleo leve para massagem (amêndoa, semente de uva) e esfoleie a pele a seco algumas vezes por semana ou diariamente, pela manhã, antes do banho. Você pode acrescentar aromas naturais energizantes ao óleo de massagem, como o óleo de limão, *grapefruit*, bergamota, pinho ou óleos de *tulsi*.
- Faça o *neti* (irrigação nasal) com um pote de *neti* na hora do banho matinal quando começar a época das alergias ou antes que a congestão se instale no organismo.
- Faça exercícios diários, de preferência logo pela manhã e ao ar livre, o suficiente para ficar um pouco suado.
- Faça sauna.
- Reduza os cochilos durante o dia e acorde com o sol.
- Não coma quando não estiver com fome e tome um café da manhã mais leve do que estava acostumado no inverno.
- Beba diariamente chá de *tulsi*, de gengibre ou Chá Digestivo de Primavera.

LISTA DE COMPRAS DE PRIMAVERA

VERDURAS E LEGUMES
Alcachofra fresca
Alcachofra marinada
Alho-poró
Aspargo
Brócolis
Broto de espinafre
Brotos de samambaia
Chicória
Couve-flor
Endívia
Rabanete branco (nabo japonês)
Repolho
Rúcula

FRUTAS
Ameixa
Cereja desidratada
Frutas vermelhas frescas
Grapefruit
Maçã
Pera
Suco de *cranberry*
Suco de romã
Uva-passa

GRÃOS
Amaranto
Centeio
Cevada
Fubá (tortilhas)
Painço
Trigo

FEIJÕES
Feijão-branco
Feijão-preto
Grão-de-bico
Lentilha verde
Lentilha vermelha
Tofu (servido quente)

GORDURAS
Leite de arroz
Leite de cânhamo
Leite de soja
Óleo de semente de uva
Queijo de leite de cabra

ESPECIARIAS
Anis-estrelado
Pimenta-malagueta seca
Sambar em pó
Sementes de feno-grego
Sementes de mostarda

EXTRAS
Escova seca de cerdas naturais
Vinagre balsâmico
Vinagre de arroz
Vinagre de maçã
Mel *in natura*

CEREAL REVIGORANTE DE FRUTAS VERMELHAS

rende 2 porções

Sempre fico animada para chegar em casa depois do yoga e comer este cereal. O trigo-sarraceno tecnicamente não é um grão, mas sim uma semente; é seco, ligeiramente diurético e aquecedor. Combinado com a vivacidade das frutas vermelhas, ele vai ajudar você a "se animar" e preparar-se para iniciar o dia. Também conhecido como *kashe*, traz um sabor torrado, de castanhas, para um café da manhã rápido. O trigo-sarraceno não contém glúten, não aumenta o açúcar no sangue e é uma boa opção para quem sofre de muco e de perda de peso; e para usar no tempo úmido e frio. Para saborear essa gostosura, cubra-o com o Molho Doce de Frutas Vermelhas (p. 158).

- 2 xíc. de água
- ½ xíc. de trigo-sarraceno seco, torrado ou cru
- 1 a 2 col. chá de Mistura de Especiarias Doce
- ½ col. chá de extrato de baunilha
- 1 xíc. de morangos picados
- 2 col. chá de óleo de coco
- ¼ xíc. de coco ralado

Numa panela média, ferva 2 xícaras de água. Lave o trigo-sarraceno numa peneira e acrescente o trigo, a Mistura de Especiarias e a baunilha na água fervente. Abaixe o fogo, tampe e cozinhe por 15 minutos. Retire do fogo, acrescente o morango e o óleo de coco e afofe com um garfo. Tampe novamente e deixe descansar por 5 minutos.

Enquanto o trigo-sarraceno está descansando, toste o coco ralado numa frigideira pequena em fogo baixo por alguns minutos, mexendo sempre, até começar a dourar.

Sirva em duas tigelas e polvilhe o coco tostado por cima.

DICA: se você deixar o trigo-sarraceno hidratando da noite para o dia, ele vai cozinhar em 10 minutos. Você também pode hidratar o coco para suavizar sua textura, o que vai resultar num cereal mais cremoso. Se fizer isso, ignore a etapa de tostar o coco.

MUFFINS DE CEREJA E PAINÇO

rende 6 muffins

O painço é um grão seco e mastigável; uma boa opção para o clima úmido. Estes bolinhos recorrem à adstringência das cerejas e das ameixas e ao efeito calorífico do gengibre fresco para ajudar o corpo a se livrar do excesso de umidade e frio. Os *Muffins* de Cereja e Painço são bons substitutos para a farinha branca – e para os bolos e doces feitos com açúcar branco, que realmente podem prejudicar o trabalho do organismo de limpar a estagnação de inverno. Se você acha que pode sentir vontade de comer um doce no fim do dia, embale um ou dois destes bolinhos e leve com você.

⅓ xíc. de ameixas
1 xíc. de painço cozido
1 col. sopa de sementes de linhaça moída
½ col. chá de gengibre em pó
1 col. chá de suco de limão-siciliano
¼ xíc. de cerejas desidratadas
1 col. sopa de grãos crus de painço

Preaqueça o forno a 200 graus. Separe seis forminhas de assar *muffins*. Numa tigela média, hidrate as ameixas em ⅓ de xícara de água morna por 15 minutos. Usando um *mixer* manual, faça um purê de ameixas (com o líquido da hidratação), acrescentando ¼ de xícara do painço cozido. Misture o purê de ameixa e o painço, as sementes de linhaça moída, o gengibre em pó e o suco de limão. Acrescente os ¾ de xícara de painço cozido e as cerejas e misture.

Deixe descansar por 5 minutos.

Divida a mistura de maneira uniforme nas forminhas, polvilhe com painço cru e alise suavemente a superfície de cada forminha de painço com as costas de uma colher. Asse por 20 a 25 minutos até os *muffins* ficarem firmes e dourados. ⅓

SÓ MEL *IN NATURA*

O mel *in natura* é o adoçante preferível para a primavera devido às suas qualidades de limpeza e aquecimento. No entanto, os textos ayurvédicos recomendam não aquecer o mel durante o cozimento. O mel convencional é cozido ao ser processado, o que o torna uma substância viscosa e indigesta que termina se transformando em *ama*, ou toxicidade no corpo. Se você precisa de mais doce do que há nas receitas de primavera, passe uma colher de chá de mel *in natura* nas suas guloseimas antes de servir – mas nunca cozinhe o mel. Se quiser adoçar o chá com mel, não use água fervente; deixe esfriar por 1 minuto antes de acrescentar o mel.

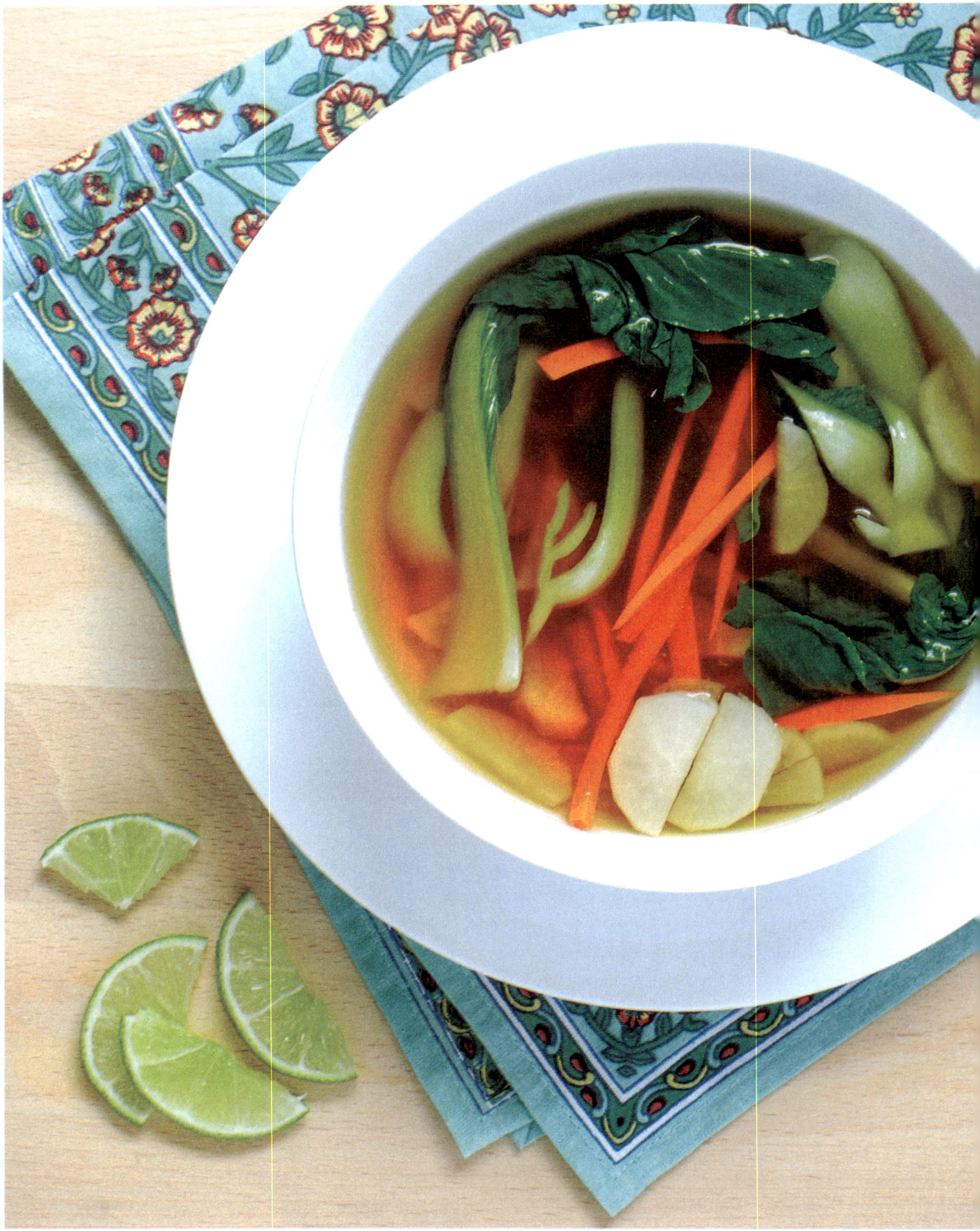

SOPA *PHO* MATINAL

rende 2 porções

Esta receita é uma adaptação de uma refeição matinal tradicional do sul do Vietnã. O sabor pungente e levemente picante na refeição matinal (em vez dos sabores doce e refrescante, como temos com os cereais frios) alimenta o fogo digestivo durante as temporadas úmidas, quando o fogo fica baixo. Em consonância com os princípios ayurvédicos, na região quente do sul do Vietnã, a sopa *pho* matinal tem um caldo doce e é temperada com ervas frescas, que são refrescantes. Nas regiões frias do Norte, ela geralmente contém vinagre e pimenta-malagueta, que aquecem. Essa é uma versão mais suave da que você encontraria na terra natal do *pho*, mas eu compenso a suavidade acrescentando gengibre fresco.

4 xíc. de água
1 cenoura média
2 talos de couve-chinesa ou 1 cabeça de couve-chinesa *baby*
1 rabanete branco (nabo japonês), de aproximadamente 15 cm
2 col. chá de gengibre ralado
pimenta-do-reino a gosto
1 col. sopa de *tamari*
suco de 1 limão pequeno
fatias de limão para decorar

EXTRAS OPCIONAIS

1 punhado grande de Espaguete de Abobrinhas Libanesas (p. 192) ou macarrão de arroz; substitua 1 xícara de água por 1 xícara de leite de coco

Ferva a água numa panela grande. Pique os vegetais e acrescente-os à panela. Acrescente o gengibre ralado e a pimenta-do-reino a gosto e cozinhe, com a panela tampada, por 5 minutos. Se estiver usando Espaguete de Abobrinha Libanesa ou macarrão de arroz, acrescente-os no último minuto de cozimento e tampe novamente. Cozinhe até que os legumes e o espaguete estejam *al dente*. Retire do fogo e acrescente o suco de limão e o *tamari*.

Sirva a sopa em 2 tigelas de macarrão, com fatias de limão fresco como acompanhamento.

SAMBAR DO SUL DA ÍNDIA

rende 4 porções

Sambar, uma sopa de tomate, *dal* e tamarindo servida com arroz, é um prato básico da culinária do sul da Índia, servido como café da manhã ou almoço. Na minha primeira viagem ao sul da Índia, demorei um pouco para me acostumar com o *sambar* picante no café da manhã. Ele estava em todo lugar, o tempo todo, e eu nunca sabia que verduras e legumes eram aqueles na minha sopa. Passados alguns anos, hoje eu só sinto que realmente cheguei ao sul depois de tomar um autêntico *sambar*. Em casa, faço *sambar* muitas vezes no inverno e na primavera. Para simplificar bastante para você, eu me desviei um pouco da receita tradicional usando pó de *sambar* comprado pronto, que você encontra em lojas de alimentos indianos, e usei apenas ingredientes fáceis de encontrar. Esta é uma excelente receita de primavera devido às suas qualidades: quente, leve, pungente e amarga. Se o seu estômago costuma ficar irritado com alimentos picantes ou azedos, diminua a quantidade de pó de *sambar* para deixar a sopa menos picante e diminua a quantidade de tomate para ela ficar menos ácida.

4 xíc. de água
½ xíc. de feijão-mungo amarelo partido, lavado duas vezes
1 col. chá de cúrcuma
2 tomates pequenos, picados
½ xíc. de cenoura picada
½ xíc. de vagem picada
½ xíc. de rabanete branco (nabo japonês) picado
1 col. sopa de óleo de coco
1 cebola pequena, picadinha (opcional)
1 col. chá de sementes de mostarda
2 raminhos de folhas frescas de *curry* (opcional)
2 pitadas de assa-fétida
¼ xíc. de coco ralado
1 a 2 col. chá de *sambar* em pó
sal a gosto
coentro fresco para enfeitar (opcional)

Ferva a água numa panela grande. Acrescente o feijão-mungo e a cúrcuma em pó e leve à fervura novamente. Acrescente as verduras e os legumes picados na panela, menos a cebola, se estiver usando. Abaixe o fogo e deixe cozinhando, com a panela semiaberta, por 30 minutos.

Enquanto o *dal* está cozinhando, aqueça o óleo de coco numa frigideira e frite a cebola picadinha em fogo médio até ficar translúcida, por cerca de 5 minutos. Acrescente as sementes de mostarda; elas vão estourar, então tampe a panela antes de fritar por 1 minuto. Em seguida, acrescente as folhas de *curry* e mexa; depois acrescente a assa-fétida e mexa de novo até todos os temperos misturarem bem no óleo. Quando você sentir o aroma dos temperos, desligue o fogo. Acrescente o coco ralado na mistura de óleo quente e mexa. Deixe descansar de 1 a 2 minutos.

Acrescente o óleo temperado e o *sambar* em pó ao *dal* cozido na panela. Cozinhe por 5 minutos, acrescentando água quente se o *sambar* estiver ficando muito grosso (ele tem que ficar um pouco ralo). Acrescente sal a gosto.

Sirva em 4 tigelas junto com *Dosa* ou despeje sobre o arroz basmati. Enfeite com coentro fresco, se quiser. Nota para cozinheiros mais aventureiros: para um sabor mais autêntico e azedo, você também pode misturar de 2 a 3 colheres de chá de pasta de tamarindo junto com o tomate.

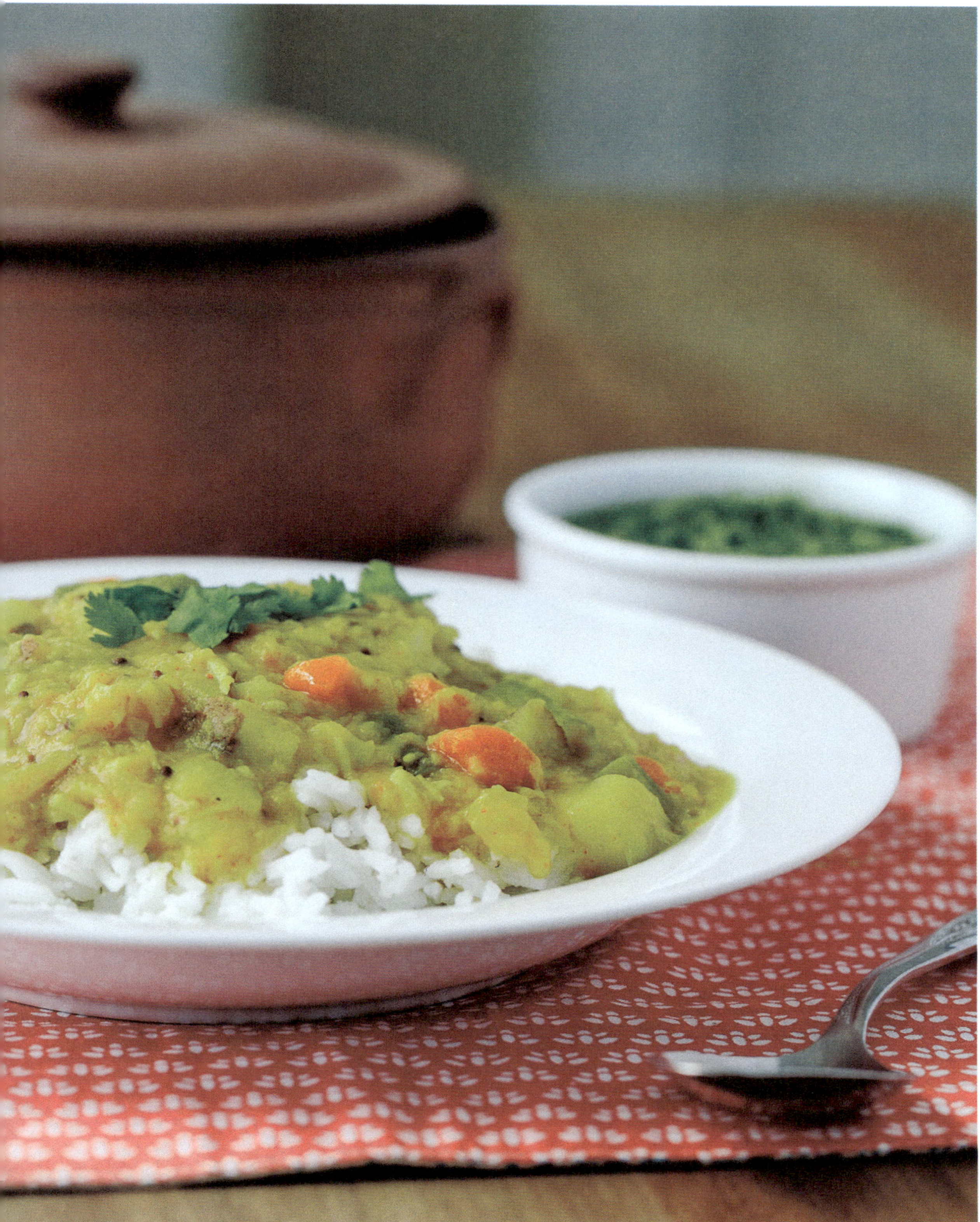

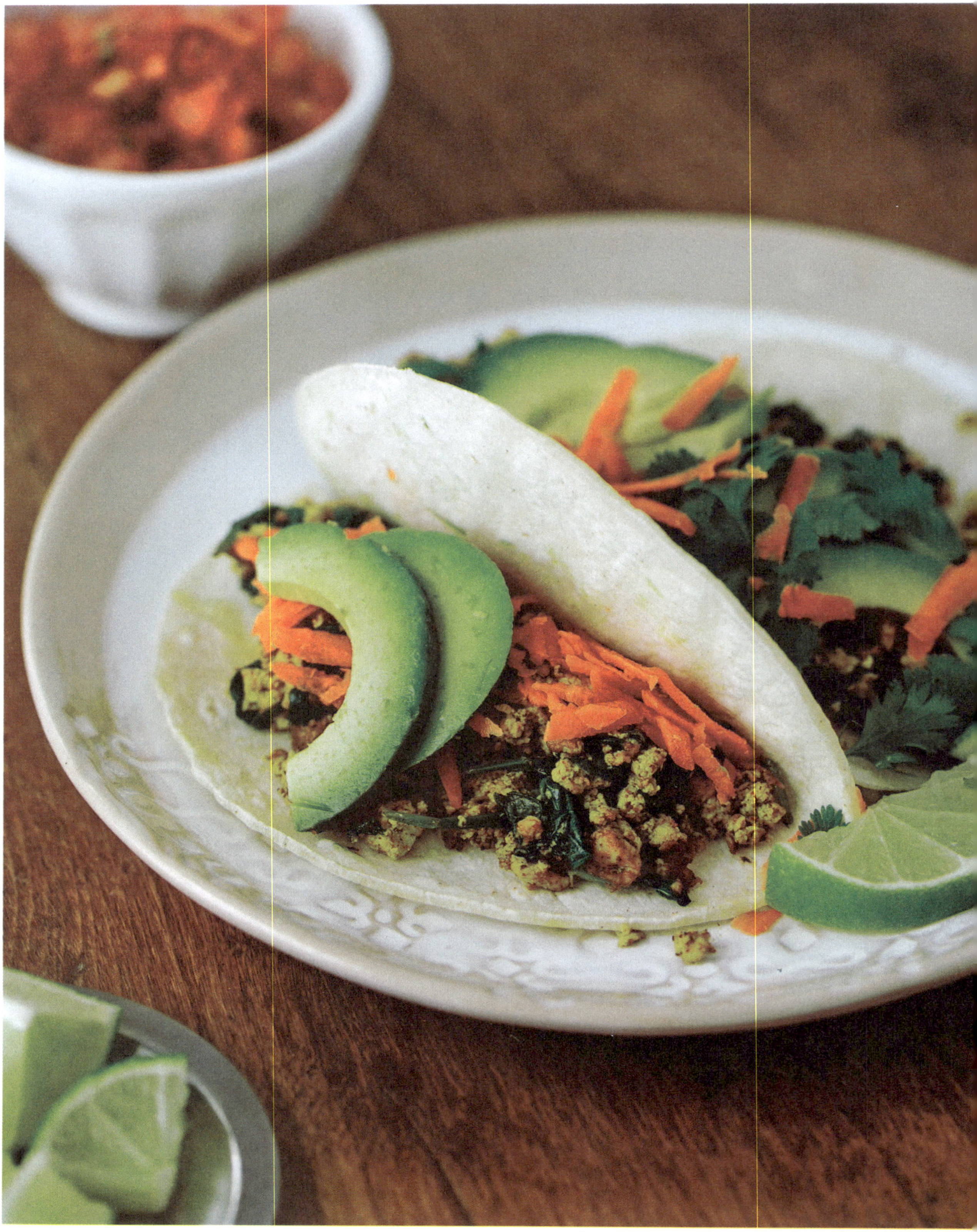

TACOS DE TOFU COM VERDURAS

rende 2 porções

Os dias frios e secos da primavera podem ocasionar um apetite mais forte do que os dias quentes e úmidos. Os Tacos de *Tofu* com Verduras são uma refeição fácil e agradável para ter um dia mais saudável e ficar em harmonia com a leveza da primavera. A secura do milho, o gosto amargo das verduras e uma pitada de especiarias (que ajudam o corpo a digerir as proteínas do *tofu*) equilibram a refeição, então você vai se sentir satisfeito, mas não pesado. A Salada de Beterraba Crua com Limão e Hortelã (p. 228) é um excelente acompanhamento para estes tacos, mas, se quiser simplificar o sabor, não use a hortelã e as sementes de girassol.

---

1 col. chá de chili *powder*
½ col. chá de cominho em pó
½ col. chá de coentro em pó
½ col. chá de cúrcuma em pó
1 pitada de pimenta-do-reino ou de pimenta-de-caiena
¼ col. chá de sal
200 g de tofu extrafirme
2 col. chá de óleo de girassol ou *ghee*
1 xíc. de espinafre *baby* ou acelga picada
4 tortilhas de milho
½ limão, cortado em fatias

CHILI POWDER
2 col. sopa de páprica
2 col. chá de orégano
1 ½ col. chá de cominho em pó
1 ½ col. chá de alho em pó
¾ col. chá de cebola em pó
½ col. chá de pimenta-de-caiena a gosto (opcional)
Misturar bem todos os ingredientes e guardar num recipiente hermético.

COBERTURAS, EM QUALQUER COMBINAÇÃO:
molho mexicano
abacate fatiado
coentro picado
cenoura ralada
alface ralada

Misture todos os temperos e o sal numa tigela pequena.

Lave bem o tofu e aperte-o entre as mãos para retirar um pouco da água; isso fará com que ele cozinhe mais rápido. Numa tigela pequena, amasse o tofu com um garfo e, em seguida, junte-o à Mistura de Especiarias.

Numa frigideira média, aqueça o óleo ou o *ghee* no fogo médio. Quando a panela estiver quente, acrescente o tofu e frite, usando uma espátula para mexer bem de minutos em minutos. Depois de 5 minutos, acrescente as verduras picadas e mexa com a espátula. Continue cozinhando e mexendo por mais 5 minutos. Quando o tofu começar a dourar, retire do fogo e cubra para manter quente.

Dê tapinhas nas tortilhas com as mãos úmidas para amolecê-las. Em outra frigideira grande, espalhe as tortilhas numa única camada e aqueça-as em fogo baixo, de 2 a 3 minutos. Se as bordas começarem a enrolar, tire-as do fogo imediatamente.

Para servir, coloque 2 tortilhas lado a lado e, com uma colher, ponha uma "tira" da mistura de tofu sobre cada tortilha. Acrescente as coberturas, com a combinação que preferir. Como acompanhamento, sirva fatias de limão fresco para espremer por cima. Dobre ao meio para comer os tacos macios.

NOTA: Se o seu organismo não digere bem o tofu, substitua-o por 4 a 6 claras de ovo, levemente batidas.

> Se você é fã de alho e cebola, a primavera é uma boa época do ano para comê-los com moderação. A maioria das pessoas que não experimentam sinais de acidez estomacal pode saborear uma pequena porção de alho ou cebola, contanto que bem cozidos, duas vezes por semana, mais ou menos. Frite 2 colheres de sopa de cebola roxa e ½ dente de alho descascado e picado por 5 minutos, depois misture ao tofu e continue fritando. Não exagere no molho mexicano, pois contém cebola e alho crus!

SOPA DE FEIJÃO-BRANCO COM ASPARGOS

rende 2 porções

Criei esta receita usando a Sopa Cremosa Surpresa (p. 102) como base e acrescentando os Sais de Primavera cítricos. É uma maneira tão simples e deliciosa de comer aspargos que esta sopa ganhou um lugar de destaque nas minhas receitas de primavera. Comer aspargos na primavera, quando seus talos estão pequenos e macios, é uma verdadeira alegria e purifica o elemento água do corpo. A receita tem pouco óleo para ajudar o organismo a equilibrar a umidade da primavera.

- 1 maço de aspargos
- 2 xíc. de água
- 1 col. chá de azeite de oliva
- ½ xíc. de feijão-branco cozido
- 1 col. chá de Sais de Primavera
- suco de ¼ de limão-siciliano
- ¼ de limão-siciliano cortado em 2 fatias
- pimenta-do-reino moída na hora, a gosto

Corte a parte inferior dos talos dos aspargos, de 2 a 5 cm das extremidades duras, para descartar a parte mais dura. Pique os talos em pedaços de 2 cm. Numa panela média, ferva os aspargos em 1 xícara de água até ficarem macios, por cerca de 7 minutos. Coloque os aspargos e a água do cozimento no liquidificador junto com mais 1 xícara de água, o azeite de oliva, o feijão e os Sais de Primavera e misture em fogo de médio a alto até ficar homogêneo. (Ou coloque os demais ingredientes na própria panela, desligue o fogo e processe com uma batedeira manual de imersão.) Coloque a sopa de volta na panela e aqueça em fogo baixo até ficar quente o suficiente para servir. Retire do fogo e acrescente ¼ de suco de limão.

Sirva em 2 tigelas, com fatias de limão e a pimenta-do-reino fresca moída na hora.

NOTA: O brócolis é um bom substituto para o aspargo e oferece a mesma leveza do sabor amargo. Se você está começando na culinária ayurvédica, acho que vai se sentir confortável com a velha e conhecida sopa cremosa de brócolis.

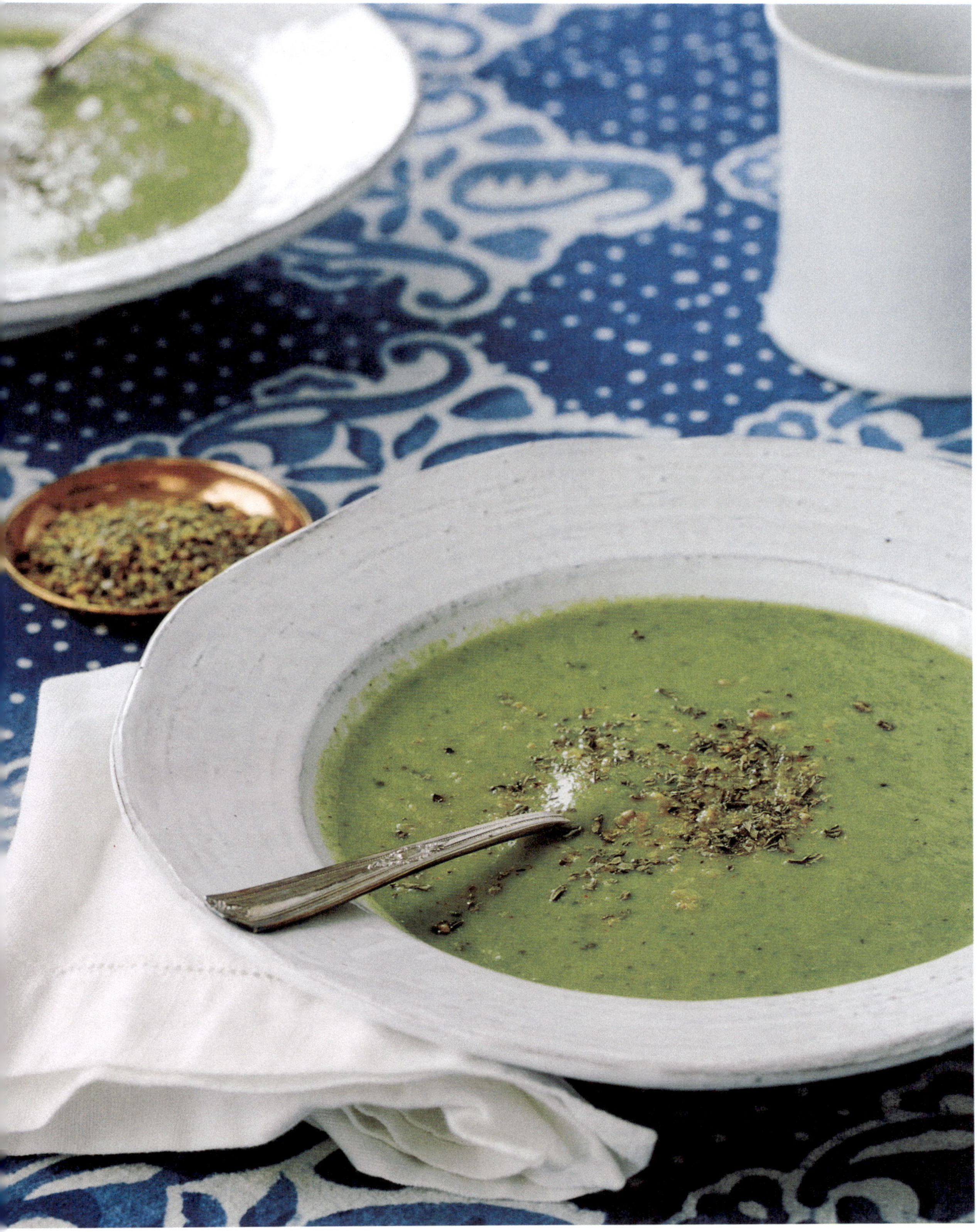

DAL PICANTE ESTILO ANDHRA

rende 4 porções

A primavera é a melhor época do ano para desfrutar do sabor pungente, como o encontrado nas sementes de mostarda, na pimenta-malagueta e no alho. Este *dal* reflete a culinária do sul da Índia, de Andhra Pradesh, cidade dos mais deliciosos *thali* (para o almoço) e dos principais produtores de pimenta-malagueta do país. A natureza forte e picante deste prato, junto com a leveza e a secura do feijão-mungo integral com a fibra de sua casca, torna-o uma refeição purificadora quando o tempo está úmido e frio.

1 xíc. de feijão-mungo verde integral

1 col. sopa de *ghee*

1 pimenta-malagueta desidratada grande ou 3 pequenas

2,5 cm de gengibre fresco picado, descascado e ralado

½ col. sopa de Mistura de Especiarias de Primavera

2 col. chá de sementes de mostarda

2 col. chá de sementes de cominho

4 xíc. de água

suco de 1 limão-siciliano

½ col. chá de sal

Deixe o feijão de molho durante a noite ou use o método rápido de hidratação (p. 304). Quando estiver pronto para cozinhar, escorra e enxague o feijão.

Aqueça o *ghee* em fogo médio numa panela grande. Acrescente a pimenta-malagueta, o gengibre ralado, a Mistura de Especiarias, as sementes de mostarda e o cominho. Mexa até que as sementes de mostarda comecem a estourar, por alguns minutos. Acrescente o feijão-mungo e mexa até o *ghee* e as especiarias ficarem distribuídos de maneira uniforme. Acrescente a água, deixe a panela semiaberta e cozinhe por 30 minutos ou até o feijão começar a partir. Fique de olho no nível da água, pois você pode precisar acrescentar um pouco de água quente durante o cozimento se o *dal* ficar seco. Quando o feijão estiver completamente macio, retire do fogo e acrescente o suco de limão e o sal.

Sirva numa tigela grande ou num prato grande, sobre o arroz basmati.

AS SEMENTES DE MOSTARDA TÊM VONTADE PRÓPRIA

Sinto que devo alertar sobre fritar sementes de mostarda. Levei um tempo para descobrir isso, mas deixo sempre uma tampa por perto, quando estou usando a frigideira. À medida que as sementes de mostarda começam a cozinhar, elas estouram e podem saltar da panela como pipocas. Para deixar que fritem durante essa rebelião, tampe a frigideira por 1 minuto. Depois, seja rápido na hora de levantar a tampa para acrescentar os outros ingredientes. Só assim as sementes de mostarda vão se aquietar.

TOFU SIMPLES DE FOGÃO

rende de 2 a 3 porções

Qualquer um que viva num lar vegetariano conhece a versatilidade da alta proteína do *tofu*. Esta receita é muito solicitada nas "festas americanas" de yoga e é bem fácil de ser dobrada ou mesmo triplicada. Com cobertura de levedura nutricional sabor queijo, este *tofu* há muito tempo é uma das minhas refeições preferidas para a ceia, por isso não podia deixar de incluir neste livro. É um prato excelente para ser servido sobre uma porção de couve-crespa cozida no vapor.

340 g de tofu extrafirme
2 col. sopa de *ghee*
2 col. sopa de levedura nutricional
2 col. sopa de *tamari*

Escorra e enxague o *tofu*. Pressione suavemente para retirar o excesso de água. Corte o *tofu* em cubos de mais ou menos 2 cm.

Derreta o *ghee* numa frigideira grande em fogo de médio a baixo. Coloque os cubos de *tofu* formando uma única camada na panela. Frite por aproximadamente 7 minutos ou até que dourem de leve. Você pode precisar agitar a panela de vez em quando para evitar que o *tofu* grude no fundo. Em seguida, vire os cubos com uma espátula.

Quando os dois lados do *tofu* estiverem dourados e todo o líquido tiver secado, espere mais 7 minutos e retire do fogo. Com o *tofu* ainda na frigideira, polvilhe-o com a levedura nutricional, depois com o *tamari*. Mexa com a espátula para misturar o pó aos cubos de *tofu*, acrescentando mais levedura ou *tamari*, se necessário, para alcançar o "efeito de queijo" desejado.

Sirva os cubos de *tofu* quentes como cobertura para a Salada Cozida no Vapor ou verduras.

O QUE É A LEVEDURA NUTRICIONAL?

A levedura nutricional é encontrada na seção de suplementos em lojas de produtos naturais. Não é um ingrediente tradicional ayurvédico, mas suas qualidades no espectro ayurvédico são o leve e o seco. Esse suplemento alimentar (ou seja, não é feito de ingredientes químicos sintéticos) fornece proteína e um sabor e uma textura de queijo, sem as qualidades pesadas e oleosas do queijo lácteo. A levedura não é ativa como o fermento de panificação, portanto não se dilata na barriga. A levedura nutricional também não é como a levedura de cerveja, um subproduto de alta proteína do processo de fabricação da cerveja. A levedura nutricional é cultivada principalmente para ser usada como suplemento. As leveduras vivas pré-digerem as vitaminas do complexo B, tornando-as de fácil absorção pelo organismo. Aquecer a levedura reduz a eficácia das vitaminas. A levedura nutricional é uma boa fonte de proteínas e aminoácidos que às vezes faltam nas dietas vegetarianas. Este pó também engrossa a sopa, deixando-a cremosa como queijo.

A menos que você queira comprar só um pouco para ver se vai gostar, é melhor não comprar levedura nutricional a granel, porque essa é uma levedura oxidada. Quando está fresca, ela tem uma cor amarela brilhante, que vai desbotando com o amadurecimento. Compre-a pré-embalada numa caixa selada, o que a mantém o mais fresca possível.

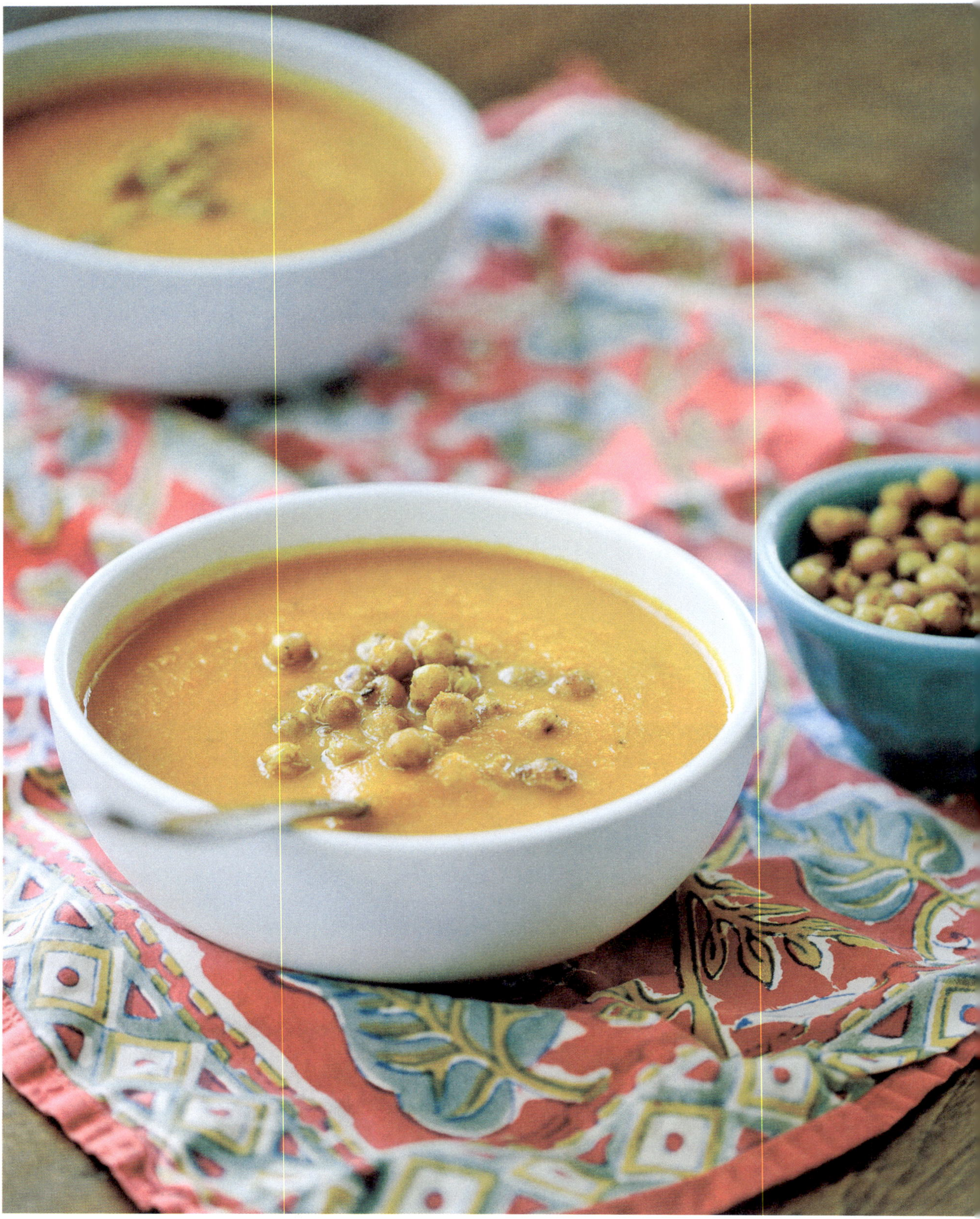

SOPA DE CENOURA E GENGIBRE COM GRÃO-DE-BICO TORRADO

rende 4 porções

Doce e picante: esta sopa é sempre um sucesso, porque é benéfica para qualquer pessoa, a qualquer hora, e é uma maneira simples de aumentar a sua ingestão de gengibre na primavera. Assim que você aprender a fazer a Sopa de Cenoura e Gengibre, vai querer prepará-la muitas vezes. A cenoura tem um efeito relaxante e refrescante para os olhos, então considere fazer esta sopa quando estiver passando muito tempo na frente da tela do computador. Servi-la com o Grão-de-Bico Torrado acrescenta textura e crocância à refeição, bem como a qualidade seca e benéfica do feijão.

4 xíc. de água
2 col. chá de coentro em pó
450 g de cenoura
1 pedaço de 5 a 7 cm de gengibre fresco
2 col. chá de *ghee*, azeite de oliva ou óleo de girassol e 2 col. chá a mais para regar
1 pitada de sal e de pimenta-do-reino
Grão-de-bico torrado

Numa panela média, comece fervendo 4 xícaras de água e o coentro em pó. Pique as cenouras e coloque-as na panela. Descasque e pique o gengibre e acrescente-o à panela. Deixe ferver de 15 a 20 minutos, com a panela tampada, até que as cenouras fiquem macias. Acrescente o *ghee* ou o óleo, o sal e a pimenta. Com uma batedeira manual de imersão, misture até ficar homogêneo ou transfira para um liquidificador e deixe esfriar por 2 a 3 minutos. Bata em velocidade baixa e depois em velocidade alta até ficar homogêneo.

Sirva em 4 tigelas de sopa, cobrindo cada porção com ¼ de xícara de Grão-de-Bico Torrado e ½ colher de chá de *ghee* ou óleo.

GRÃO-DE-BICO TORRADO

rende de 6 a 8 porções

Veja que maravilha é o grão-de-bico: rico em proteínas, muito saboroso e com baixo teor de gordura. O grão-de-bico é popular em todas as regiões da Índia, e o grão-de bico torrado servido em cone de jornal é uma comida de rua comum, como os sacos de papel cheios de amendoim que os americanos saboreiam durante os jogos de beisebol. Esta é uma excelente guarnição de primavera, para ter uma opção seca e picante. Experimente colocar o grão-de-bico torrado sobre a sopa ou numa Salada Cozida no Vapor. É melhor não comer só o grão-de-bico quando você estiver com muita fome, porque comida seca demais deixará a sua digestão lenta. Como se deve fazer com todos os alimentos secos e crocantes, use com moderação.

2 xíc. de grão-de-bico cozido (2 pacotes de 450 g)
2 col. sopa de vinagre de maçã
2 col. chá de Mistura de Especiarias de Primavera
1 col. chá de cominho em pó
1 pitada de sal
2 col. chá de óleo de girassol

Preaqueça o forno a 200 graus.

Lave e escorra bem os grãos. Embrulhe-os num pano de prato limpo e agite para tirar um pouco da água. Em seguida, transfira para uma tigela grande. Espalhe o vinagre, as especiarias, o sal e o óleo sobre os grãos. Misture com as mãos, friccionando bem o grão-de-bico para misturar bem com os ingredientes salgados.

Espalhe os grãos numa assadeira e asse por 40 minutos, mexendo a cada 15 minutos. Quando estiverem levemente dourados, retire do forno. (Se você preferir os grãos crocantes, asse por até 50 minutos, mas não se esqueça de mexer e fique de olho para não os deixar escurecer demais.) Deixe esfriar e depois guarde o grão-de-bico num recipiente hermético, em temperatura ambiente.

O Grão-de-Bico Torrado ainda quente, assim que sai do forno, também é maravilhoso e pode ser servido como acompanhamento. Esta receita rende uma xícara extra que poderá ser guardada para usar em outros pratos, depois de usá-la como acompanhamento para a Sopa de Cenoura e Gengibre.

SOPA DE COUVE-FLOR E ALHO-PORÓ

rende 2 porções

A couve-flor substitui a batata das sopas de batata com alho-poró para criar uma sopa sazonal leve, porém cremosa. O seu paladar não vai sentir falta da batata e o seu corpo não vai sentir falta dos carboidratos simples nesta época do ano. Sirva junto com o Grão-de-Bico Torrado crocante (p. 149) ou com o *Chana Dosa* Fácil (p. 186) se quiser mais proteína.

- 2 col. chá de óleo de girassol ou de cártamo
- 1 cabeça pequena de couve-flor
- 1 alho-poró
- 4 xíc. de caldo de legumes
- 1 col. chá de Sais de Primavera

Aqueça o óleo numa panela grande, em fogo médio. Enquanto aquece o óleo, pique a parte branca do alho-poró em tirinhas finas de 2 cm e corte a cabeça da couve-flor do mesmo tamanho. Refogue o alho-poró no óleo por 5 minutos, até ficar macio. Acrescente a couve-flor, o caldo de legumes e os sais à panela e cozinhe em fogo brando por 20 minutos com a panela tampada, até a couve-flor ficar macia. Retire do fogo e faça um purê, na própria panela, com uma batedeira manual de imersão, até ficar homogêneo. Se for usar o liquidificador, transfira o conteúdo da panela para o liquidificador e deixe esfriar de 2 a 3 minutos. Comece a bater na velocidade baixa e aumente a velocidade até a sopa ficar homogênea.

Sirva em 2 tigelas de sopa grandes.

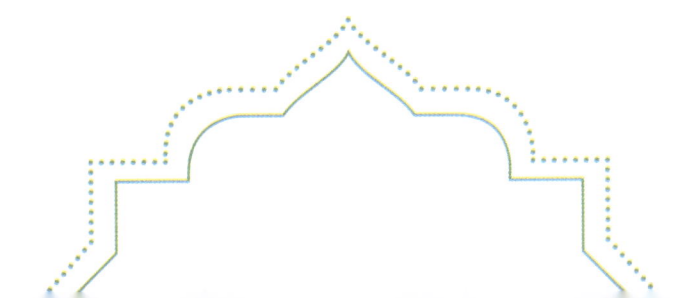

CROQUETES DE FEIJÃO-BRANCO E ALCACHOFRA

rende 6 unidades

Estes croquetes leves e cítricos combinam se servidos com a mostarda rústica, que é útil na primavera por seu sabor pungente que aquece o organismo. Sirva 2 croquetes sobre uma camada de grãos da primavera ou com uma Salada Cozida no Vapor. Os croquetes são uma boa opção para levar de almoço, porque são fáceis de transportar.

- 1 xíc. de feijão-branco *cannellini* cozido
- 1 punhado de espinafre *baby*
- 2 corações de alcachofra marinados escorridos ou 2 corações de alcachofra cozidos no vapor mais 1 col. chá de azeite de oliva
- 1 col. sopa de semente de linhaça moída
- 1 col. chá de Sais de Primavera
- ¼ col. chá de raspas de limão-siciliano (opcional)

Preaqueça o forno a 180 graus. Forre uma assadeira com papel-manteiga. Numa tigela grande, amasse bem o feijão com um garfo. Pique o espinafre e a alcachofra, junte-os ao feijão amassado e misture tudo com o garfo. Acrescente as sementes de linhaça, os Sais de Primavera, as raspas de limão-siciliano e o azeite de oliva se tiver feito as alcachofras no vapor, uma vez que as marinadas já contêm óleo. Mexa até chegar a uma consistência grossa e uniforme.

Molde 6 croquetes, distribua-os sobre a folha de papel-manteiga e asse por 10 minutos de cada lado. Ou, se preferir, você pode derreter 1 colher de chá de *ghee* numa frigideira antiaderente de cerâmica e fritar os croquetes lentamente em fogo médio, por 5 minutos de cada lado, até ficarem dourados.

Sirva com mostarda rústica.

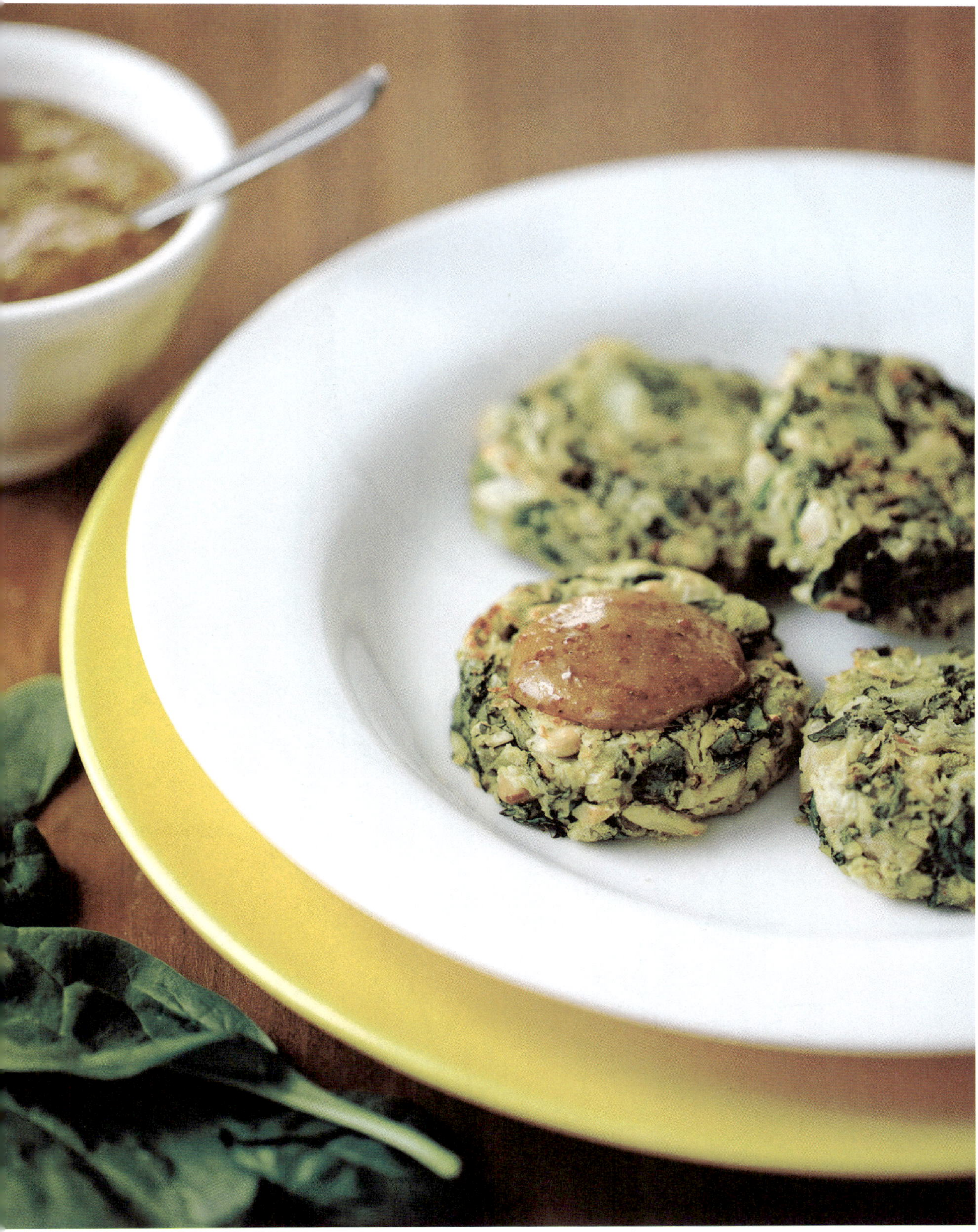

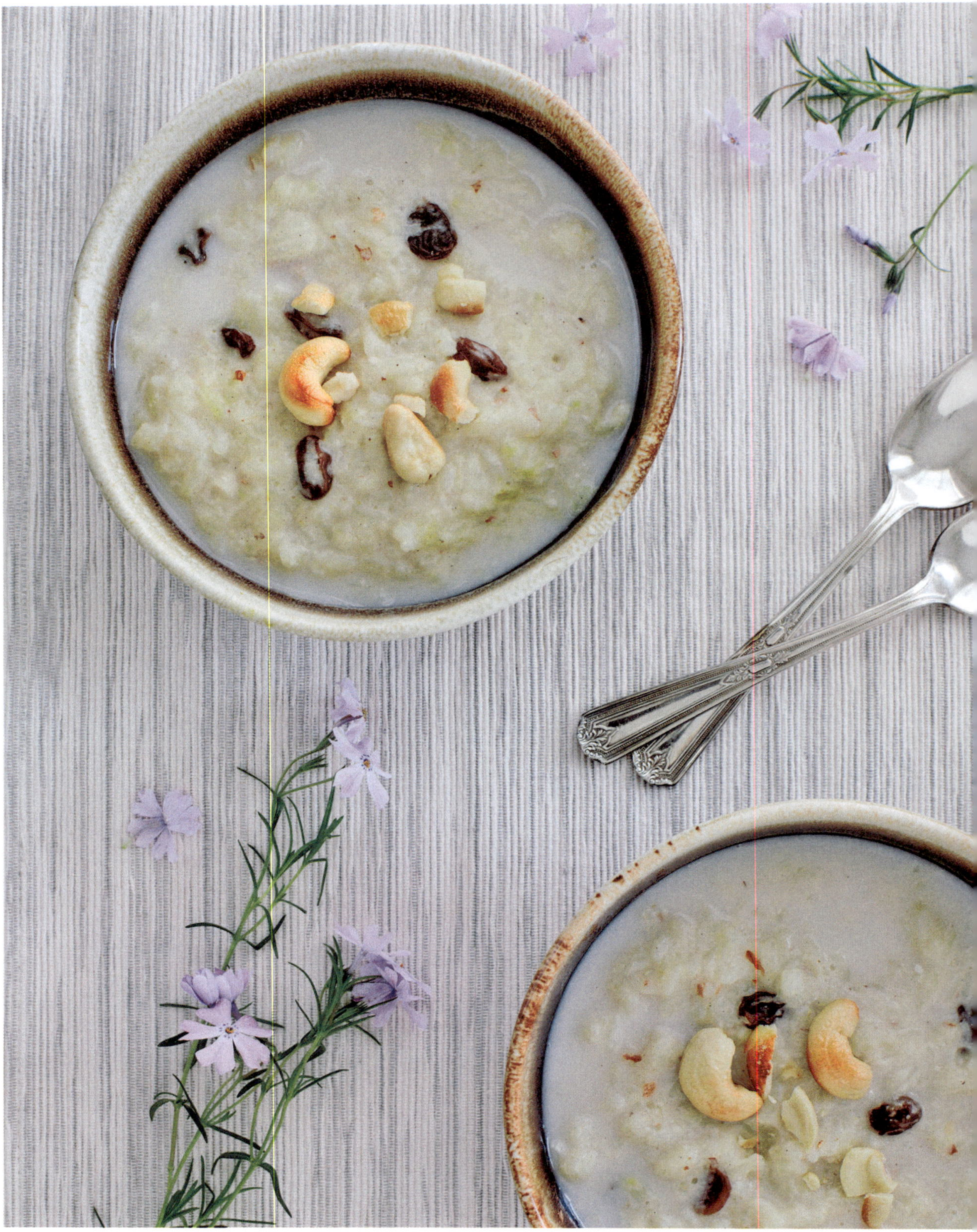

PUDIM DE ARROZ-DOCE (*KHEER*) COM CASTANHAS

rende 2 porções

Este pudim de arroz-doce é uma ótima maneira de utilizar as sobras do arroz do jantar para preparar uma sobremesa. Embora a textura do *kheer* tradicional seja pesada e ele dê sensação de satisfação, a quantidade de leite e açúcar usada no seu preparo fornece mais qualidades construtoras do que o necessário na primavera. Esta versão leva apenas 20 minutos de preparo e é leve e quente, qualidades que ajudam a manter o organismo em equilíbrio durante a primavera.

- 1 xíc. de arroz basmati branco
- 1 ¾ xíc. de Leite de Amêndoas (p. 124)
- 1 col. chá de extrato de baunilha puro
- 2 col. sopa de uvas-passas
- 10 amêndoas hidratadas, moídas no moedor de café ou no liquidificador, ou 1 col. sopa de farinha de amêndoa
- ¼ col. chá de cardamomo em pó
- 1 col. chá de gengibre fresco ralado
- 1 pitada de fios de açafrão (opcional)
- 1 col. chá de mel *in natura* (opcional)

Aqueça o arroz, o Leite de Amêndoas e o extrato de baunilha numa panela pequena em fogo médio. Acrescente as passas, as amêndoas moídas ou a farinha de amêndoa, o cardamomo, o gengibre ralado e os fios de açafrão se estiver usando. Se quiser simplificar, use a Mistura de Especiarias Doce em vez desses temperos separados. Deixe a panela semiaberta e cozinhe em fogo baixo por 15 minutos.

Para servir, divida em 2 tigelas. Acrescente ½ colher de chá de mel em cada porção, se desejar.

NOTA: Para engrossar este pudim de arroz, use arroz cru. Triture ½ xícara de arroz basmati cru num moedor de café ou liquidificador e depois cozinhe-o em 1½ xícara de Leite de Amêndoas, junto com os outros ingredientes acima, por 1 hora. Se o objetivo for impressionar um convidado, toste 6 castanhas-de-caju cruas numa frigideira pequena em 1 colher de chá de *ghee* e enfeite cada taça de pudim com 3 castanhas douradas.

TUDO COM MODERAÇÃO

As refeições ayurvédicas muitas vezes incluem quantidades pequenas de ingredientes que podem ser irritantes se consumidos em grandes quantidades. Em vez de deixar de usá-los, os pratos levarão apenas 1 pitada de castanhas torradas, pimenta-malagueta picada ou batata, por exemplo; apenas o suficiente para agradar os sentidos, mas sem que se acumulem no organismo.

Em um feriado local, um folião entrou numa clínica de Ayurveda com doces para compartilhar com as pessoas. Eu estava seguindo uma dieta de limpeza naquela semana e, quando o homem colocou na minha mão um doce que eu "não deveria" comer, eu quis chorar. Vendo a minha reação, o médico partiu um pedaço do doce e disse: "Saboreie esse pequeno pedaço e seja feliz". Esse desafio à minha abordagem de "tudo ou nada" foi o primeiro passo do meu caminho contínuo rumo à moderação e a um desfrute mais verdadeiro e consciente dos alimentos.

CREME DE AVELÃ NOTELLA

rende 450 g

Uma das características essenciais desta versão da pasta de chocolate oleosa e quente é a leveza, por incluir amêndoas e leite de coco em vez de gorduras processadas e leite em pó integral. Hidratar e descascar as amêndoas antes de usá-las na receita facilitará a digestão e a metabolização. E o trabalho intensivo de descascar os frutos vai impedir você de comer rápido demais! O Creme de Avelã Notella fica delicioso com torradas de grãos germinados, quando bater aquele desejo ardente de comer algo doce.

Mas vá com calma, especialmente na primavera: cada porção deve ser de apenas 1 colher de sopa!

- ¾ xíc. de amêndoas cruas
- ¾ xíc. de avelãs cruas
- ½ xíc. de cacau em pó finamente moído
- ½ xíc. de leite de coco
- ½ xíc. de açúcar de coco
- 1 col. chá de extrato de baunilha puro
- 1 pitada de sal

Hidrate as amêndoas cruas de 6 a 8 horas.

Preaqueça o forno a 180 graus. Espalhe as amêndoas hidratadas e as avelãs cruas numa panela grande e asse por 10 minutos, sacudindo a panela de vez em quando. Enquanto ainda estão quentes, enrole os frutos num pano de prato levemente úmido. Esfregue-as entre as palmas das mãos para soltar e remover as cascas. (Mas um pouco de cascas presas em algumas amêndoas não vai prejudicar o produto final).

Em um processador, processe as castanhas até virarem um pó uniforme. Junte o restante dos ingredientes e processe novamente até ficar homogêneo e cremoso como manteiga.

Transfira para um pote de vidro de 500 g e guarde na geladeira.

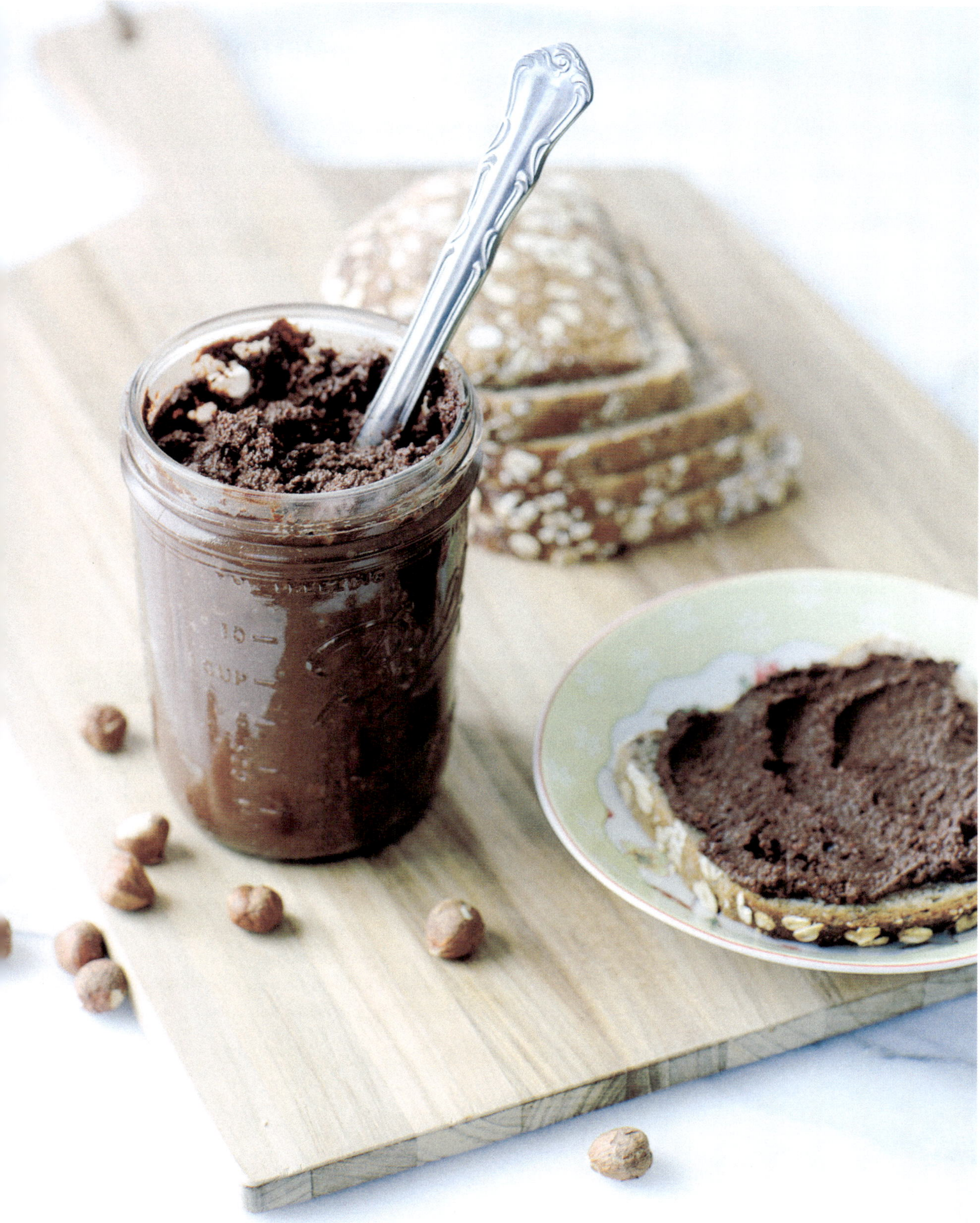

MOLHO DOCE DE FRUTAS VERMELHAS

rende 2 porções

A primavera não é uma boa época para se deixar levar pela paixão pelos doces. Felizmente, a doçura das frutas vermelhas do início da primavera é equilibrada por suas qualidades penetrante e adstringente, que têm um efeito depurativo no organismo. As frutas são digeridas com mais rapidez que outros alimentos, por isso a maneira ideal de usar esta receita é como molho ou pastinha para comer com outras frutas. Faça o Molho Doce de Frutas Vermelhas rapidinho quando precisar de uma dose de doçura, em vez de buscar guloseimas açucaradas e artificiais.

- 2 col. sopa de uvas-passas douradas
- 2 col. sopa de suco de maçã ou cereja
- 1 xíc. de framboesas ou framboesas pretas
- 1 col. chá de Mistura de Especiarias Doce
- suco de um limão-siciliano fresco, a gosto

Numa tigela pequena, hidrate as passas no suco por aproximadamente 10 minutos. Transfira as passas e o suco para um liquidificador (se estiver usando um liquidificador comum) ou para um recipiente de tamanho médio (se estiver usando um *mixer* manual). Acrescente as frutas vermelhas, a Mistura de Especiarias e o suco de limão fresco e bata até ficar homogêneo.

Sirva em um prato bonito com fatias de maçãs ou peras.

FECHE A COZINHA

Comer demais costuma fazer a digestão e o metabolismo ficarem lentos e apresentarem dificuldade de processar alimentos que, de outro modo, não causariam problemas. Suzanne estava sempre tentando perder peso, mas, depois de um dia atarefado, ela tinha dificuldade de reservar metade da comida que tinha preparado no dia: ela comia tudo, em vez de guardar uma parte para o almoço do dia seguinte. Suzanne tinha a tendência de comer rápido demais e também o hábito de comer com a TV ligada. Sugeri que ela tentasse comer escutando uma música suave em vez de assistir TV e que desse um pequeno passeio ao ar livre logo após a refeição. Quando diminuiu a velocidade de ingestão dos alimentos, ela achou mais fácil perceber quando já estava saciada. Se ainda sentisse vontade de comer mais comida ou uma sobremesa, ela vestia um casaco e saía para andar por apenas 15 minutos. Bastava-lhe a mudança de cenário, sair da cozinha, para desviar sua atenção do desejo de comer; depois disso, ela podia voltar, limpar e fechar a cozinha naquela noite.

LASSI DE LIMÃO E GENGIBRE

rende 2 porções

Na primavera, os produtos lácteos devem ser diluídos, se não evitados por completo. Mas um *lassi* com as qualidades leve e penetrante do gengibre e do mel torna uma pequena quantidade de iogurte de leite integral altamente benéfica para ser usada como um digestivo pós-refeição. Lembre-se de usar água em temperatura ambiente, e não fria.

¼ xíc. de iogurte de leite integral orgânico
1 xíc. de água em temperatura ambiente
2,5 cm de gengibre fresco, descascado e picado grosso
suco de ½ limão
1 col. chá de mel *in natura* (opcional)

Usando um *mixer* manual ou um liquidificador, bata o iogurte, a água, o gengibre, o suco de limão e o mel, se estiver usando, em alta velocidade, de 1 a 2 minutos.

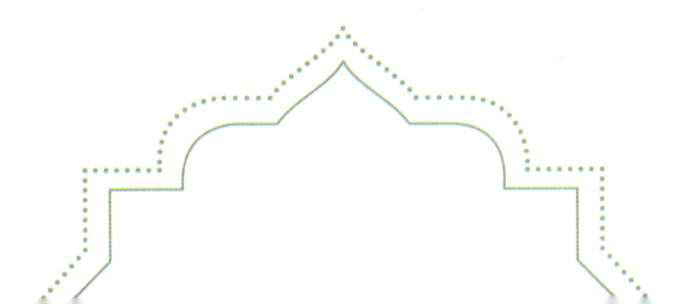

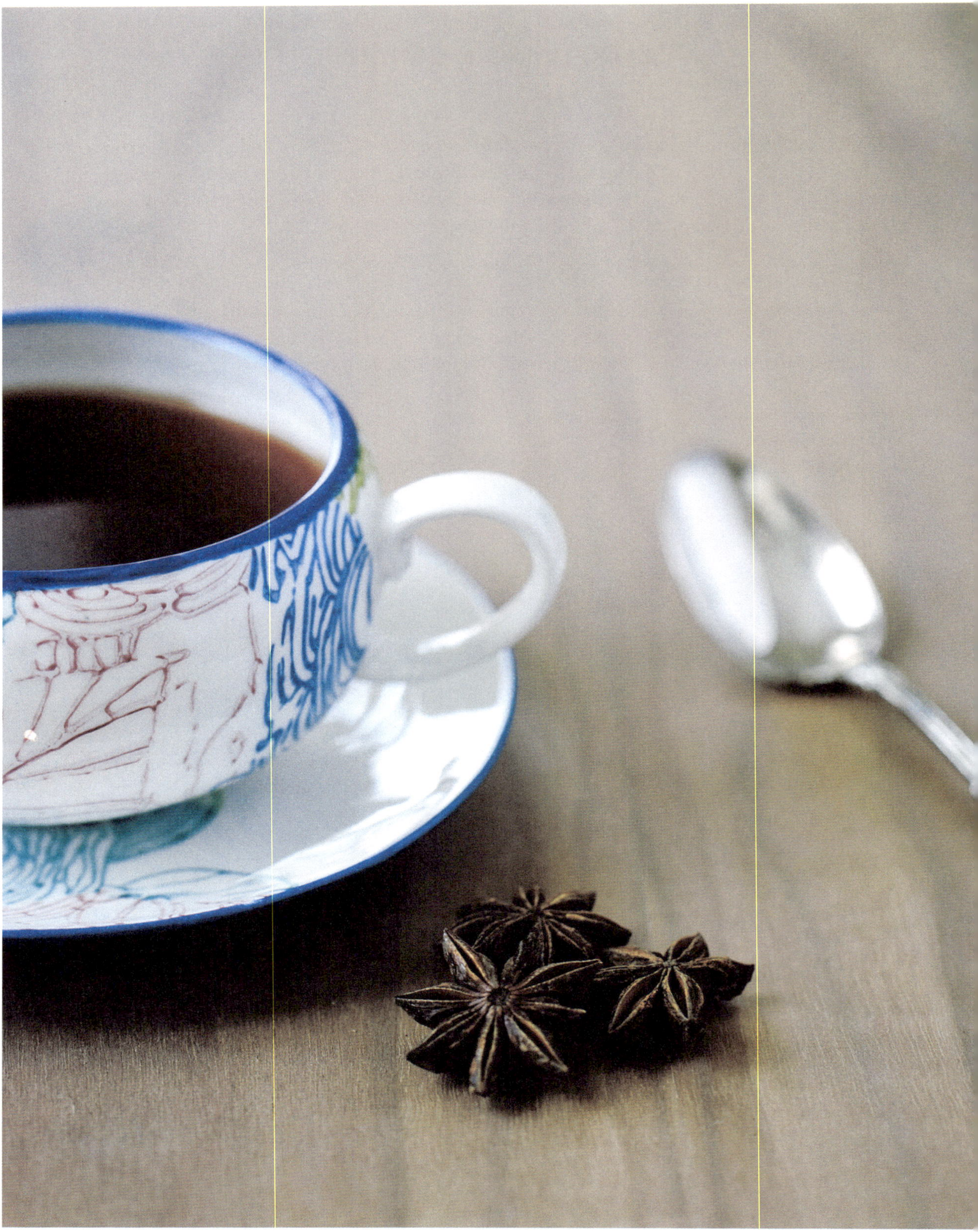

CHÁ DIGESTIVO DE PRIMAVERA

rende 2 porções

Este chá vai aquecer o estômago e colocar a digestão lenta que persiste após o inverno para funcionar de novo. Para ajudar você a reduzir os doces, que não são indicados nesta época do ano, a canela abranda a vontade de comer doce e equilibra o açúcar no sangue.

2 xíc. de água
1 cm de gengibre fresco
½ anis-estrelado
2 a 3 cravos-da-índia
2 a 3 grãos de pimenta-do-reino
½ col. chá de canela em pó

Numa panela pequena, ferva 2 xícaras de água. Pique o gengibre, inclusive a casca. Acrescente o gengibre picado, o anis-estrelado, o cravo, os grão de pimenta e a canela à água. Abaixe o fogo e cozinhe por 10 minutos ou mais. Coe em 2 canecas.

Beba 200 ml durante ou após as refeições.

NOTA: Nem todo mundo gosta do sabor do cravo e do anis. Dê uma mordidinha nessas especiarias para ter certeza de que o sabor não incomoda você antes de fazer este chá pela primeira vez. Se costuma ter indigestão ácida, não use a pimenta-do-reino. Se tiver um resfriado ou bronquite, acrescente ½ colher de chá de sementes de cominho à receita.

REFRESCO-O-RAMA

rende 2 porções

A qualidade penetrante desta bebida revigorante aclara as ideias e anima sem cafeína. Quem acorda com o nariz congestionado será muito beneficiado com o Refresco-O-Rama. É melhor ingeri-lo logo ao acordar, de estômago vazio. Espere pelo menos 30 minutos antes de se alimentar. Se você achar a bebida muito ácida, use suco de limão-galego em vez de suco de limão-siciliano e não use a pimenta-de-caiena.

suco de 2 laranjas ou *grapefruits* (cerca de 2 xíc. de suco)
1 cm de gengibre descascado e picado
1 a 2 col. chá de mel *in natura*
suco de 1 limão
1 pitada de pimenta-de-caiena para os espíritos aventureiros

Bata 1 xícara de suco de laranja ou *grapefruit* e o gengibre picado no liquidificador até misturarem bem. Com o liquidificador ainda batendo, coloque o mel pelo furo da tampa; depois, despeje o resto do suco de laranja ou do *grapefruit*, o suco de limão e a pimenta-de-caiena (se estiver usando). Bata por 1 minuto.

Transfira para 2 copos e beba logo em seguida, antes que as especiarias e a polpa desçam para o fundo do copo.

NOTA: Nem sempre estou no clima de fazer sucos, então apenas descasco as frutas, retiro as sementes, junto todos os ingredientes de uma só vez no liquidificador e bato até obter uma consistência cremosa.

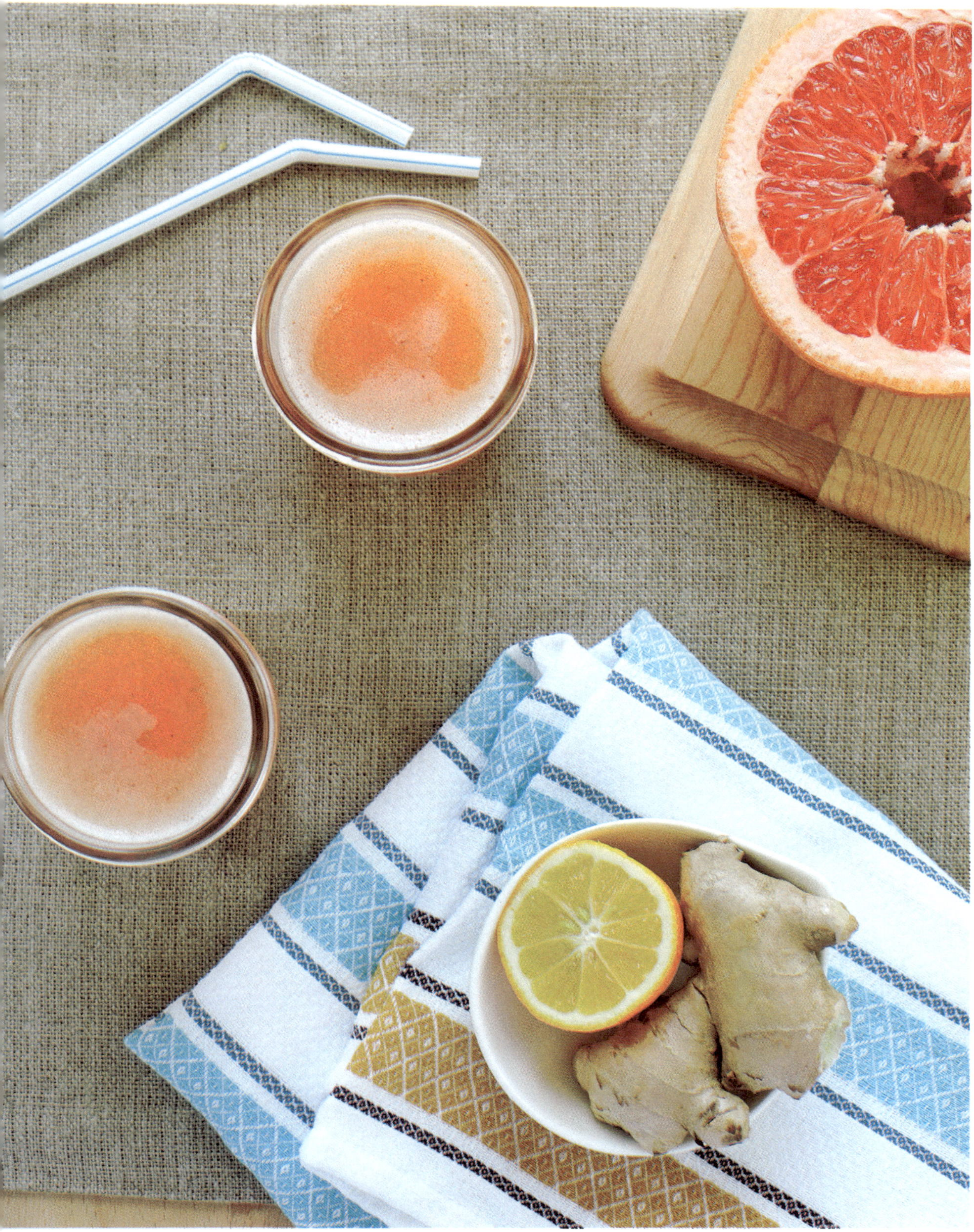

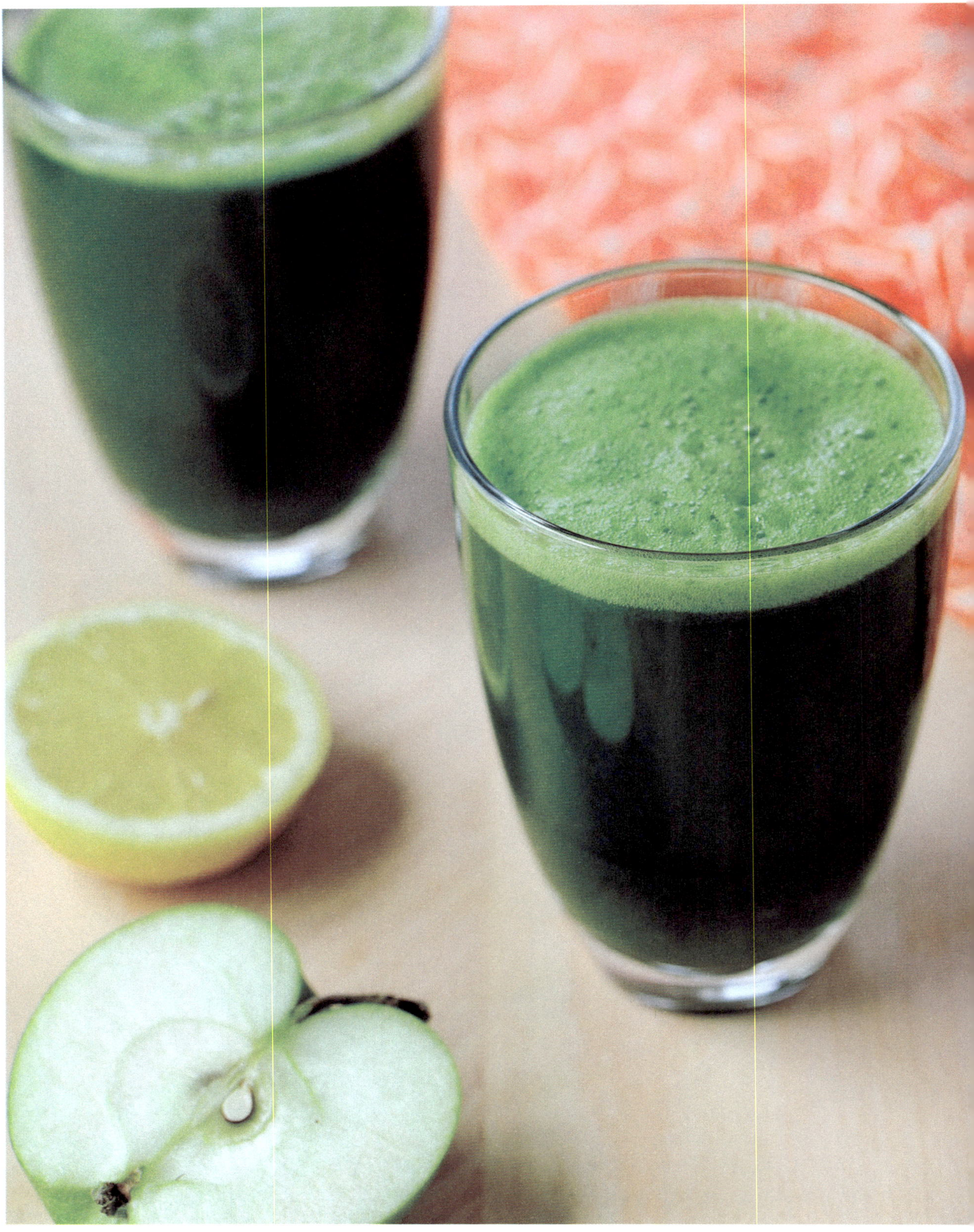

SUCO VERDE DEPURATIVO

rende 2 porções

Esta é uma bebida extremamente depurativa, que acaba com a ânsia por comida e é um lanche muito revigorante. Os sabores doce, ligeiramente azedo, amargo e pungente se fundem num suco equilibrado, que pode ser feito com ou sem um processador de sucos.

- 2 maçãs descaroçadas e cortadas em quatro partes
- 4 folhas de couve-crespa ou 2 punhados de espinafre *baby*
- suco de 1 limão-siciliano
- 2,5 cm de gengibre fresco descascado e picado

Junte todos os ingredientes no liquidificador com 1 ½ xícara de água. Bata até atingir a consistência de um suco cremoso (mais ralo que um *smoothie*), acrescentando mais água se quiser ou se for necessário.

Para servir, coe a mistura num coador grande em 2 copos, espremendo a polpa com as costas de uma colher para extrair o suco.

MISTURA DE ESPECIARIAS E SAIS DE PRIMAVERA

A maioria das receitas de primavera requer um pouco das especiarias quentes, um pouco menos de sal que de costume, substituido talvez por um toque apimentado. Em seus experimentos diários com a culinária ayurvédica, você pode optar pelo sabor do *curry* da Mistura de Especiarias de Primavera para temperar o *masala* ou o sabor forte do manjericão e do limão-siciliano dos Sais de Primavera. Os dois proporcionam os sabores que equilibram as qualidades pesada, úmida e fresca da primavera. De qualquer forma, você estará usando ervas e especiarias energizantes que ajudarão a aliviar a carga do fígado para o clima quente que está por vir.

MISTURA DE ESPECIARIAS DE PRIMAVERA

rende cerca de ¼ de xícara

1 col. sopa de sementes de coentro
1 col. chá de sementes de feno-grego
1 col. sopa de sementes de cominho
1 col. sopa de cúrcuma em pó
1 col. sopa de gengibre em pó
1 col. chá de pimenta-do-reino
⅛ col. chá de pimenta-de-caiena
1 pitada de cravo-da-índia em pó

Torre as sementes do coentro, do feno-grego e do cominho numa panela de fundo grosso durante alguns minutos até que possa sentir o aroma das especiarias. Deixe esfriar por completo. Misture-as com o resto das especiarias e triture até obter uma consistência uniforme num moedor de café reservado para especiarias ou com um pilão.

Usando uma colher de chá ou um funil, transfira a Mistura de Especiarias para um polvilhador pequeno com uma tampa hermética.

SAIS DE PRIMAVERA

rende ½ xícara

1 col. sopa de sal rosa finamente moído
¼ xíc. de raspas de limão-siciliano desidratadas
2 col. sopa de manjericão desidratado
1 ½ col. chá de pimenta-do-reino moída na hora
¼ col. chá de pimenta-de-caiena

Misture todos os ingredientes numa tigela (primeiro triturando com um pilão, se necessário, até obter uma consistência uniforme). Transfira para um polvilhador pequeno. Algumas receitas da primavera utilizam estes sais, mas você também pode deixar o recipiente sobre a mesa para usar como condimento.

NOTA: É uma boa ideia manter um moedor de pimenta cheio de grãos de três cores bem bonitas sobre a mesa na primavera e no inverno. Você pode usar esse moedor de mesa para moer a porção necessária para esta receita.

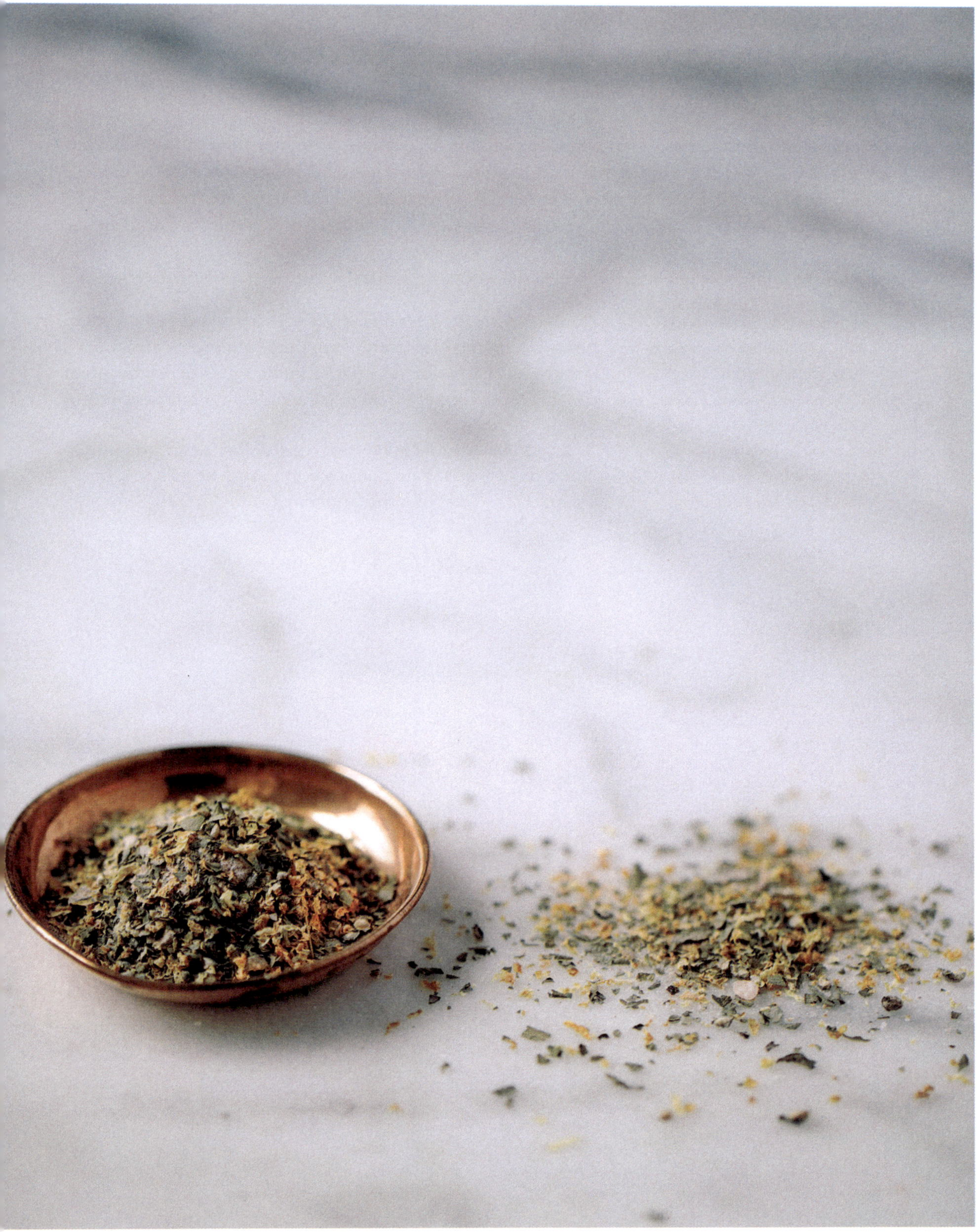

HÚMUS PICANTE DE FEIJÃO-PRETO

rende 4 porções

Este molho certamente é ótimo para comer com biscoitos e *chips*, mas que tal servi-lo com fatias de batata-doce cozida ou palitos de cenoura escaldados ou cozidos no vapor? Ou embrulhado em folhas de alface? Vale a pena ter alguns molhos alternativos prontos para você não sobrecarregar o organismo com a secura e a aspereza dos salgadinhos e petiscos clássicos.

1 xíc. de feijão-preto cozido
2 col. sopa de molho mexicano ou tomates picados
¼ col. chá de cominho moído
2 col. chá de suco de limão--siciliano fresco
1 col. chá de vinagre de maçã
1 col. chá de azeite de oliva
1 pitada de sal

Numa tigela grande e funda, misture todos os ingredientes com um *mixer* manual até virarem um purê cremoso ou atingirem a textura de sua preferência. Sirva numa tigela decorativa com concha ou coloque algumas colheradas do húmus sobre a Salada Cozida no Vapor.

SUGESTÃO PARA SERVIR: Reserve 1 colher de chá de molho mexicano ou de tomate picado e um ramo de salsinha fresca para para enfeitar colocando por cima.

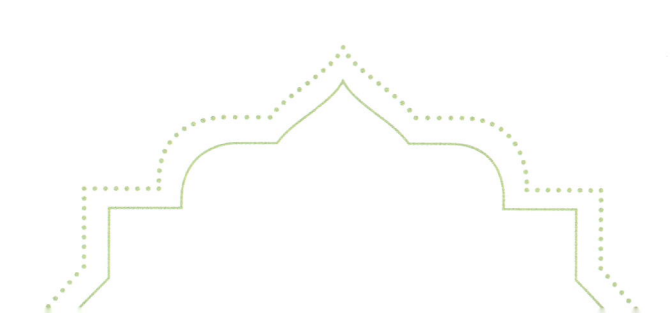

MOLHO QUENTE DE QUEIJO DE CABRA, ESPINAFRE E ALCACHOFRA

rende 2 porções

Esta receita proporciona a sensação de um molho quente, cremoso como um queijo, sem as qualidades pesadas e oleosas do queijo de vaca, que pode ser muito indigesto na primavera. Esta receita leva mais verduras do que queijo, mas, se você mantiver isso em segredo, ninguém vai notar!

5 corações de alcachofra
170 g de espinafre *baby* (4 punhados grandes)
½ col. chá de Sais de Primavera
30 g de queijo de cabra, esfarelado

Preaqueça o forno a 180 graus. Bata os corações de alcachofra, o espinafre e os Sais de Primavera num processador até atingir uma consistência grossa. Coloque a alcachofra e o espinafre num *ramekin* (pote pequeno de cerâmica) de 500 g, polvilhe o queijo de cabra por cima e asse por 25 minutos ou até a parte de cima começar a dourar.

Sirva com palitos de legumes e verduras, com a Salada Cozida no Vapor, com biscoitos de centeio ou biscoitos de arroz.

NOTA: Se você não tem um processador de alimentos, pique o espinafre e a alcachofra primeiro e, em seguida, use um *mixer* manual para deixá-los com uma consistência grossa.

O QUEIJO NA PRIMAVERA

Não importa o quanto você ame o queijo de vaca, o Ayurveda não o recomenda durante a estação chuvosa, especialmente na hora do jantar, pois o queijo vai assentar no seu intestino enquanto você dorme.

O queijo de cabra dá leveza e aquece, enquanto o queijo de vaca aumenta o peso e a densidade no organismo.

CHUTNEY DE ROMÃ E UVA-PASSA

rende mais ou menos 350 g

A natureza pesada e aquosa do sabor doce deve ser balanceada pelas qualidades leve, quente e seca na primavera. Graças à casca da uva vermelha, as passas são levemente adstringentes e secas, o que faz delas uma boa maneira de acrescentar doçura sem aumentar o elemento água. Note que o tamanho da porção aqui é de 1 colher de sopa, apenas uma pequena colher para acompanhar o jantar. A intenção é neutralizar a ânsia por sobremesas acrescentando um pouco de doce à refeição principal.

- 1 xíc. de uvas-passas
- 1 cm de gengibre descascado e picado
- ½ xíc. de suco de romã
- suco de ½ limão-siciliano
- 1 col. sopa de mel *in natura*
- ¼ col. chá de cardamomo em pó

Pulse todos os ingredientes, apenas algumas vezes, num processador até atingirem uma consistência grossa, de geleia. Transfira o *chutney* para um recipiente com tampa do tamanho de uma caneca, ou para uma tigela, e deixe os sabores se misturarem durante pelo menos 30 minutos antes de servir.

Guarde num recipiente de vidro na geladeira por até 3 dias.

A DANÇA DA COMBINAÇÃO DOS ALIMENTOS

Frutas misturadas com outros alimentos muitas vezes não digerem bem. Entretanto, o Ayurveda considera aceitáveis certas combinações de frutas com outros alimentos, contanto que estejam cozidos e temperados. Frutas secas que foram hidratadas, temperadas, cozidas e transformadas em compota ou *chutney* são facilmente digeridas, se consumidas com moderação. O cardamomo e o gengibre, bem como o processo de hidratação, harmonizam os outros ingredientes existentes no *chutney*. Atenha-se ao tamanho adequado da porção para melhorar, e não perturbar, a sua digestão.

VINAGRETE BALSÂMICO DE MOSTARDA

rende de 2 a 3 porções

Esta receita é feita com um óleo leve para equilibrar as qualidades pesadas da primavera. Devido ao calor produzido pelo mel e pelo vinagre balsâmico, este molho acrescenta qualidades penetrantes que reforçam a digestão e a assimilação dos alimentos. Use um vinagre balsâmico de alta qualidade, que tem menos ácido do que os vinagres baratos. Reveja a seção sobre *deepana* e *pachana* (p. 56) para encontrar mais maneiras de aumentar o fogo digestivo, pois ele pode precisar de um estímulo no clima úmido.

- 2 col. sopa de óleo de girassol ou de semente de uva
- ¼ xíc. de vinagre balsâmico de alta qualidade
- 1 col. chá de mostarda Dijon
- 1 col. sopa de mel *in natura* dissolvido em 1 col. sopa de água morna
- 1 col. chá de *tamari*

Agite todos os ingredientes num recipiente de 250 gramas ou use um liquidificador para dobrar a receita.

Use para regar os legumes sazonais ou uma Salada Cozida no Vapor. Guarde num recipiente que possa ser agitado vigorosamente antes de servir, sem vazar. Mantenha refrigerado.

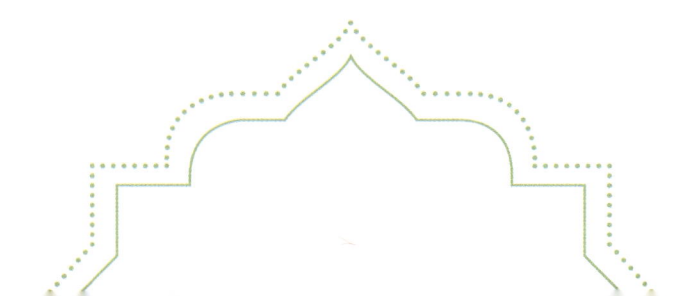

CAPÍTULO 6

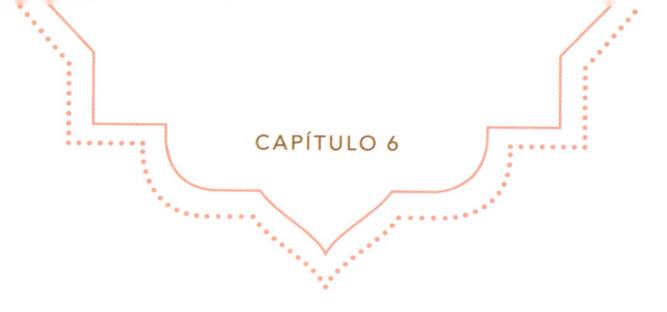

Receitas de Verão

A horta está cheia e o mercado está lotado de frutas e legumes da região. O desejo do seu corpo de consumir gorduras pesadas e proteínas no inverno e a pungência da primavera, começam a diminuir naturalmente. Os alimentos refrescantes, que deixam o corpo mais leve e mantêm o sistema fresco, como o coentro, o pepino, o melão e a abobrinha libanesa, aliviarão o desconforto das qualidades quentes, penetrantes e oleosas do calor e da umidade. As receitas de verão exploram o sabor amargo das verduras frescas para resfriar o sangue, a adstringência das frutas da estação para tonificar os tecidos e os alimentos levemente doces, como a erva-doce e o coco, para equilibrar o fogo no trato digestório.

Visão geral da alimentação e do estilo de vida do verão

Os Elementos: Fogo e água
Sensações: Quente, úmido, revigorante

QUALIDADES A INTRODUZIR
Fria
Neutra
Lenta (relaxante)
Seca

QUALIDADES A REDUZIR
Quente
Penetrante, ácida
Penetrante/rápida (ritmo acelerado, intenso)
Oleosa

SINAIS E SINTOMAS DE DESEQUILÍBRIO
Indigestão ácida
Inchaço
Inflamação e vermelhidão cutânea
Irritabilidade

SABORES PARA DESFRUTAR
Amargo
Adstringente
Doce

Guia de alimentos do verão

Dar preferência a alimentos que são refrescantes, calmantes e ligeiramente secos.

ALIMENTOS A PRIVILEGIAR
- Vegetais amargos e adstringentes como a abobrinha libanesa, o brócolis, as verduras, o aipo, a vagem e a raiz de erva-doce.
- Produtos lácteos doces, não azedos, como o leite e o *ghee*.
- Grãos neutros e leves como a quinoa, a cevada e o arroz basmati branco.
- Frutas neutras e doces como a uva, a romã, o melão, o limão e as frutas de caroço.
- Proteínas leves e refrescantes como o feijão-mungo e o *tofu*; para os não vegetarianos: carne branca, magra, e peixe.
- Coco e seus derivados: água, leite, carne e açúcar.
- Especiarias e ervas refrescantes como sementes de erva-doce, coentro, cardamomo, hortelã e cúrcuma; suco de *aloe vera*.

ALIMENTOS A REDUZIR
- Alimentos picantes.
- Café.
- Vinagre e outros alimentos que fermentam (usar vinagre balsâmico com moderação).

- Álcool (bebidas espirituosas e vinho tinto são os mais irritantes).
- Alimentos salgados.
- Tomate cru.
- Cebola crua.
- Carne vermelha e gema de ovo.
- Suco de laranja.
- Laticínios azedos como o iogurte embalado e queijos duros.
- Alimentos que aquecem, como pimenta-malagueta, tomate azedo e mel.
- Frituras ou alimentos muito oleosos.

ORIENTAÇÕES PARA O ESTILO DE VIDA DO VERÃO

- Usar óleo de coco para massagem *abhyanga* (a menos que o seu corpo costume ficar frio mesmo em clima quente). Você pode acrescentar aromas relaxantes como óleos essenciais de jasmim, lavanda, rosas.
- A massagem com óleos pode ser feita de manhã ou à noite, para relaxar e refrescar o corpo.
- Escolha fazer atividades mais moderadas e evite manter uma agenda muito cheia.
- Envolva-se em exercícios não competitivos como natação, yoga moderada e caminhada.
- Tome banho frio.
- Fique longe do sol do meio-dia, mas não deixe de desfrutar da natureza. Passe algum tempo ao ar livre quando o sol estiver mais baixo no céu ou experimente tomar um banho de lua.
- Beba água em temperatura ambiente ou fresca, não água fria nem gelada.

LISTA DE COMPRAS PARA O VERÃO

VEGETAIS
Abóboras de verão de sua preferência
Abobrinha libanesa
Alface
Beterraba
Erva-doce
Ervas (salsa, coentro, tomilho, manjericão, hortelã, endro)
Milho
Pepino

FRUTAS
Ameixa
Frutas vermelhas
Maçã
Melão
Pêssego
Tâmara

GRÃOS
Cevada
Quinoa

FEIJÕES
Feijão-branco
Grão-de-bico

GORDURAS
Abacate
Coco ralado
Iogurte caseiro ou fresco
Leite de coco
Óleo de coco
Queijo de cabra

ESPECIARIAS
Cardamomo
Coentro
Cúrcuma
Erva-doce

EXTRAS
Água de coco
Farinha de grão-de-bico
Água floral de rosas
Proteína de cânhamo

BETERRABA REAL

rende 2 porções

Doce e revigorante! Esta receita produz uma bebida imponente, que você pode optar por apreciar em companhia da família ou de amigos ou guardar metade num pote para levar para o trabalho. É uma ótima bebida para ingerir após o exercício físico da manhã ou para você conter o apetite enquanto cozinha. A Beterraba Real é conhecida por seu poder de limpar intestinos preguiçosos. Use a maçã verde, quando estiver na época.

- 1 col. sopa de sementes de chia (opcional)
- 1 maçã descaroçada e cortada em quatro partes
- ½ beterraba descascada e picada
- 2 a 3 folhas de couve-crespa ou acelga ou um punhado de espinafre *baby*
- suco de ¼ de limão-siciliano
- 1 xíc. de água ou água de coco
- 1 punhado de folhas de salsinha (sem talos)

Hidrate as sementes de chia (se for usar) numa pequena tigela de água por 5 minutos. Primeiro, coloque os pedaços de maçã no liquidificador, depois a beterraba, o suco de limão e as folhas verdes (menos a salsinha) e as sementes de chia (opcionais). Acrescente a água ou a água de coco. Bata todos os ingredientes por 30 segundos no modo "pulsar", depois em velocidade alta e vá acrescentando as folhas de salsinha pela tampa enquanto bate. Você pode precisar parar o batimento algumas vezes para mexer e soltar os pedaços mais duros. Bata até ficar homogêneo.

As sementes de chia agem como um espessante, então se quiser que a sua Beterraba Real tenha uma consistência de suco, coloque mais água ou não use as sementes de chia.

Sirva em 2 copos ou guarde a metade numa jarra de vidro.

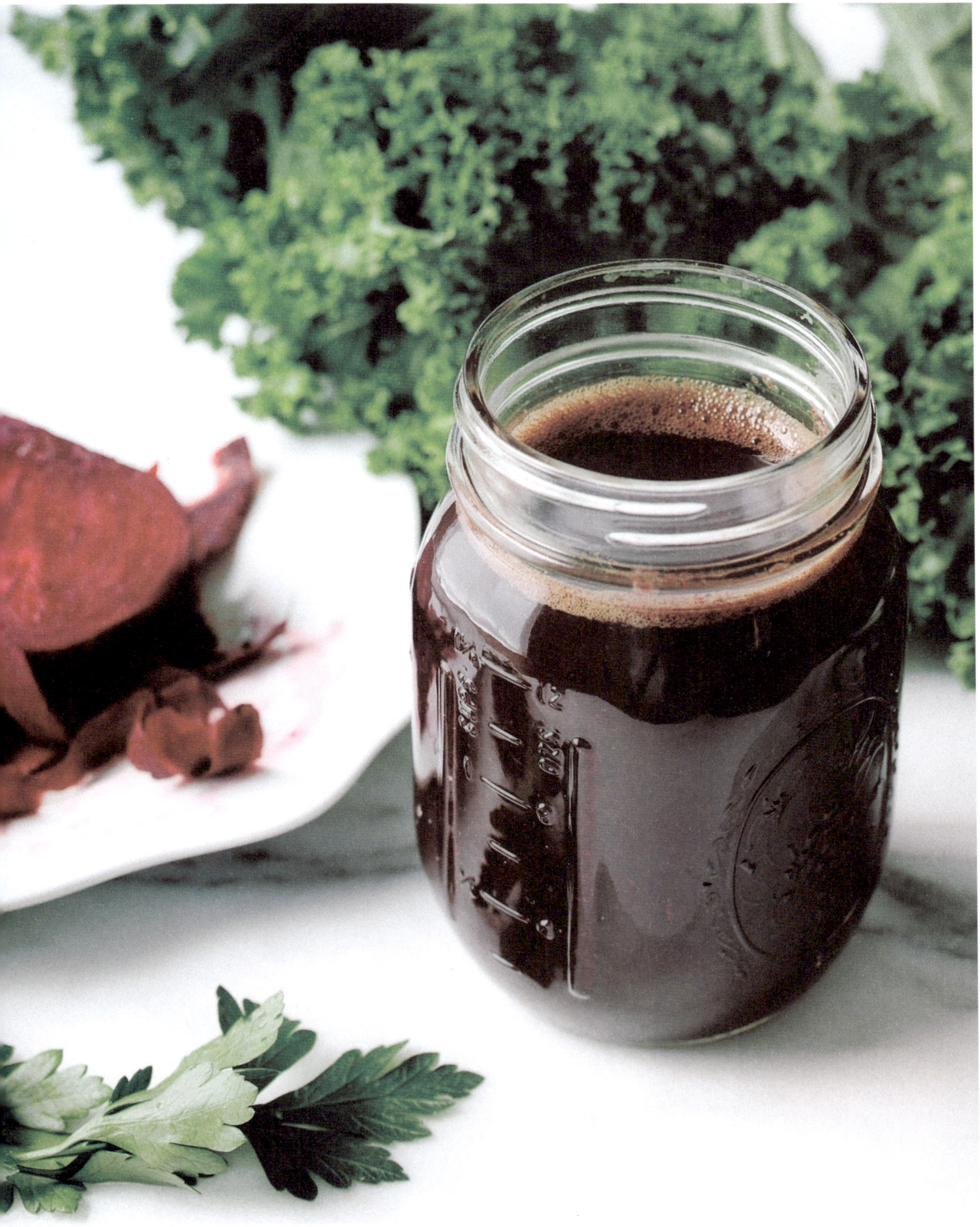

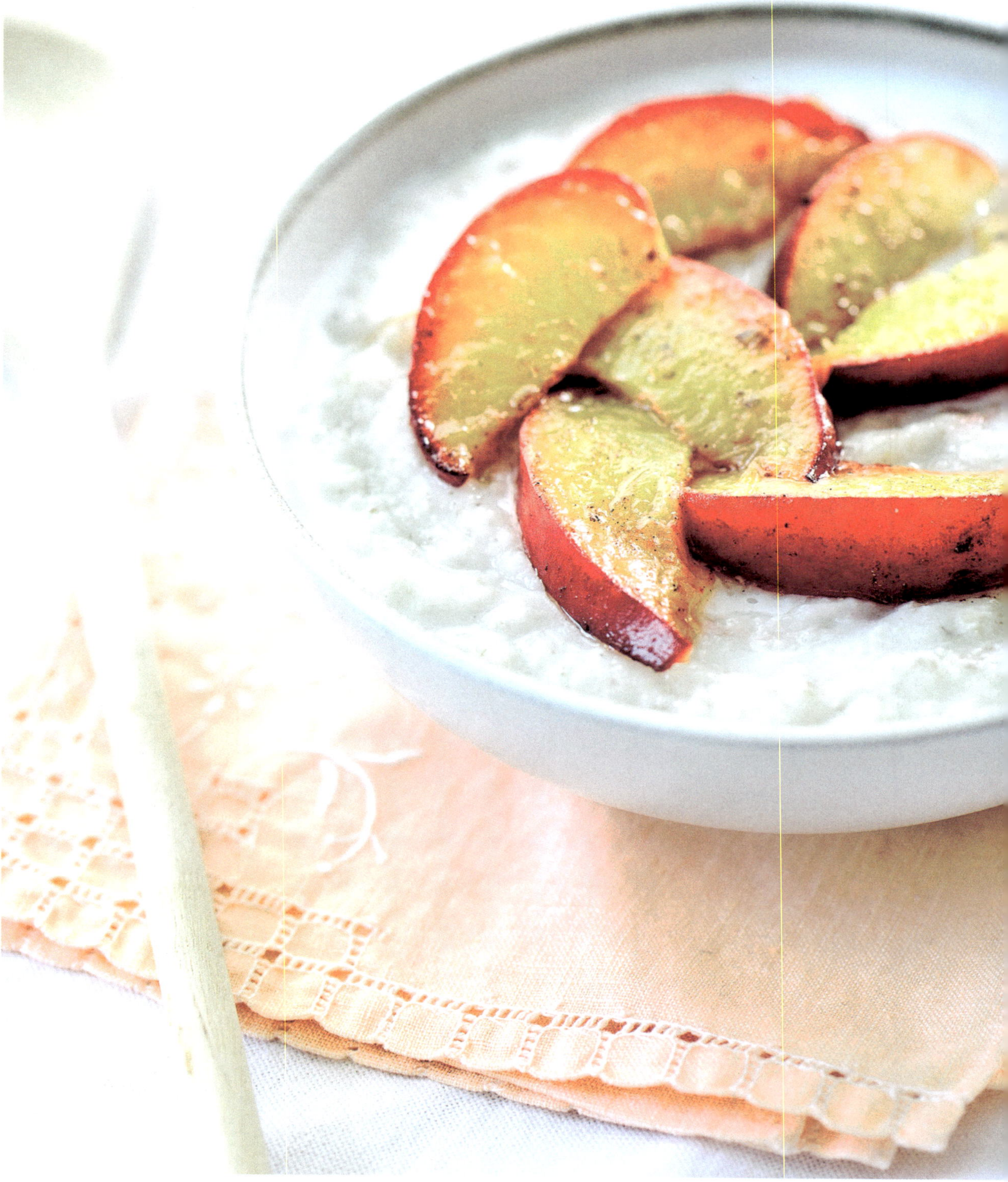

REFEIÇÃO MATINAL CREMOSA DE COCO, PÊSSEGO E CEVADA

rende 2 porções

Esta refeição é doce, mastigável e satisfaz: ela acompanha você a manhã inteira, mantendo o seu organismo nutrido. A cevada remove o excesso de água do corpo e é uma boa opção caso a umidade do verão esteja fazendo você sentir o corpo inchado.

- ½ xíc. de grãos de cevada descascados
- 2 ½ xíc. de água
- 1 pêssego descaroçado e fatiado
- 2 col. chá de óleo de coco
- 1 a 2 pitadas de cardamomo
- ½ xíc. de leite de coco
- 1 col. sopa de açúcar de coco (opcional)

Lave a cevada numa peneira de malha fina. Coloque a cevada e a água numa panela pequena e cozinhe com a tampa semiaberta por 25 minutos ou até a água ser absorvida e a cevada ficar macia.

Enquanto a cevada estiver cozinhando, aqueça o óleo de coco numa panela pequena de fundo grosso, em fogo baixo. Coloque as fatias de pêssego no óleo de coco, polvilhe com 1 pitada ou 2 de cardamomo e frite as fatias até as bordas ficarem ligeiramente douradas.

Acrescente a cevada cozida, o leite de coco, o açúcar de coco (opcional) e água suficiente para que consiga bater tudo com a batedeira manual de imersão. (Se estiver usando um liquidificador, mantenha a tampa semiaberta para deixar o vapor sair enquanto bate os ingredientes.) Processe até ficar homogêneo e cremoso.

Sirva o creme de cereal em 2 taças cobertas com o pêssego *sauté*.

RECEITAS PARA A TEMPORADA DO PÊSSEGO

Sabemos que a temporada do pêssego é curta, então, quando estiver na época dessa fruta, aproveite-a ao máximo!

Manteiga de pêssego
Se você tiver pêssegos machucados ou esfarelentos, use-os no lugar das maçãs na receita de Manteiga de Maçã com Gengibre (p. 246) e não desperdice nada! Sirva a Manteiga de Pêssego como cobertura para a Refeição Matinal Cremosa de Coco, Pêssego e Cevada no lugar das fatias de pêssego *sauté*.

Pêssegos fritos no *ghee* com *blueberries*
Siga a receita das Maçãs Fritas no *Ghee* (p. 255), substituindo as maçãs por pêssegos e acrescente um pequeno punhado de *blueberries* (também chamados de mirtilos) para deleitar-se com uma sobremesa perfeita para o verão.

BARRINHAS DE PROTEÍNA DE CÂNHAMO

rende 6 unidades

O cânhamo é uma fonte equilibrada de proteína vegetariana, com gorduras de fácil digestão e um sabor de castanha. A proteína vegetal é importante para quem se mantém fisicamente ativo nessa época do ano. Esta receita ajuda o organismo a se manter fresco com a mistura de coco e cardamomo e sabor o doce, sem você ter que chegar perto do fogão. As barrinhas de proteína não ficam boas quando deixadas no calor, por isso guarde-as na geladeira ou numa lancheira térmica e, de preferência, não demore para comê-las. Embrulhe-as em papel vegetal quando for levá-las na bolsa para a hora do lanche.

- ¼ xíc. de proteína de cânhamo em pó
- ½ xíc. de manteiga de amêndoa ou de girassol
- ¼ xíc. de coco ralado sem açúcar
- 1 col. sopa e 1 col. chá de óleo de coco
- ¼ xíc. de tâmaras Medjool descaroçadas (de 4 a 5 tâmaras)
- ¼ xíc. de damascos desidratados (pelo menos 6)
- ⅛ col. chá de cardamomo em pó

Em um processador, misture todos os ingredientes, menos a colher de chá de óleo de coco. Bata até a mistura formar uma bola. Se não formar uma bola, acrescente o óleo de coco e continue a processar até que a bola se forme. Coloque a mistura numa assadeira rasa de 20 × 20 cm ou num recipiente quadrado com tampa e deixe na geladeira até endurecer.

Para servir, corte em 6 quadrados.

NOTA: Não tem um processador de alimentos? Numa tigela grande, junte a proteína de cânhamo, o cardamomo, a manteiga de amêndoa, 1 colher de sopa de óleo de coco derretido e 1 colher de sopa de xarope de bordo (*maple*) com um garfo e misture bem. Leve à geladeira como explicado acima.

PROTEÍNA DE CÂNHAMO

A proteína de cânhamo consiste de sementes de cânhamo moídas que retêm as fibras e gorduras ômega das sementes. Ao contrário de algumas proteínas em pó em que o alimento integral é separado em partes, a proteína de cânhamo permanece integral. O corpo reconhece, metaboliza e assimila com mais facilidade um alimento integral do que um que foi separado.

PIQUENIQUE DE ARROZ DE LIMÃO-SICILIANO COM *PALYA* DE BETERRABA E *RAITA* DE PEPINO E HORTELÃ

Cada uma dessas receitas pode ser feita separadamente, mas, se você tiver a oportunidade de oferecer um piquenique especial para amigos e família, os três pratos compõem uma clássica refeição do sul da Índia. Eu aprendi a preparar esses pratos observando donas de casa que tiveram a gentileza de me ensinar e também cozinheiros ayurvédicos, então pude observar as diferenças entre a cozinha do dia a dia e a cozinha medicinal. Aqui eu faço uma fusão dos dois: mudei um pouco as receitas em consonância com as sensibilidades do Ayurveda, mas os pratos ainda são bastante autênticos e trazem os sabores das origens ayurvédicas para a sua cozinha. Fico feliz em compartilhar este banquete com vocês!

ARROZ DE LIMÃO-SICILIANO

rende 2 porções

Quando você não quer que a sua cozinha fique quente num dia de verão, prepare esta refeição usando sobras de arroz em apenas alguns minutos de cozimento.

- 1 xíc. de arroz basmati branco cru
- 1 col. sopa de óleo de coco
- ½ col. chá de sementes de mostarda
- 1 col. sopa de amendoim
- 2 col. sopa de castanhas-de-caju
- ¼ col. chá de assa-fétida
- ½ col. chá de cúrcuma em pó
- 1 cm de gengibre fresco ralado
- 2 a 3 pimentas-malaguetas desidratadas
- suco de 1 limão-siciliano pequeno ou meio limão grande
- 1 punhado de folhas de coentro rusticamente picadas
- sal marinho a gosto

Numa panela grande, misture o arroz basmati com 2 xícaras de água fervente e cozinhe em fogo baixo, com a panela tampada, de 10 a 15 minutos ou até a água ser absorvida. Deixe esfriar para que os grãos fiquem soltos. Você também pode usar sobras de arroz.

Aqueça o óleo em fogo médio numa panela de fundo grosso. Acrescente as sementes de mostarda e espere até elas começarem a estalar e estourar, depois acrescente o amendoim, a castanha-de-caju, a assa-fétida, a cúrcuma, o gengibre e a pimenta. Refogue por alguns minutos até o amendoim e a castanha-de-caju começarem a dourar. Retire do fogo.

Coloque o arroz já frio numa tigela grande. Acrescente o suco de limão-siciliano, o coentro, a mistura de castanhas com especiarias e o sal ao arroz e misture cuidadosamente com as mãos para não quebrar os grãos.

Sirva o arroz à temperatura ambiente com *Palya* de Beterraba e muita *Raita* de Pepino e Hortelã ou coloque-o em seu *tiffin* (recipiente indiano de aço inoxidável com tampa de trava) para um piquenique na hora do almoço.

PALYA DE BETERRABA

rende 2 porções

Palya é a palavra em *kannada* usada no estado de Maharashtra para vegetais fritos com especiarias, apesar de cada região do sul da Índia ter seu próprio nome para este prato. Esta receita versátil geralmente leva repolho, cenoura, vagem ou quiabo ralados ou picados. Muitas vezes também leva cebola e *urad dal*, mas esta versão ayurvédica deixa esses dois ingredientes de fora e usa apenas a semente de mostarda e o coco ralado tradicionais. Assim que você pegar o jeito de preparar esta receita, comece a experimentar com qualquer vegetal que você tenha à disposição. A quantidade de água vai variar de acordo com os vegetais escolhidos, então comece com menos de ½ xícara nesta receita e vá acrescentando alguns ml durante o cozimento conforme necessário.

- 1 col. sopa de óleo de coco
- 1 col. chá de sementes de mostarda
- 1 pitada de assa-fétida em pó (opcional)
- 2 xíc. de beterraba descascada e picadinha
- ½ xíc. de coco ralado
- ¼ col. chá de canela
- 1 col. chá de sal
- ½ xíc. de água

Aqueça o óleo de coco numa frigideira grande, em fogo médio. Acrescente as sementes de mostarda e o pó de assa-fétida (se estiver usando) e frite no óleo por 2 a 3 minutos. Tampe a frigideira para que as sementes não pulem quando começarem a estourar. Junte a beterraba picada e o coco ralado e frite por mais alguns segundos, mexendo para misturá-los bem com o óleo e as especiarias. Acrescente a canela e o sal, depois a água. Mexa, tampe, abaixe o fogo e cozinhe por mais 10 minutos.

Sirva com Arroz de Limão-Siciliano.

RAITA DE PEPINO E HORTELÃ

rende 4 porções

Muitas vezes, o *raita* que é encontrado em restaurantes indianos contém cebola crua, um alimento pungente cujo consumo deve ser moderado no verão. Esta versão é mais suave para o organismo e atua como um auxiliar digestivo. Se você quiser sabores mais excitantes, segue uma lista com algumas opções de especiarias. É melhor quando feito na hora para que o pepino fique bem crocante.

- 1 pepino grande ou 2 pequenos
- ¼ col. chá de sal
- ¼ col. chá de pimenta
- 1 xíc. de iogurte de leite integral
- ¼ col. chá de coentro, erva-doce ou cominho em pó (opcional)
- ramos de hortelã para decorar (opcional)

Descasque o pepino com um descascador de legumes e reserve algumas tiras da casca para colorir. Corte-o ao meio no sentido do comprimento. Descarte as sementes. Rale as metades do pepino com um ralador grande. Numa tigela média, use um *mixer* para bater bem o pepino ralado, as especiarias moídas (se estiver usando), o sal e a pimenta com o iogurte. Se quiser, decore com ramos de hortelã por cima.

Sirva o *raita* como acompanhamento para grãos e legumes ou embale-o num recipiente próprio para o Piquenique de Arroz de Limão-Siciliano.

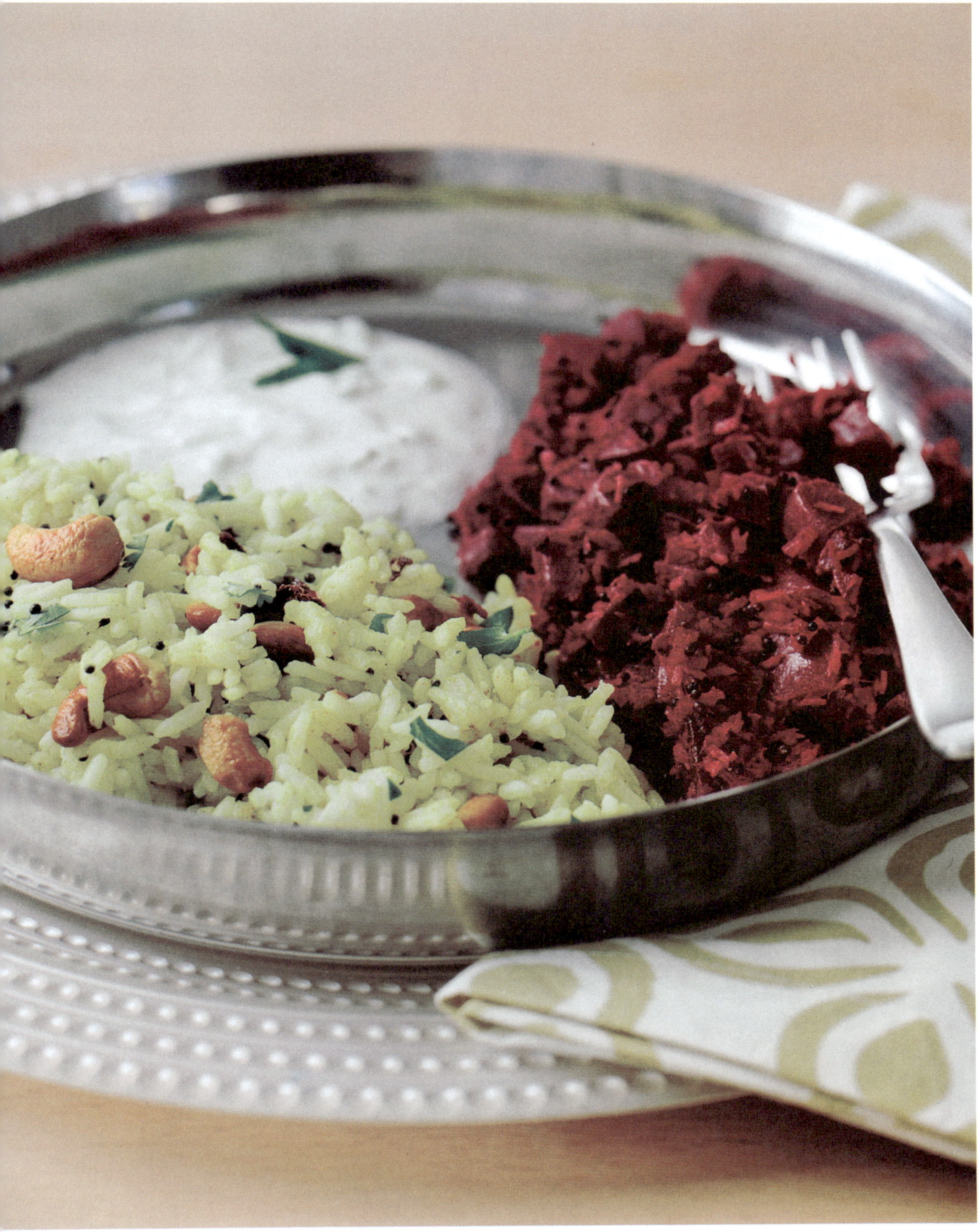

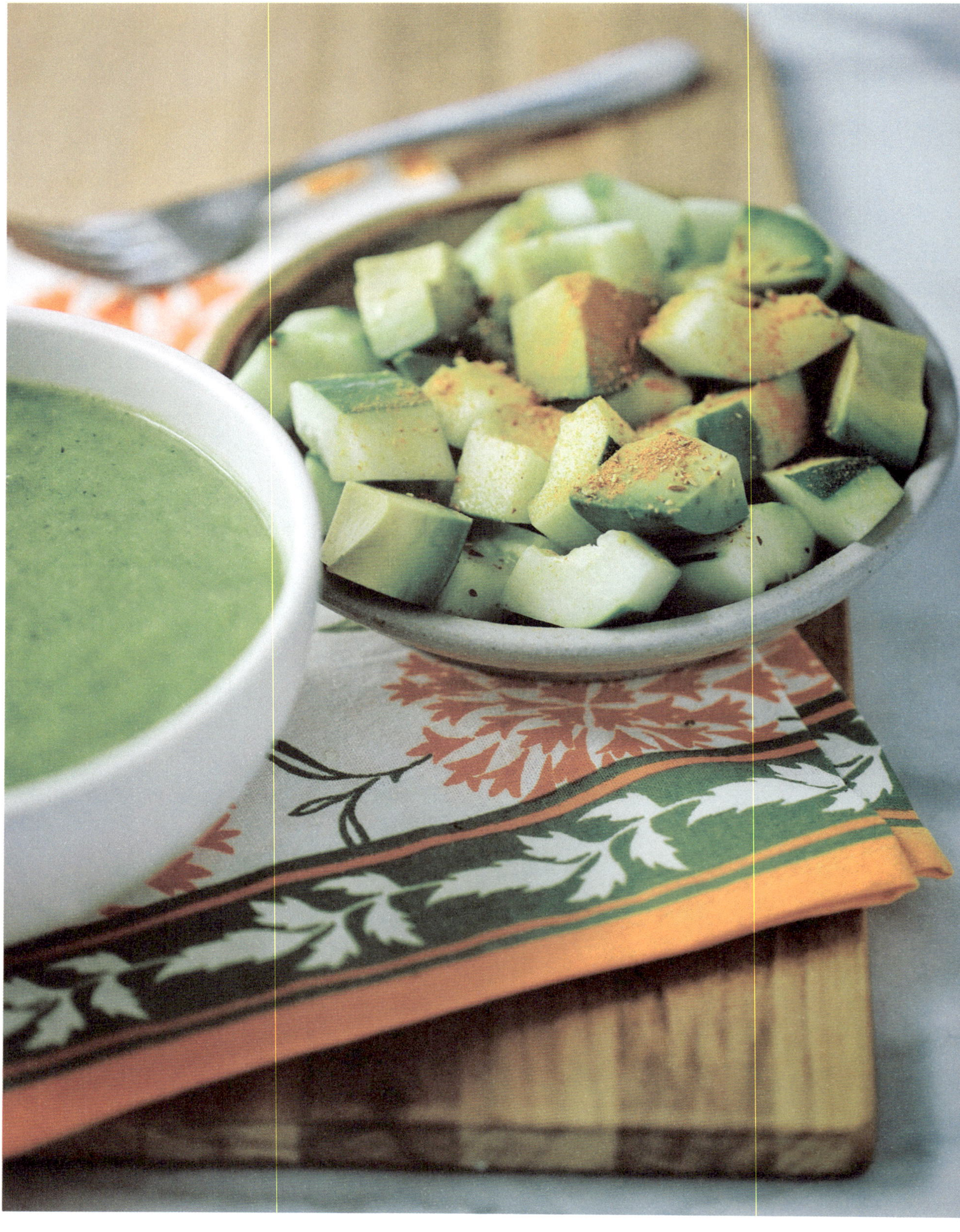

SOPA DE ABOBRINHA LIBANESA COM SALADA DE ABACATE E PEPINO

rende 2 porções

A Sopa de Abobrinha vai surpreender você por sua cremosidade. A abóbora tem as qualidades adstringente e amarga, muito benéficas para o corpo no verão. Essa combinação de sopa com salada é muito fácil de fazer e traz uma boa quantidade de legumes e frutas frescas para o seu organismo.

SOPA DE ABOBRINHA LIBANESA

- 2 abobrinhas libanesas ou abóboras de verão de sua preferência (médias)
- 1 col. chá de *ghee*
- 1 xíc. de água
- ¼ col. chá de sal

Corte a abobrinha no sentido do comprimento e depois em meias-luas de 3 centímetros de espessura. Numa panela média, frite a abobrinha no *ghee* em fogo médio até ficar macia, de 5 a 7 minutos. Acrescente a água e o sal. Deixe em fogo médio até a água aquecer. Retire do fogo. Com uma batedeira manual de imersão, bata até ficar cremoso.

SALADA DE ABACATE E PEPINO

- 1 pepino médio
- 1 abacate
- ½ col. chá de Mistura de Especiarias de Verão
- 1 pitada de sal
- ¼ limão

Descasque o pepino, mas deixe algumas tirinhas de casca para dar textura e cor. Corte o pepino em duas partes, no sentido do comprimento, retire as sementes com uma colherzinha, depois pique-o.

Corte o abacate no sentido do comprimento e gire para separar as metades. Guarde na geladeira a metade ainda com a semente num recipiente hermético. Use a outra metade, retirando o abacate da casca com uma colher grande.

Numa tigela pequena, misture o pepino picado em cubos e o abacate. Polvilhe a Mistura de Especiarias e o sal, esprema o limão e misture tudo.

Sirva logo em seguida, junto com a Sopa de Abobrinha Libanesa.

SOPA DE MILHO COM *CHANA DOSA*

rende 2 porções

Ao contrário de outras sopas de milho, geralmente feitas com leite e farinha, esta sopa é doce e leve, para equilibrar a oleosidade do clima úmido. Complete a sua refeição com o *Chana Dosa* Fácil para servir como molho. Não use o pimentão vermelho se você tem propensão a um ambiente interno quente.

SOPA DE MILHO

2 a 3 espigas de milho
½ xíc. de abóboras de verão amarela (tipo abobrinha italiana)
2 xíc. de leite de arroz não adoçado
1 col. chá de *ghee*
½ col. chá de Mistura de Especiarias de Verão
2 col. chá de pimentão vermelho picadinho (opcional)
sal e pimenta a gosto
coentro picado para enfeitar

Numa panela grande com tampa, cozinhe de 2 a 3 espigas de milho numa cesta de cozimento a vapor por 10 minutos. Retire as espigas do fogo, deixe esfriar um pouco, depois retire os grãos deslizando uma faca nas laterais da espiga. Vai render mais ou menos 1 xícara, dependendo do tamanho das espigas. Use a panela grande para ferver a abobrinha no leite de arroz por 10 minutos.

Junte o *ghee*, ½ xícara de milho e a Mistura de Especiarias à abóbora e ao leite de arroz na panela. Com uma batedeira manual de imersão, bata até ficar homogêneo. Depois junte a ½ xícara de milho restante e o pimentão picadinho (se estiver usando) e deixe no fogo por mais 10 minutos.

Acrescente sal e pimenta a gosto e sirva em 2 tigelas decoradas com coentro picado.

CHANA DOSA FÁCIL

rende de 4 a 5 porções

Chana significa grão-de-bico, e esta receita pede farinha de grão-de-bico, uma farinha muito grossa e sem glúten feita apenas com os grãos moídos. Numa estação chuvosa ou úmida, a farinha de grão-de-bico equilibra essa qualidade por ser seca e fácil de usar. Estas *dosas* contêm bastante proteína e talvez uma só lhe baste numa refeição. O *Chutney* de Coentro e Hortelã (p. 208) é um ótimo acompanhamento para as *dosas* em qualquer refeição, mesmo no café da manhã. Para simplificar, não use a abobrinha ralada – e as *dosas* ficarão prontas ainda mais rápido.

½ col. chá de sal
1 xíc. de farinha de grão-de-bico
¾ xíc. de água
1 xíc. de abobrinha libanesa ralada

Numa tigela pequena, misture o sal e a farinha. Aos poucos, misture a água na farinha até a mistura ganhar consistência de massa de panqueca. Acrescente a abobrinha ralada.

Aqueça uma frigideira grande antiaderente de cerâmica em fogo de médio a alto. Jogue algumas gotas de água na frigideira – quando ela chiar, a frigideira estará pronta. Despeje ⅓ xícara

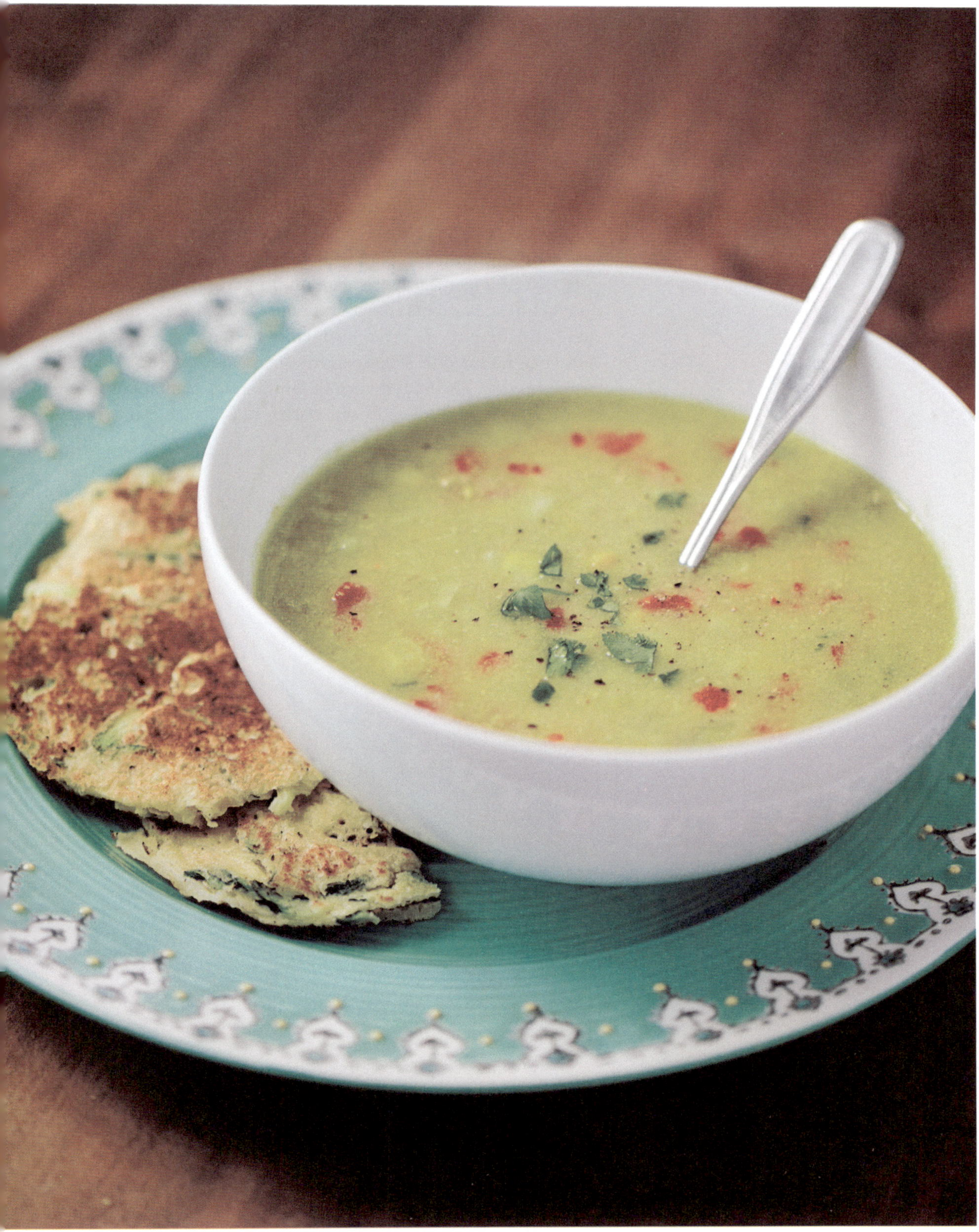

4 a 5 col. sopa de coentro fresco picado

ghee para cozinhar

de massa de *dosa* na frigideira, incline-a um pouco e espalhe a massa em círculos com as costas de uma colher grande até a *dosa* ficar fina, com uma circunferência de aproximadamente 18 cm. Polvilhe 1 colher de sopa de coentro fresco picado sobre a massa toda. Quando ela começar a ficar seca em cima, respingue ½ colher de chá de *ghee* por cima da *dosa*, depois veja se a parte de baixo está ficando dourada. Vire a massa algumas vezes até os dois lados ficarem dourados. Cada *dosa* leva cerca de 5 minutos para ficar pronta.

NOTA: Esta técnica de fritura é muito parecida com a usada na receita da *Dosa*, mas exige um pouco de prática. Uma frigideira antiaderente de cerâmica facilita bastante, mas pode ser que você não acerte a temperatura certa do fogo ao fritar a primeira *dosa*. Assim que você se familiarizar com a temperatura da sua frigideira e do seu fogão, sua técnica para fritar *dosas* vai se ajustar.

SALADA DE QUINOA *MAHA*

rende de 3 a 4 porções

Você pode preparar esta salada como refeição principal e comê-la com bastante frequência durante todo o verão – daí a palavra *maha* no nome, que significa "grande". A quinoa é rica em proteínas vegetais e é leve e seca. Se você tiver ervas frescas, pode acrescentá-las no final, antes de servir. Salsinha e coentro são as minhas favoritas para usar na Salada de Quinoa *Maha*.

PARA A QUINOA

2 xíc. de água

1 xíc. de quinoa branca (ou misture um pouco de quinoa vermelha para colorir)

2 xíc. de verduras e legumes de verão (abobrinha libanesa, cenoura, couve-chinesa, vagem e/ou ervilhas com casca)

Salsinha fresca picada para decorar

PARA O MOLHO

1 limão-siciliano grande ou 2 pequenos

3 col. sopa de azeite ou óleo de cânhamo

1 col. chá de sal

1 col. chá de Mistura de Especiarias de Verão

PREPARE A QUINOA:

Numa panela média, ferva 2 xícaras de água. Acrescente a quinoa e cozinhe em fogo brando, com a panela tampada, por 10 minutos. Acrescente as verduras e os legumes picados por cima da quinoa e tampe para cozinhá-los no vapor por mais 10 minutos. Retire a panela do fogo, afofe e misture a quinoa, as verduras e os legumes com um garfo e deixe a panela aberta até esfriar.

PREPARE O MOLHO:

Esprema o limão-siciliano numa tigela pequena. Misture o azeite ou o óleo de cânhamo, o sal e a Mistura de Especiarias e bata até misturar bem ou agite esses ingredientes num recipiente de 250 gramas.

Regue o molho sobre a quinoa quando ela estiver totalmente fria e misture com um garfo.

Sirva como uma entrada independente, decorada com salsinha fresca picada, ou como acompanhamento para o Húmus com Ervas (p. 206).

VARIAÇÃO: TABULE DE QUINOA

Cozinhe a quinoa como na receita acima, sem incluir as verduras e os legumes nem a Mistura de Especiarias, acrescente de ½ a 1 xícara de salsinha fresca picada e 6 tomates-cereja cortados ao meio, depois que a quinoa esfriar, e você terá um Tabule de Quinoa.

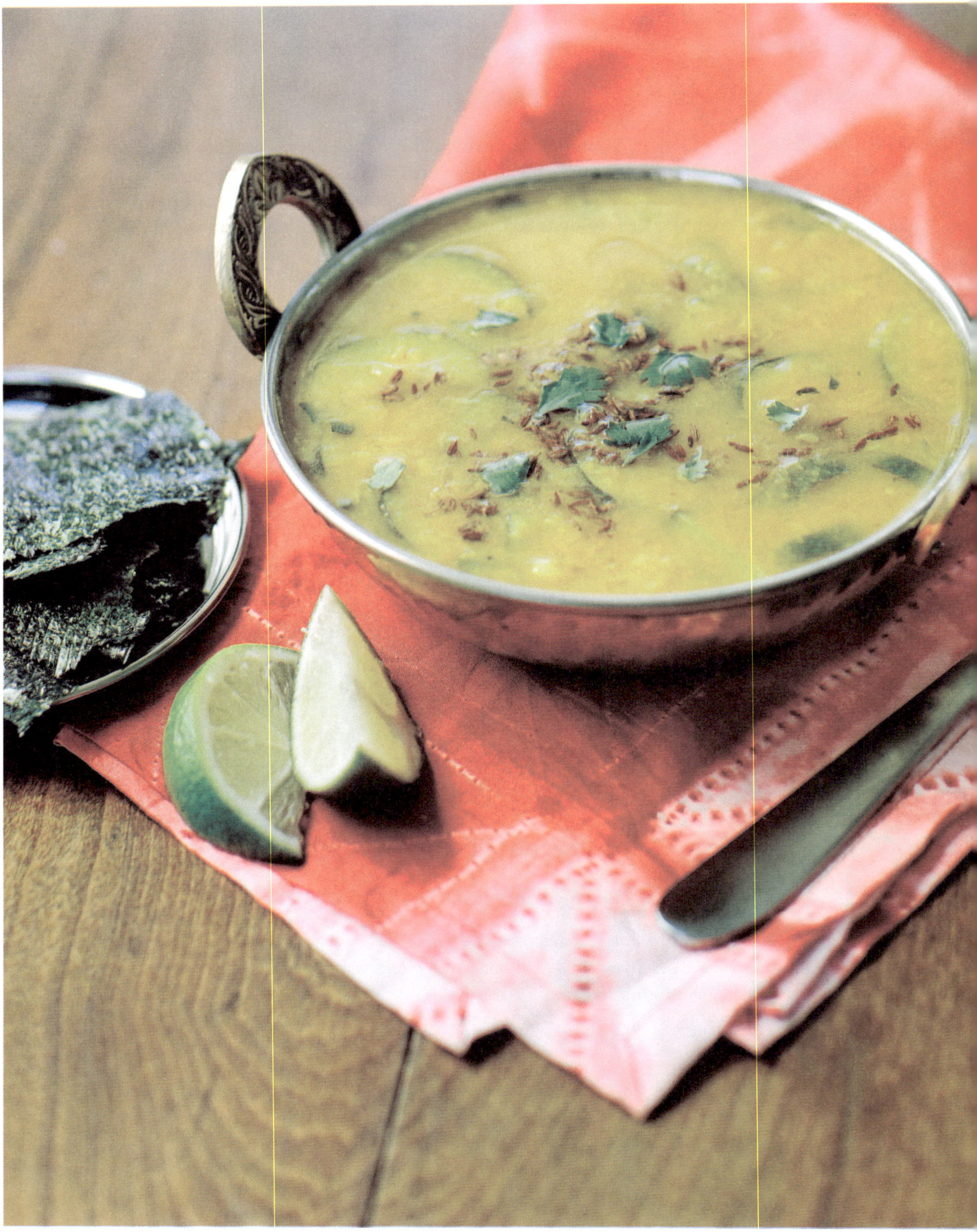

SOPA *DAL* DETOX

rende de 4 a 6 porções

Esta sopa é mais fina e mais leve do que a versão que preparamos no tempo frio (*Dal* Quentinho de Tomate, p. 257). Ela é feita com especiarias frescas, verduras e legumes de verão e uma boa dose de limão para se obter uma refeição que refresca e satisfaz. Seu cozimento é rápido para minimizar seu tempo de fogão num dia quente. A Sopa *Dal Detox* ajuda o corpo a livrar-se de *ama*, as toxinas indesejadas. Para saboreá-la nas outras estações, apenas troque a Mistura de Especiarias de acordo com a estação e acrescente um legume adequado para a estação.

- 1 xíc. de feijão-mungo amarelo partido
- 6 xíc. de água
- 1 col. chá de cúrcuma em pó
- 1 col. chá de coentro em pó
- 1 col. chá de Mistura de Especiarias de Verão
- 2 abobrinhas libanesas pequenas
- ½ col. chá de sal (opcional)
- 2 col. chá de óleo de coco
- 1 col. chá de sementes de cominho
- 1 punhado pequeno de folhas de *curry* fresco
- suco de ½ limão
- 2 col. sopa de coentro picado para enfeitar (opcional)

Numa panela grande, ferva 4 xícaras de água em fogo alto. Enquanto a água estiver esquentando, lave o feijão em água fria até a água sair clara. Acrescente o feijão, a cúrcuma, o coentro e a Mistura de Especiarias. Deixe a panela com a tampa semiaberta e cozinhe em fogo brando por 20 minutos.

Corte a abobrinha no sentido do comprimento, depois em meias-luas. Acrescente a abobrinha e deixe a água voltar a ferver. Junte as 2 xícaras restantes de água e o sal e deixe a tampa semiaberta novamente. Não há necessidade de mexer. Cozinhe em fogo brando por mais 10 minutos.

Numa frigideira pequena, aqueça o óleo de coco em fogo médio, coloque as sementes de cominho e as folhas de *curry* e refogue até sentir o aroma das especiarias, de 2 a 3 minutos. Junte as especiarias refogadas ao *dal* nos últimos 5 minutos de cozimento. Retire do fogo e acrescente ¼ de suco de limão.

Sirva em taças e decore com coentro fresco ou uma rodela de limão, talvez como acompanhamento para o *Nori* Torrado (p. 267).

NOTA: Se você prefere o seu *dal* mais cremoso, amoleça o feijão batendo o *dal* quente com uma batedeira manual de imersão ou mesmo com um *fouet* por apenas 5 a 10 segundos antes de acrescentar os legumes.

FOLHAS DE *CURRY*

A folha de *curry* é um ingrediente básico em muitos pratos do sul da Índia. Ela é conhecida por dar reforço ao fígado, equilibrar o açúcar no sangue e ajudar o sistema digestório a eliminar partículas indesejadas. As mercearias indianas geralmente têm folhas de *curry* frescas, que podem ser congeladas se você comprar mais do que consegue consumir de imediato. Se você vive num clima quente, eu recomendo que plante suas próprias folhas de *curry*.

ESPAGUETE DE ABOBRINHA LIBANESA COZIDA NO VAPOR COM MOLHO DE IOGURTE DE ENDRO

rende 2 porções

O Espaguete de Abobrinha é divertido e rápido de fazer quando você usa um descascador *julienne*, que pode ser encontrado em muitas lojas de artigos para a cozinha. Esta receita é uma ótima maneira de comer abobrinhas, que são abundantes no verão, e beneficiar-se de sua natureza refrescante. Acrescente uma cenoura cortada à *julienne* ou uma abóbora de verão amarela para embelezar. Este espaguete também vai muito bem com o Molho de *Tahine* Batido; acompanhado de *Chutney* de Coentro e Hortelã; ou numa tigela de macarrão (pp. 221, 208, 266).

PARA O ESPAGUETE
1 xíc. de água
2 abobrinhas libanesas pequenas ou médias

PARA O MOLHO
¼ xíc. de endro fresco picado
1 xíc. de iogurte de leite integral orgânico
1 col. sopa de suco de limão-siciliano fresco
½ col. chá de cúrcuma em pó
½ col. chá de sal
pimenta moída na hora a gosto

PREPARE O ESPAGUETE
Coloque a água numa panela média com cesta de cozimento a vapor.

Deixe a água levantar fervura.

Fatie, com o cortador *julienne*, as abobrinhas no sentido do comprimento, de cima para baixo, para formar os fios de espaguete. Empilhe os fios na cesta de cozimento a vapor, tampe e cozinhe no vapor por 3 a 4 minutos. O espaguete deve ficar *al dente*. Escorra num escorredor logo em seguida.

PREPARE O MOLHO:
Numa tigela pequena, misture bem todos os ingredientes com um garfo.

Para servir, divida o espaguete quente em 2 tigelas e regue cada porção com o molho de iogurte.

ENCONTRANDO IOGURTE FRESCO

É importante comprar iogurte fresco sempre que estiver disponível – feiras orgânicas geralmente vendem iogurtes produzidos na região – ou aprender a fazer o seu próprio iogurte em casa. Há quanto mais tempo o iogurte tiver sido feito, mais ele estará fermentado, tornando-o azedo. O sabor azedo tem as qualidades penetrante e quente, e isso não é o que devemos buscar no verão. O iogurte de potinho não equilibra tanto o sistema quanto o iogurte fresco de leite integral, que tem o sabor mais doce.

SOPA DE ERVA-DOCE E ENDRO

rende 2 porções

A erva-doce tem propriedades refrescantes e calmantes que equilibram as qualidades por vezes intensas do clima do verão. Prepare esta sopa simples e fácil para desfrutar de um jantar relaxante.

- 1 bulbo de erva-doce
- 1 col. chá de *ghee*
- 2 folhas grandes de couve-crespa ou de acelga
- 3 xíc. de água
- 1 col. chá de sal
- ½ xíc. de feijão-branco ou grão-de-bico cozido ou brotos de feijão-mungo crus
- 1 col. sopa de endro fresco (ou desidratado) picadinho

Corte o bulbo de erva-doce em fatias finas, como se fosse uma cebola. Numa panela média, refogue as fatias no *ghee* por 5 minutos. Corte as folhas de couve ou acelga em tiras finas e acrescente à panela. Junte a água, o sal e o feijão. (Se você estiver usando o endro desidratado, acrescente-o também.) Cozinhe em fogo brando por 20 minutos com a panela tampada. Retire do fogo e acrescente o endro fresco.

Sirva apenas esta sopa para saborear um jantar simples ou com *Chana Dosa* Fácil se você estiver com muita fome.

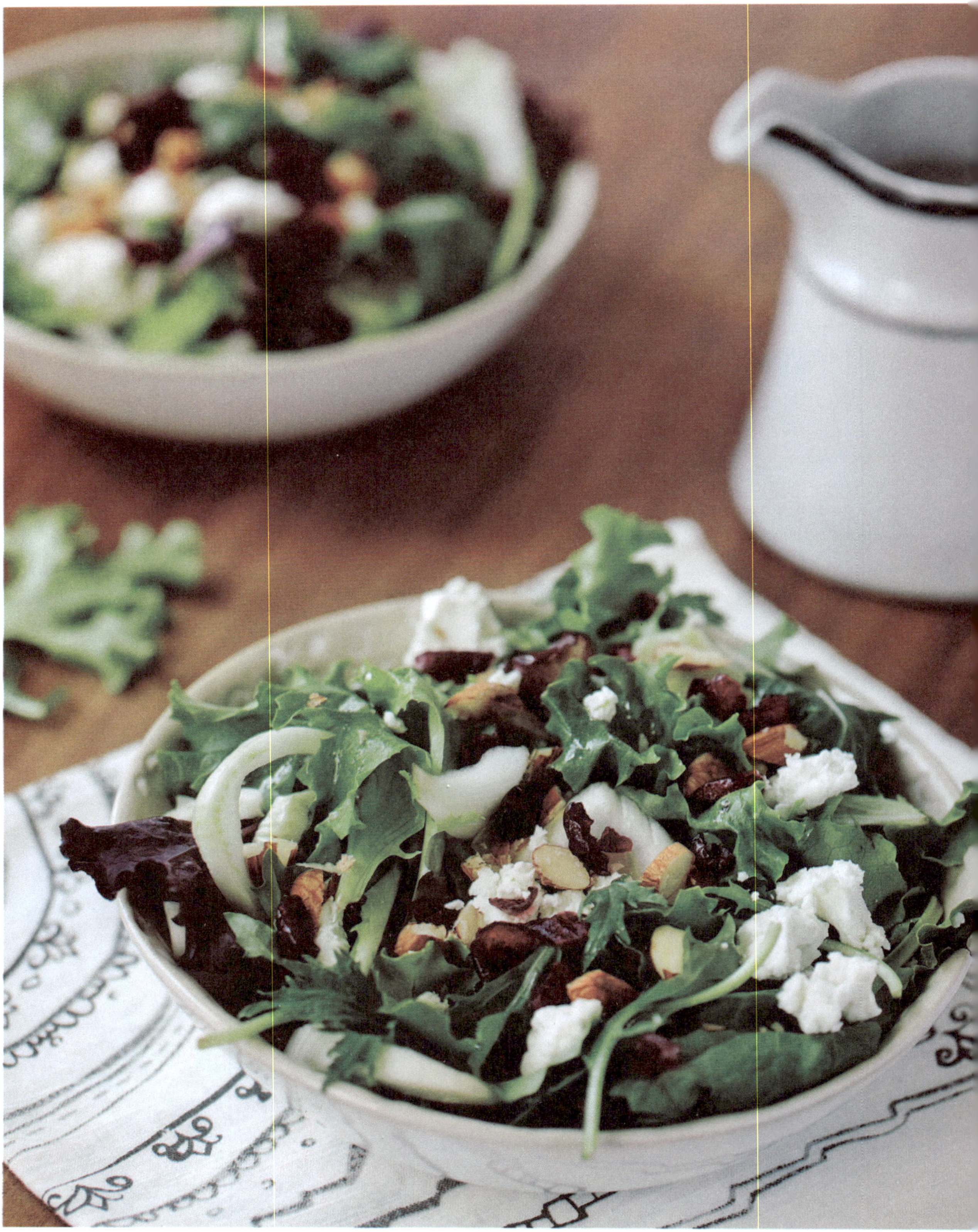

SALADA ESPECIAL DA KATE

rende 2 porções

Eu não como mais salada crua e fria com frequência. Depois que aprendi que o meu corpo digere melhor alimentos quentes e cozidos, a salada não me agrada mais. Mas, no calor do verão, esta salada de erva-doce raspada com queijo de cabra ainda é uma das minhas favoritas: é colorida, fresca e doce. Todas essas características equilibram a irritabilidade que o tempo quente pode causar no organismo. As qualidades adstringente e amarga das *cranberries* equilibram a umidade porque reduzem a água no organismo, e a erva-doce equilibra o calor com o efeito refrescante de seu sabor adocicado.

- 1 bulbo de erva-doce
- 1 cabeça de alface-romana ou alface de folha vermelha picada ou 230 g de uma mistura de folhas de alface e outras verduras picadinhas
- 2 col. sopa de azeite de oliva, de óleo de girassol ou de semente de uva
- 2 col. sopa de vinagre balsâmico fino
- ¼ xíc. de queijo de cabra
- ¼ xíc. de amêndoas picadas ou sementes de girassol torradas
- ¼ xíc. de *cranberries* desidratadas

Corte as pontas em flor do bulbo de erva-doce (você pode reservá-las para aromatizar sopas ou caldos). Corte o bulbo de erva-doce em fatias finas com uma faca afiada. Numa saladeira grande, misture as lascas de erva-doce com as verduras. Divida em duas tigelas largas. Regue cada tigela de verdura com 1 colher de sopa de óleo e 1 colher de sopa de vinagre. Com um garfo, esfarele 2 colheres de sopa do queijo de cabra em cada tigela. Se o queijo estiver mole demais para ser esfarelado, ponha-o no *freezer* por alguns minutos.

Para servir, salpique as amêndoas ou as sementes de girassol e as *cranberries* por cima de cada tigela de salada.

OUTRAS SUGESTÕES PARA SERVIR: Cubra com beterraba ralada para dar mais cor à salada. Quando está na época de beterraba, eu a cozinho no vapor e saboreio com queijo de cabra, amêndoas e *cranberries*.

VINAGRE BALSÂMICO

É fácil reconhecer um vinagre balsâmico de baixa qualidade, porque ele vem numa embalagem grande e custa muito menos do que o de alta qualidade – mas também tem um teor de acidez maior, não recomendável para a maioria das pessoas nos meses quentes. O vinagre balsâmico fino é abrandado num processo de cozimento lento – como cebolas caramelizadas – o que transforma a acidez em doçura. Ele proporciona um sabor doce, muito pouco azedo, e suas qualidades são mais suaves e menos penetrantes em comparação ao vinagre ácido.

TRIO DE SALADAS DE FRUTAS

rende 1 porção

A maioria das pessoas que viajam para a Índia, onde as frutas são mais fartas que os legumes, come salada de frutas no café da manhã. Essa gostosura serve de café da manhã leve nos dias quentes, quando há pouco apetite, e também substitui o jantar nos dias muito quentes. É melhor combinar frutas que têm qualidades semelhantes, como misturar frutas cítricas (com as qualidades quente e azeda para ajudar a eliminar a estagnação do inverno), frutas vermelhas (que têm as qualidades adstringente e depurativa quando estão na época) ou frutas doces (que são refrescantes no fim do verão e no início do outono).

Desfrute de cada uma dessas saladas (de acordo com a estação das frutas) para beneficiar-se ao máximo. Com exceção da tâmara misturada com leite, as frutas cruas, em sua maioria, podem produzir acidez estomacal quando combinadas com outros alimentos, por isso é melhor comer salada de frutas sem acompanhamentos.

NOTA: A salada de frutas à noite é um remédio ayurvédico caseiro para intestinos preguiçosos. Se você tem esse problema, experimente comer uma salada de frutas no jantar para fazer o seu organismo funcionar no dia seguinte.

SALADA CÍTRICA
1 laranja descascada e picada
½ *grapefruit* descascada e picada
2 rodelas picadas de abacaxi desidratado
2 col. sopa de água de coco
Suco de 1 limão fresco espremido por cima

SALADA DOCE
½ maçã descaroçada e picada
1 pera descaroçada e picada
½ xíc. de uvas vermelhas cortadas ao meio
2 tâmaras descaroçadas e picadas
2 col. sopa de suco de maçã
folhas de hortelã para enfeitar

SALADA DE FRUTAS VERMELHAS
½ xíc. de *blueberry* (também chamado de mirtilo)
½ xíc. de framboesas
½ xíc. de morangos picados
1 col. sopa de *cranberries* (também chamadas de oxicocos) desidratadas
2 col. sopa de suco de romã

Numa tigela pequena, misture as frutas e os líquidos e deixe descansar de 20 a 30 minutos. Sirva sem acompanhamentos.

BANANA SEM ACOMPANHAMENTOS

A banana madura é densa e úmida. Observe que nenhuma dessas saladas, e nenhuma receita deste livro, inclui banana. Essa fruta é mais bem digerida quando saboreada sozinha; e você perceberá que ela satisfaz bastante dessa forma.

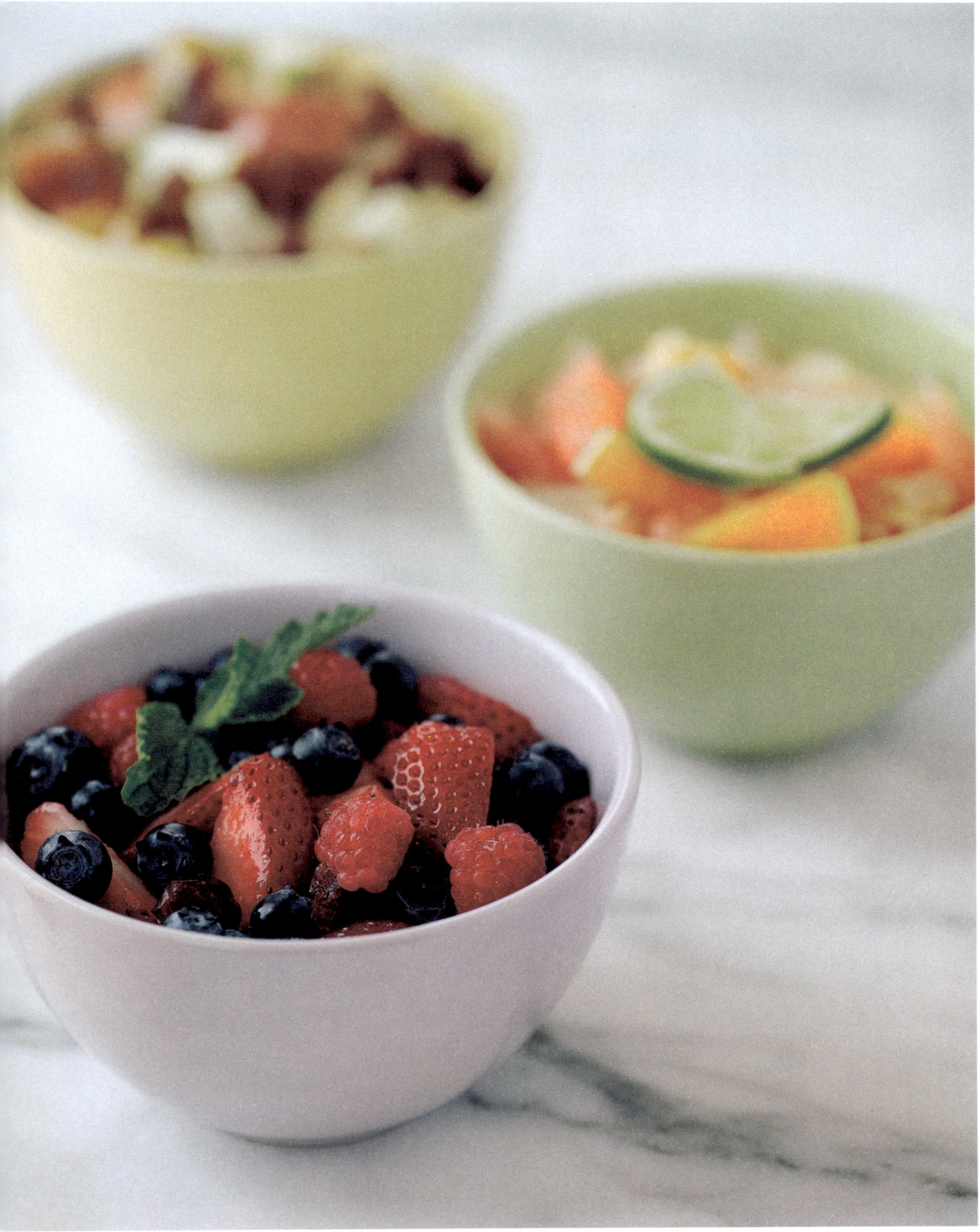

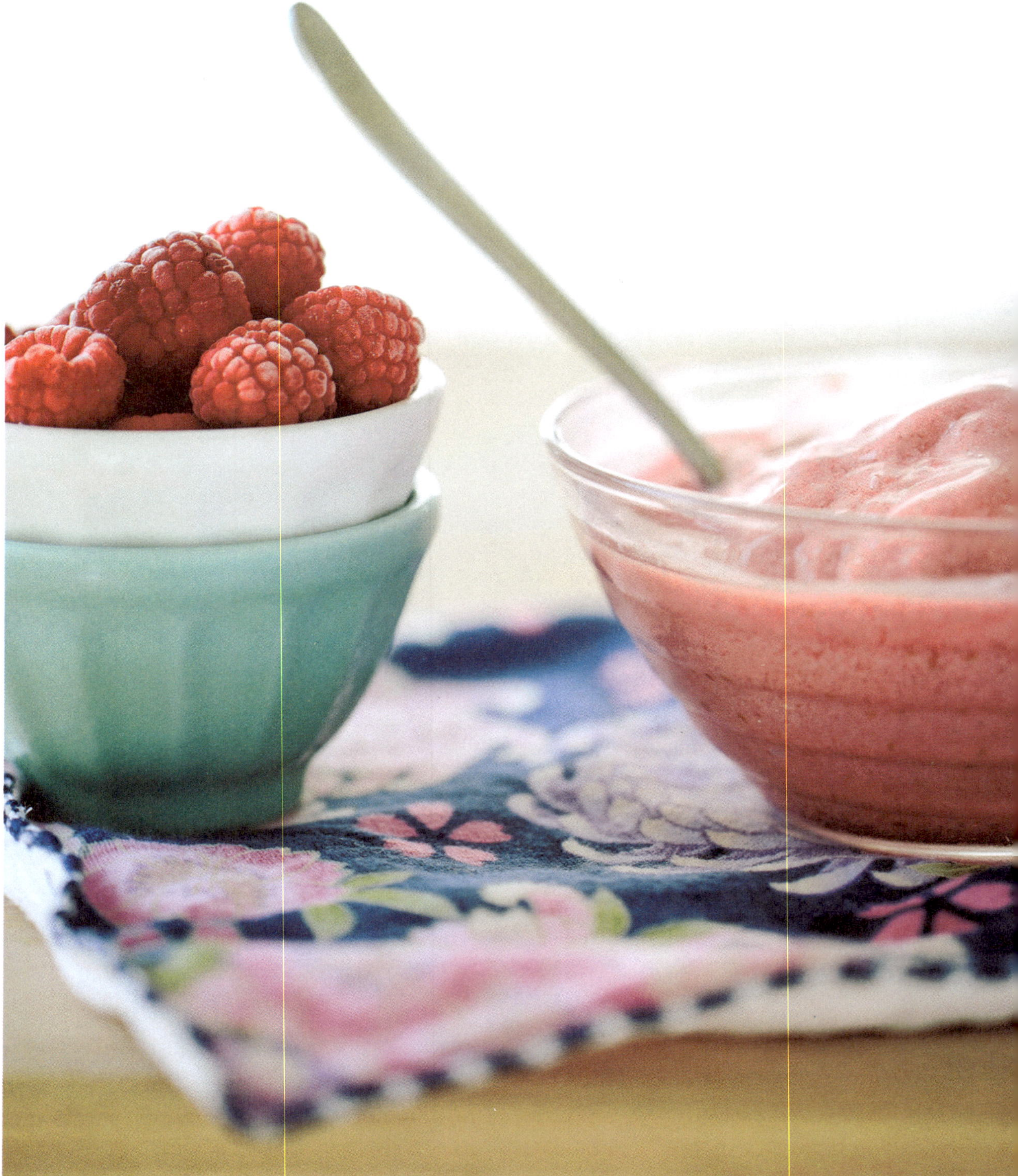

ANANDA-COCO

rende 2 porções

Conheça seu novo sorvete preferido de verão: Ananda-Coco, ou sorvete de leite de coco! Embora os alimentos gelados, de qualquer tipo, não sejam recomendados no Ayurveda, esta receita equilibra o frio ao incorporar o gengibre e é mais saudável do que grande parte das guloseimas congeladas. Este é um sorvete para tomar apenas de vez em quando, como um "presente especial" quando o tempo estiver muito quente. *Ananda* significa "felicidade" em sânscrito e, embora a filosofia yogue nos diga que a felicidade não provém dos objetos, tais como os sorvetes, "você pode ser levemente enganado". Mas saiba de antemão: comer Ananda-Coco muitas vezes resultará numa barriga gelada, não em felicidade duradoura! Faça o seu próprio sorvete na hora, fresquinho, já que ele não congela tão bem quanto o sorvete comum.

- 1 xíc. de leite de coco em vidro
- 1 cm de gengibre fresco, descascado e picado, ou ½ col. chá de gengibre em pó
- 1 xíc. de frutas vermelhas congeladas como morango, framboesa, *blueberry* (também chamado de mirtilo) e afins
- 2 col. sopa de xarope de bordo (*maple*) ou açúcar de coco
- 1 col. chá de extrato de baunilha puro
- 2 a 3 cubos de gelo para engrossar a textura (opcional)

Num liquidificador, bata o leite de coco e o gengibre até ficarem bem misturados. Acrescente as frutas, o xarope de bordo ou o açúcar de coco e, o extrato de baunilha e bata até ficar homogêneo. Com o liquidificador batendo, acrescente o gelo, cubo por cubo, até a mistura ganhar uma textura semelhante à de um *sorbet* ou de um sorvete italiano.

Com o passar do tempo, tente adaptar-se a tomar um "sorvete menos gelado", reduzindo o número de cubos de gelo para que o seu estômago consiga decompor o alimento com mais facilidade. Demora um pouco para se acostumar, mas no fim você descobre que um sorvete totalmente congelado não é tão convidativo quanto um sorvete numa temperatura mais fresca e agradável.

CONGELE AS SUAS PRÓPRIAS FRUTAS VERMELHAS

A comida fresca tem qualidade muito superior à comida congelada. Mas quem vive em terras de frutas vermelhas sabe como a temporada é curta e provavelmente tem o hábito de selecionar e congelar seu próprio estoque de frutas orgânicas. O cuidado de preservar um pouco da sua colheita abundante pode estender a sua temporada de frutas vermelhas por mais um mês, e elas também estarão infundidas com *prana*, mas é melhor não comer alimentos congelados por um período muito longo.

PUDIM DE ARROZ COM LEITE DE COCO

rende 2 porções

O pudim de arroz, conhecido como *kheer*, muitas vezes aparece em dias de festivais santos, quando deuses e deusas estão sendo homenageados em templos e celebrações domésticas. Porções desse doce rico são oferecidas às divindades e aos peregrinos em pequenos pratos como parte de um banquete servido numa folha de bananeira ou retiradas de baldes e urnas de argila e entregues na mão das pessoas. A versão ayurvédica é muito mais leve que a das festas e pode ser consumida com mais frequência como uma sobremesa nutritiva. O Pudim de Arroz com Leite de Coco pode ser servido quente ou frio, dependendo do tempo.

1 xíc. de arroz jasmim branco cozido
1 xíc. de leite de coco
2 tâmaras sem caroço e picadas
2 col. chá de açúcar de coco ou xarope de bordo (*maple*)
10 amêndoas hidratadas e picadas ou moídas
¼ col. chá de cardamomo em pó
folhas de hortelã fresca para decorar

Numa panela pequena, aqueça o arroz e o leite de coco em fogo de médio a alto até ferver. Acrescente as tâmaras picadas, o açúcar de coco ou o xarope de bordo, as amêndoas e o cardamomo em pó. Cozinhe em fogo brando, com a panela tampada, por 15 minutos.

Sirva com uma concha uma porção na mão do seu convidado. Ou divida em duas tigelas decorativas e enfeite com hortelã fresca.

LIMONADA COM CARDAMOMO

rende 2 copos

Juntos, o suco de limão e o cardamomo formam uma bebida muito refrescante, que também promete acalmar o humor irritável e superexcitado.

- 3 xíc. de água
- ¼ xíc. de suco de limão (suco de 2 a 3 limões)
- ¼ col. chá de cardamomo em pó
- 1 col. sopa de açúcar de coco dissolvido em 1 colher de sopa de água quente

Misture todos os ingredientes num jarro pequeno ou num copo de vidro de 1 litro.

Sirva em dois copos altos com 2 cubos de gelo cada.

UMA BEBIDA BALANCEADORA RESOLVEU A SITUAÇÃO

Rachel veio me consultar queixando-se de baixo nível de energia e dificuldade para passar o dia no trabalho sem fazer lanches rápidos de baixo teor nutritivo. Estava acostumada a tomar um café com biscoitos quando a energia diminuía, lá pelas 3 da tarde. Gostava da oportunidade de se levantar da mesa durante alguns minutos, ir tomar um café e voltar com umas gostosuras para saborear nas últimas horas de trabalho. Conversamos sobre como administrar esses altos e baixos fazendo refeições regulares, sem comer na mesa de trabalho, e passados alguns meses Rachel já havia se adaptado a uma nova rotina: interrompia o trabalho ao meio-dia para almoçar e chegava até o jantar sem os biscoitinhos da tarde. Quando ela começou a sentir sintomas incômodos de acidez estomacal durante ou após o jantar, notamos que isso ocorria nos dias em que ela ainda tomava café. Sugeri que ela tentasse tomar limonada de cardamomo em vez de café quando sentisse necessidade de ingerir um estimulante à tarde. Rachel criou o hábito de preparar sua Limonada com Cardamomo de manhã e levar para o trabalho essa bebida neutralizadora e refrescante. Ela não sente mais acidez estomacal na hora do jantar.

FALSO COQUETEL DE MENTA

rende 2 copos altos ou 4 pequenos

O álcool aumenta as qualidades cortante, quente e penetrante que sentimos no verão, talvez mais do que qualquer outro alimento, então eis aqui um coquetel refrescante sem álcool para saciar a sede. Adquirir novos hábitos é mais fácil quando se tem algo delicioso para saborear. Essa bebida fica bonita num copo médio com fundo grosso. Coloque um pouco de gelo (apenas dois cubos por copo) para fazer aquele tilintar gostoso ao servir, mas não exagere no gelo a ponto de congelar o estômago dos convidados.

2 pepinos descascados, sem sementes, cortados no sentido do comprimento
alguns raminhos de hortelã fresca
2 xíc. de água de coco
suco de 1 limão
fatias de limão para enfeitar

Num liquidificador, bata o pepino e as folhas de hortelã com 1 xícara de água de coco por 1 minuto até virarem suco. Depois, acrescente a outra xícara de água de coco e o suco de limão e bata novamente.

Sirva fresco, em 2 copos altos ou 4 copos médios com fundo grosso, acrescente 2 cubos de gelo e enfeite com uma fatia de limão.

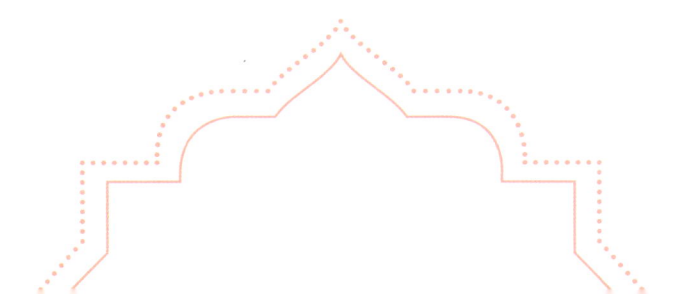

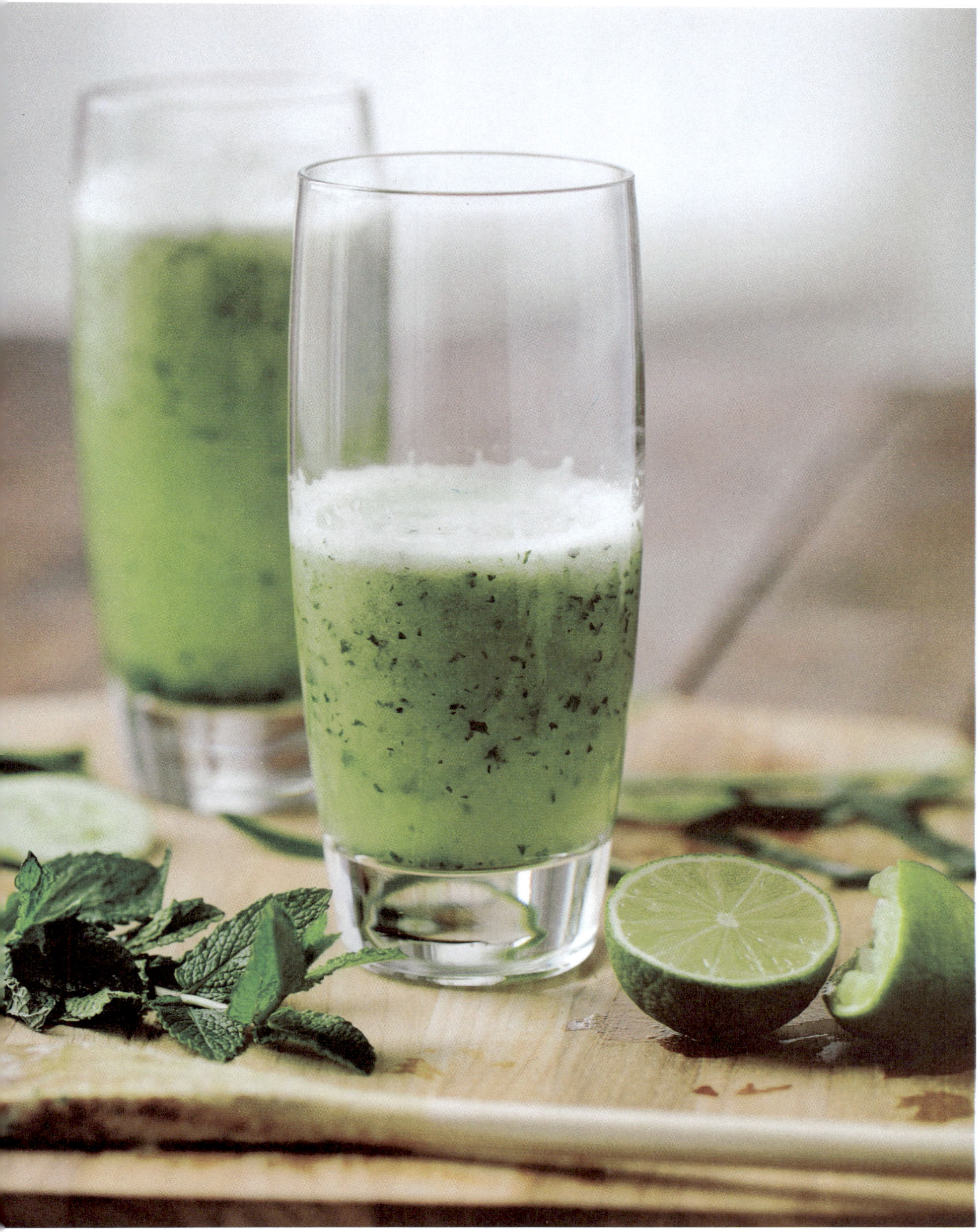

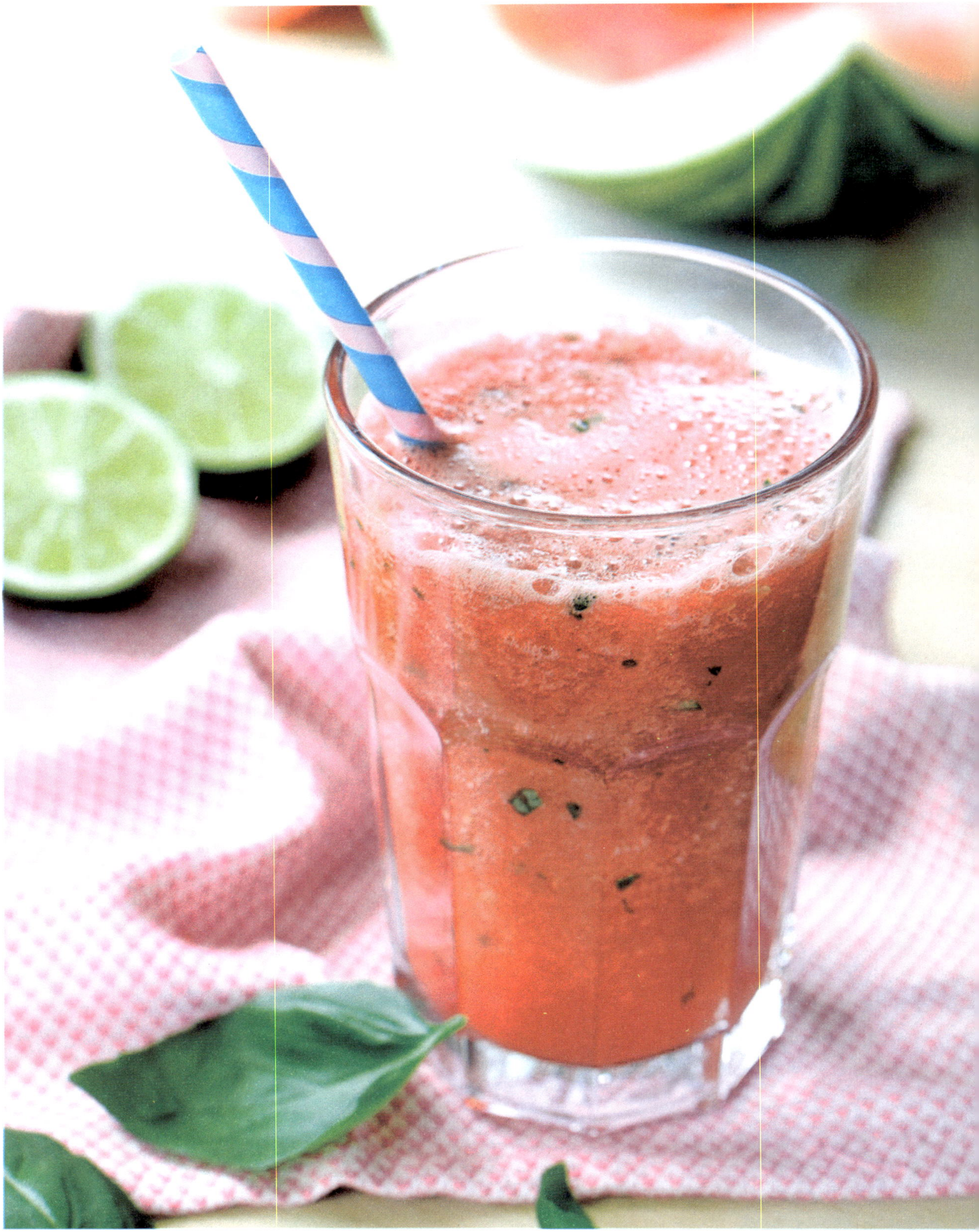

REFRESCO DE MELÃO E MANJERICÃO

rende 4 copos

O melão é delicioso, hidratante e refrescante. No entanto, não é bem digerido junto com outros alimentos, por isso é melhor tomar esse refresco pelo menos 1 hora antes da refeição. Ele é um ótimo estimulante antes do jantar. O manjericão também pode ser substituído por folhas de hortelã.

4 xíc. de melão, melão *honeydew* ou melão *cantaloupe* sem sementes e picado
4 folhas grandes de manjericão
¼ col. chá de gengibre em pó
suco de 1 limão
¼ a ½ xíc. de água
3 a 4 cubos de gelo (opcional)
folhas de manjericão e fatias de limão para enfeitar

Coloque o melão picado, as folhas de manjericão, o gengibre e o suco de limão no liquidificador com ¼ de xícara de água. Bata na velocidade alta até o manjericão virar uma porção de pontinhos verdes. Para obter a textura de um *smoothie*, acrescente os cubos de gelo; se preferir um refresco mais líquido, não use o gelo e acrescente até ¼ xícara a mais de água. Bata de novo até ficar cremoso e espumoso.

Sirva em 4 copos, cada um decorado com 1 folha de manjericão e 1 fatia de limão.

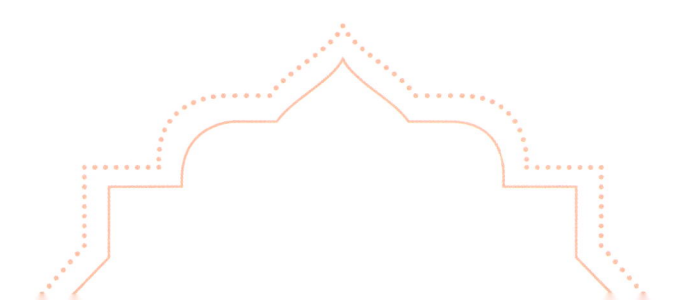

HÚMUS COM ERVAS

rende 1 kg

O húmus comprado em loja contém muito óleo de canola. Mas, se você reservar um tempinho para prepará-lo em casa, seu húmus ficará repleto de alimentos integrais: azeite puro de oliva e *tahine*, temperados com ervas frescas e vitais da sua escolha. Se você não digere bem as gorduras, pode diluir o húmus reduzindo o *tahine* e o azeite pela metade e acrescentando ¼ de xícara da água do cozimento do grão-de-bico. Esta receita rende bastante: é ótima para servir como pastinha, com talos de vegetais, biscoitos de centeio e bolachas de arroz, em reuniões e festinhas com amigos.

- 2 xíc. de grão-de-bico seco
- 8 xíc. de água
- ¼ xíc. de azeite de oliva
- ¼ xíc. de suco de limão-siciliano fresco (de 1 a 2 limões)
- ¼ xíc. de *tahine*
- 2 col. chá de sal marinho (ou a gosto)
- ½ xíc. de ervas frescas picadas (coentro, salsinha, manjericão, alecrim e afins)

Hidrate o grão-de-bico seco durante a noite. Lave e cozinhe os grãos numa panela grande com 8 copos de água, por cerca de 2 horas. Quando a pele começar a sair e você conseguir esmagar o grão com os dedos, eles estarão prontos. Coloque os grãos num processador ou num liquidificador, reservando a água que sobrou do cozimento. Acrescente o azeite, o suco de limão, o *tahine* e o sal. Se necessário, acrescente algumas colheres da água do cozimento para processar o grão-de-bico, em quantidade suficiente para obter uma consistência cremosa. Junte as ervas frescas e bata até misturar bem. (Se você estiver usando um liquidificador pequeno, talvez seja preciso processar o húmus em 2 porções separadas e juntá-las no final.)

Sirva numa tigela grande regada com azeite de oliva ou leve à geladeira em potes de armazenamento por até 5 dias.

NOTA: Você já experimentou húmus quente? É delicioso. Aqueça o húmus numa panela e sirva-o com biscoitos de centeio ou de arroz, com uma Salada Cozida no Vapor, num *wrap* ou com palitinhos de pepino.

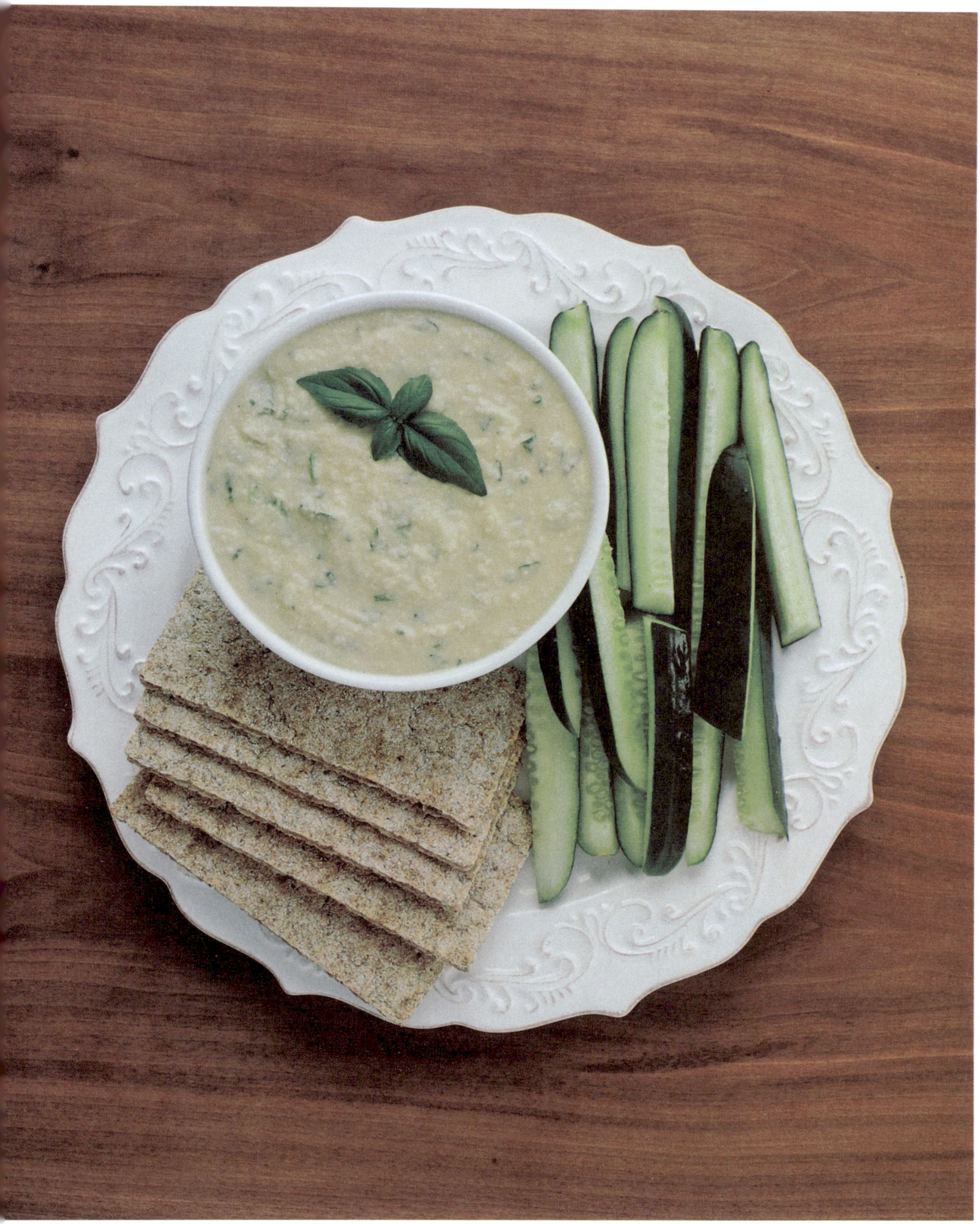

CHUTNEY DE COENTRO E HORTELÃ

rende cerca de 2 xícaras

Este *chutney* acrescenta um sabor refrescante a qualquer refeição. Vai bem com *dals*, *kichari*, verduras e legumes e pratos à base de arroz. Como a receita é simples – apenas coco e ervas –, combina bem com a maioria dos pratos. No verão é sempre bom servir uma boa colherada como acompanhamento.

- ½ xíc. de suco fresco de limão- -siciliano
- ¼ xíc. de água purificada
- 1 ramo de coentro fresco
- 1 ramo de hortelã fresca
- ½ xíc. de coco seco sem açúcar
- ¼ xíc. de gengibre fresco, descascado e picado
- 2 col. chá de mel *in natura* (opcional)
- 1 col. chá de sal marinho
- ½ col. chá de pimenta-do-reino moída na hora

Num processador ou num liquidificador, bata o suco de limão, a água, o coentro e a hortelã, até o coentro ficar triturado. Acrescente o restante dos ingredientes e misture até ficar homogêneo.

Guarde em pote fechado na geladeira por até 1 semana.

NOTA: Você também pode fazer um *chutney* só de hortelã ou só de coentro e apreciar os sabores separadamente.

CEBOLA CRUA PARA O *RAJAS*

A qualidade cinética do nosso universo, *rajas*, está sempre em movimento. Os alimentos que estimulam os sentidos aumentam o *rajas*, a mobilidade da mente e do organismo. Quando eu como cebola crua, sinto o sabor forte na boca pelo resto do dia e às vezes até depois. Ao fazer yoga na manhã seguinte, meu suor cheira à cebola. Ser perseguida pelo cheiro de alguma coisa que comi no dia anterior mostra o efeito profundo do *rajas*. Os alimentos que são frescos, inteiros e energizantes, mas não estimulantes, são chamados sátvicos (de Sattva, a força criativa). O sabor suave desses alimentos aumenta a sensação de quietude, conforto e bem-estar e nutre o corpo sem excitar a mente e os sentidos. O *Chutney* de Coentro e Hortelã é um ótimo exemplo.

MISTURA DE ESPECIARIAS DE VERÃO

Você vai notar que os capítulos das outras estações apresentam receitas salgadas. Aqui eu não incluí nenhuma, pois a umidade do verão pede uma ingestão menor de sal. Desfrute do sabor das ervas frescas em vez do sal (veja uma dica fácil no quadro "Ervas Frescas" abaixo) – você vai reduzir a retenção de líquido e a sensação de inchaço que algumas pessoas sentem no auge do verão. O cardamomo e o açafrão neutralizam a acidez estomacal; assim, incluí-los nas suas refeições vai equilibrar um possível aumento das qualidades quente e cortante.

SUMMER SPICE MIX

1 col. sopa de sementes de coentro
1 col. sopa de sementes de cominho
1 col. sopa de sementes de erva-doce
1 col. sopa de cúrcuma em pó
½ col. chá de cardamomo em pó

Torre as sementes de coentro, cominho e erva-doce numa panela de fundo pesado por alguns minutos até sentir o aroma delas. Deixe as sementes esfriarem por completo. Num moedor de café exclusivo para temperos ou com um pilão, triture-as até obter uma consistência uniforme. Transfira para uma tigela pequena, junte a cúrcuma e o cardamomo e misture bem.

Guarde num recipiente hermético ou polvilhador.

ERVAS FRESCAS

Em vez de uma receita de sais sazonais, eis aqui uma boa maneira de manter ervas frescas na cozinha, de forma a poderem ser acrescentadas rapidamente a qualquer sopa ou pastinha de verão ou de outono.

Cubos de gelo com ervas

Compre um ou dois maços de salsinha, coentro ou manjericão frescos – ou, melhor ainda, faça uma horta em casa! Mergulhe as ervas na água para limpar e retirar a terra, depois agite para tirar o excesso de água e aperte num pano de prato limpo para secar. Puxe as folhas do caule com a mão ou corte com a faca e descarte os caules. (O caule da maioria das ervas é muito amargo para consumo.) Reserve um punhado grande de folhas para ser usado no mesmo dia como enfeite de um prato ou como ingrediente de uma receita de verão. Misture o restante das folhas com água no liquidificador ou no processador de alimentos até virar um creme espesso. Despeje nas forminhas de gelo e ponha para congelar. Assim você terá cubinhos de ervas frescas congeladas que poderá acrescentar num instante a um suco, uma sopa, um molho ou um *chutney*.

CAPÍTULO 7

Receitas de Outono

As folhas estão começando a mudar de cor e o ar está leve, claro e fresco. As ventanias de outono agitam as árvores, indicando a chegada do frio. É um momento importante para preparar o organismo para os meses mais frios, eliminando o calor acumulado no verão e armazenando alimentos nas camadas mais profundas dos tecidos para ter energia durante o inverno. Comer os alimentos amargos e adstringentes que surgem no início do outono, como *cranberries*, abóboras e folhas escuras, ajuda o organismo a expelir o calor que sobrou do verão. À medida que a temperatura diminui e o apetite aumenta, vem o desejo por alimentos doces e úmidos. É o que oferecem estas receitas, com ingredientes construtores como óleo de coco, figos, aveia e sementes de gergelim.

Visão geral da alimentação e do estilo de vida do outono

Os elementos: Ar e éter; fogo (início do outono)
Sensações: Fresco, seco, áspero, ventoso, leve

QUALIDADES A INTRODUZIR
Quente
Que dá segurança emocional/mental
Úmida
Rítmica, rotina

QUALIDADES A REDUZIR
Fria
Móvel (fazer demais)
Seca
Vida desregulada

SINAIS E SINTOMAS DE DESEQUILÍBRIO
Gases, inchaço e prisão de ventre
Secura na pele e no couro cabeludo
Ansiedade

SABORES PARA DESFRUTAR
Doce
Amargo e adstringente (início do outono)
Salgado e azedo (fim do outono)

Guia de alimentos do outono

Prefira alimentos quentes, úmidos, construtores e ligeiramente oleosos.

ALIMENTOS A PRIVILEGIAR
- Vegetais de raiz como batata-doce, cenoura, nabo, pastinaca, beterraba, abóboras de inverno de sua preferência.
- Verduras cozidas como algas, couve-manteiga, couve-crespa e acelga.
- Especiarias caloríficas como canela, gengibre, cominho, erva-doce, sal.
- Leite de vaca, cabra ou de amêndoas morno, temperado com especiarias; iogurte diluído.
- Nozes e sementes cruas ou torradas na hora.
- Óleos prensados a frio, gordurosos, como o de coco ou de gergelim; *ghee*; abacate.
- Grãos úmidos como trigo, arroz integral e aveia, cozidos com um pouco mais de água.
- Frutas doces ou pesadas como banana, manga, maçã; pera e *cranberries* (início do outono).
- Proteína das leguminosas pequenas como lentilha vermelha, feijão-mungo, feijão-azuqui, ervilha seca; *tofu*; ovos; a maioria das carnes, para os não vegetarianos.

ALIMENTOS A REDUZIR
- Alimentos secos como biscoitos e *chips*.
- Café e outras formas de cafeína.
- Bebidas gasosas, incluindo água com gás.
- Feijões de grãos grandes (feijão-branco *cannellini*, feijão roxo, mulatinho), que podem causar flatulência.
- Alimentos crus.

ORIENTAÇÕES PARA O ESTILO DE VIDA DO OUTONO
- Use um óleo morno de cremosidade média como o óleo de amêndoas ou o de girassol para a sua massagem matinal. Prefira o óleo de gergelim se estiver com sensação de frio e secura. Você pode acrescentar óleos essenciais de madeira, de natureza estabilizante como o cedro e a sálvia.
- Consuma bebidas e alimentos quentes. Evite pular refeições e não faça jejum.
- Estabeleça horários regulares para as refeições.
- Tampe os ouvidos ao sair no vento e no frio.
- Use roupas mais quentes quando a temperatura cair.
- Mantenha-se hidratado bebendo água morna.
- Se você sofre de alergias ou teme ficar com gripe, pratique a *neti* e a *nasya* diariamente.
- Procure relaxar e descansar bastante, tire uma soneca se necessário.

LISTA DE COMPRAS DO OUTONO

VERDURAS E LEGUMES
Abóbora-moranga
Abóboras de sua preferência
Acelga
Beterraba
Brócolis
Cenoura
Couve-crespa
Couve-manteiga
Espinafre
Nabo
Pastinaca

FRUTAS
Banana
Cranberry
Figo
Maçã
Pera
Tâmara
Uva-passa

GRÃOS
Arroz integral
Arroz vermelho

Aveia (em flocos ou grossa)
Grãos de trigo

FEIJÕES
Feijão-preto

GORDURAS
Abacate
Coco ralado
Frutos secos (nozes, castanhas e afins)

Leite de cabra
Leite de coco
Leite de vaca
Manteiga vegetal crua
Ovo
Tahine

ESPECIARIAS
Cardamomo
Cravo

EXTRAS
Açúcar de coco
Cacau em pó
Óleo de gergelim para massagem
Óleo para *nasya*
Xarope de bordo (*maple*)

POTE DE FIGO, AVEIA E CARDAMOMO

rende 1 porção

Nos dias em que é inevitável tomar o café da manhã a caminho do trabalho, essa receita pode ser preparada com antecedência, deixando a aveia e as frutas secas absorverem o leite de amêndoas. A natureza firme e estabilizadora das amêndoas e da aveia vai equilibrar as qualidades de mobilidade e irregularidade que podem surgir quando você está em movimento. Lembre-se de tirar o pote da geladeira para que esteja à temperatura ambiente quando for comer. Em dias frios, acrescente um pouco de chá de gengibre da sua garrafa térmica, assim você terá um café da manhã quentinho para quando tiver tempo de sentar-se calmamente e apreciá-lo.

⅓ xíc. de aveia em flocos
3 figos secos, cortados em quatro
1 col. chá de xarope de bordo (*maple*)
⅛ col. chá de cardamomo moído
½ xíc. de leite de amêndoas

TEMPERO DE TORTA DE MAÇÃ

4 col. chá de canela em pó
2 col. chá de noz-moscada em pó
1 col. chá de cardamomo em pó
Misturar todos os ingredientes e guardar num recipiente com tampa.

Misture todos os ingredientes numa jarra de vidro limpa de ½ litro, acrescentando o leite de amêndoas por último. Tampe e agite para misturar bem. Deixe a mistura de molho em temperatura ambiente por algumas horas antes de comer ou guarde o recipiente na geladeira durante a noite e leve-o com você na manhã seguinte para comer de café da manhã ao chegar ao seu destino.

NOTA: Para ter uma opção de fim de outono, acrescente maçã ralada, substitua o xarope de bordo (*maple*) por melaço e substitua o cardamomo por um tempero de torta de maçã.

ALIMENTAÇÃO PARA UM DIA AGITADO

Se vez ou outra você não dispuser nem de 10 minutos para se sentar e tomar seu café da manhã, terá que se alimentar no caminho. Por isso, incluí algumas receitas para você continuar desfrutando da comida caseira mesmo num dia muito agitado. Mas lembre-se: comer durante a correria não é um modo de vida sustentável. Crie boas opções de alimentação sempre que puder e concentre-se em trazer uma fase muito ocupada de volta ao equilíbrio, sabendo que uma boa alimentação mantém você no caminho da saúde e conserva o seu bem-estar.

Um alerta importante: comer num veículo em movimento como carro, trem ou avião não é recomendável em nenhuma época, pois a mobilidade perturba a digestão, e fazer isso com frequência pode resultar em incômodos como acidez estomacal, gases, inchaço ou prisão de ventre. Se for inevitável comer num veículo, preste muita atenção: primeiro faça algumas respirações profundas, desacelere a mente, relaxe o estômago e coma com atenção plena. Coma bem devagar. Nessas situações, consumir alimentos menos complexos e que exigem menos mastigação do que as refeições comuns significa menos inchaço ou arrotos. Veja, por exemplo, o *Smoothie* Condimentado de Leite de Amêndoas (p. 239).

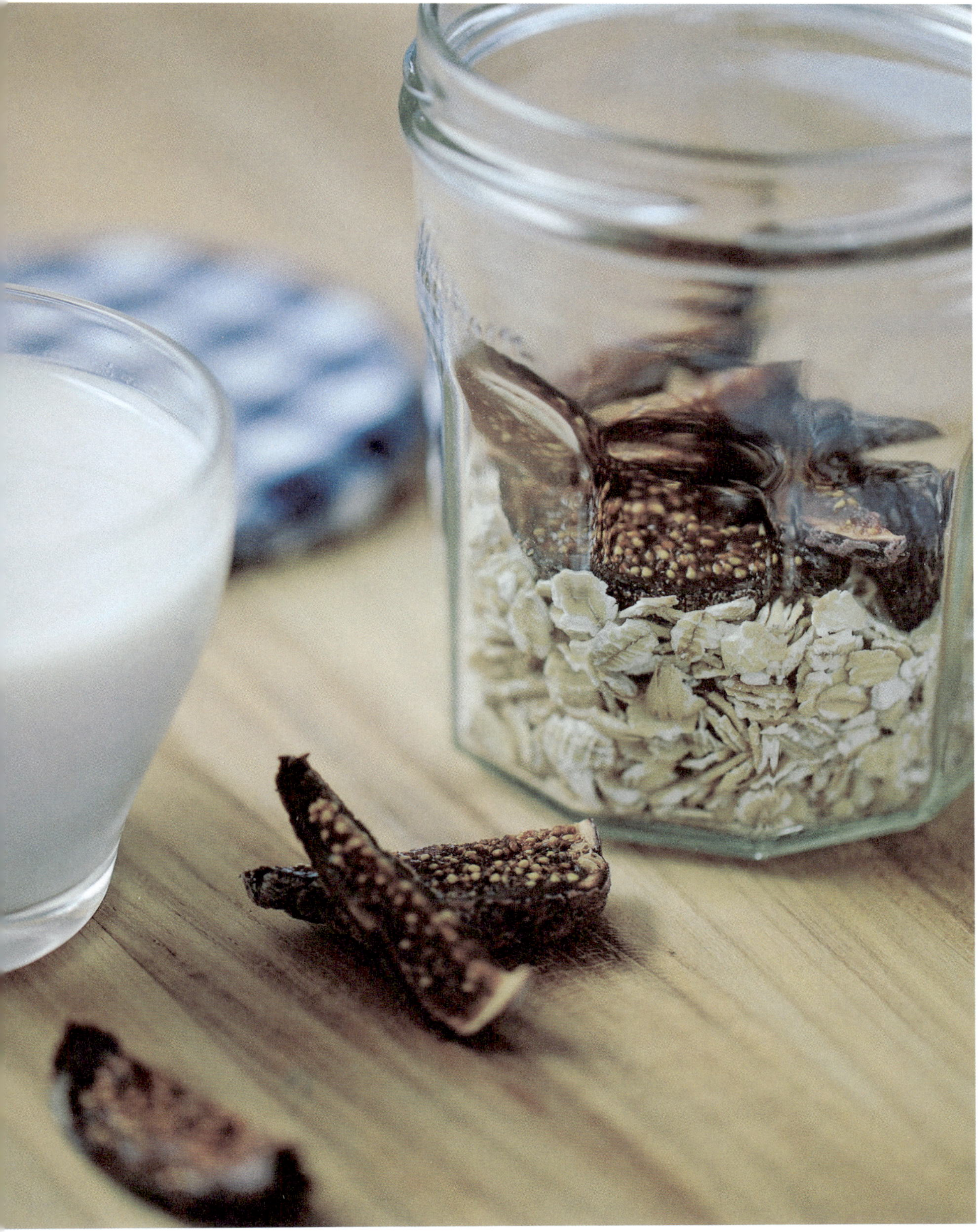

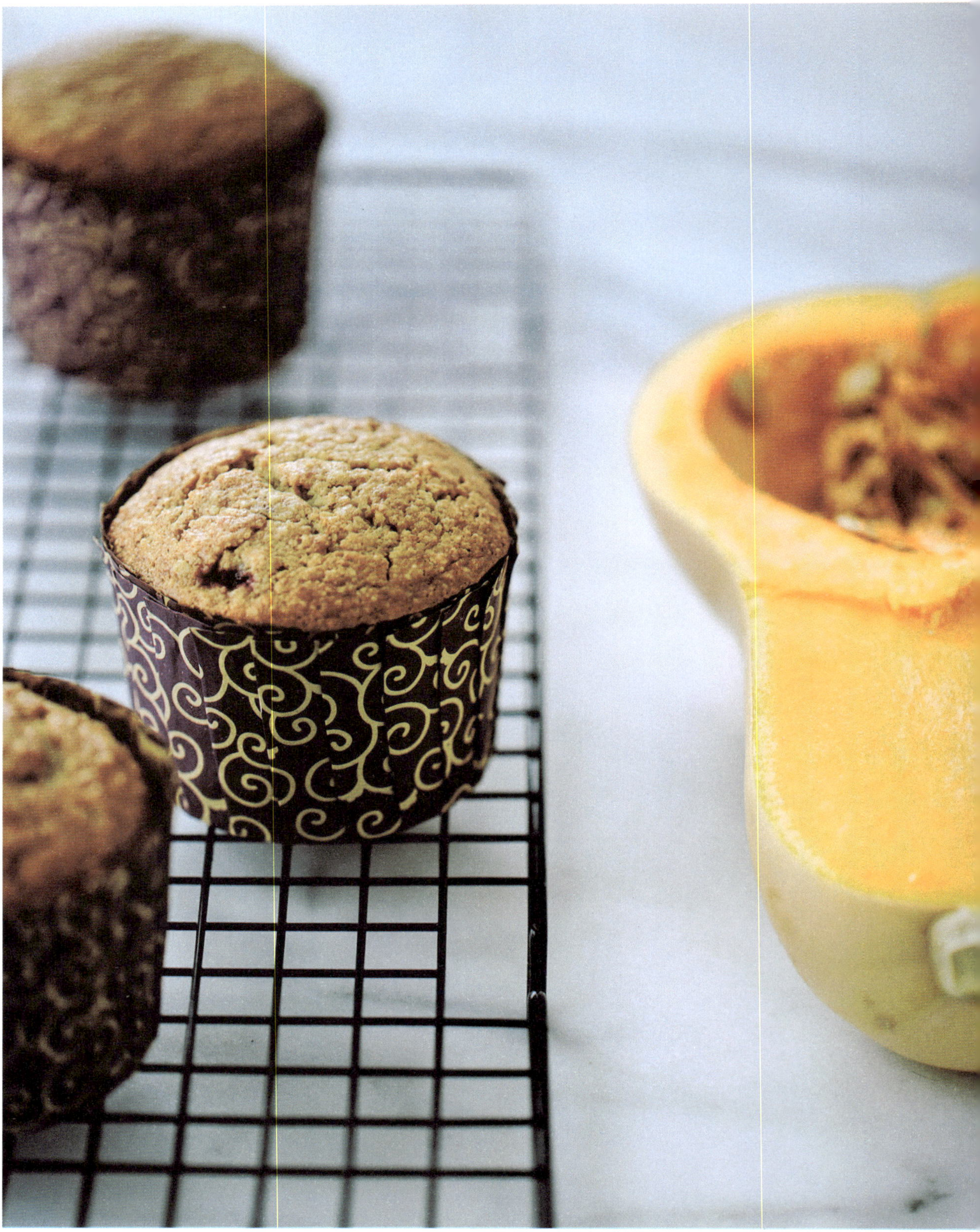

MUFFINS DE ABÓBORA-MANTEIGA E CRANBERRY

rende 6 porções

Os dias de outono, secos, leves e ventosos, vão lhe dar vontade de comer alimentos pesados que proporcionam segurança emocional/mental, como as abóboras de inverno de sua preferência e os frutos secos (nozes, castanhas e afins), e estes *muffins* são extremamente nutritivos. Esta é uma receita sem grãos, com muita proteína, e tem como base a abóbora e a farinha de amêndoas. A adstringência secante, tanto da abóbora como das *cranberries*, é equilibrada pela umidade das gorduras naturais e pelas especiarias, que são adocicadas e quentes, formando um café da manhã completo. (Nota da autora: estes *muffins* foram muito apreciados por Evelyn, a filhinha da fotógrafa Cara, que se lambuzou com eles.)

- 2 ovos (ou substitua por dois "ovos de linhaça" – veja no final desta receita)
- ½ xíc. de abóbora-manteiga cozida
- ¼ xíc. de xarope de bordo (*maple*)
- 2 col. sopa de óleo de coco derretido
- 1 ½ xíc. de farinha de amêndoas
- ¼ col. chá de sal
- ¼ col. chá de bicarbonato de sódio
- ¼ col. chá de fermento em pó
- 1 a 2 col. chá de Mistura de Especiarias Doce
- 1 xíc. de *cranberries* frescas picadas
- 2 col. sopa de coco ralado

Preaqueça o forno a 180 graus. Coloque 6 forminhas na assadeira de *muffins*.

Numa tigela de tamanho médio, bata os ovos com um garfo de 1 a 2 minutos. Acrescente a abóbora e amasse junto com o ovo. Junte o xarope de bordo e o óleo de coco.

Numa tigela pequena, misture a farinha de amêndoas, o sal, o bicarbonato de sódio, o fermento e a Mistura de Especiarias. Depois, junte os ingredientes secos aos molhados e misture. Não mexa demais. Acrescente as *cranberries*.

Divida a massa nas 6 forminhas de *muffin*. Polvilhe com o coco ralado. Asse por 25 minutos ou até a parte de cima começar a dourar. Os *muffins* estarão macios, mas vão ficar firmes à medida que esfriarem. Deixe os *muffins* esfriarem por completo antes de retirá-los das forminhas.

Para fazer 2 "ovos de linhaça": num liquidificador, misture 2 colheres de sopa de sementes de linhaça moída e 6 colheres de sopa de água. Bata em velocidade alta por 2 minutos. Substitui os ovos nesta receita.

COMPOTA DE MAÇÃS COM TÂMARAS

rende 2 porções

Se você não estiver com muito apetite nem com muito tempo, faça esta compota rápida, prática e curativa. A maçã crua pode ser demasiado fria, dura e áspera para se comer ao natural no outono. Cozinhar a maçã equilibra essa frieza, tornando esta receita leve, porém satisfatória, ideal para o início do outono. As maçãs, quando servidas quentes, em calda, com tâmaras doces, retiram o calor do verão que permanece no organismo. São muitos os benefícios refrescantes e purificantes da maçã.

- 2 maçãs descaroçadas e picadas
- 4 tâmaras descaroçadas e cortadas ao meio
- 2 xíc. de água
- 1 col. sopa de xarope de bordo (*maple*)
- 1 col. sopa de gengibre fresco ralado (opcional)
- 1 col. chá de Mistura de Especiarias Doce

Numa frigideira ou numa panela pequena, misture as maçãs picadas e as tâmaras, a água, o xarope de bordo e as especiarias. Leve à fervura em fogo alto, em seguida mude para fogo médio ou baixo e cozinhe por mais 5 minutos. Retire do fogo e bata com uma batedeira manual de imersão por apenas alguns segundos, de modo a manter uma consistência espessa (com pedacinhos), ou bata mais ou menos ⅓ da mistura num liquidificador até ficar cremoso e junte de novo na panela com as frutas em pedacinhos.

Para servir, divida em 2 tigelas.

NOTA: Experimente usar uva-passa, ameixa seca ou damasco no lugar das tâmaras; tal como a maçã, todas essas frutas têm sabor adstringente, refrescante e purificante. A uva-passa e a ameixa seca, em especial, são mais leves do que as tâmaras e indicadas para perda de peso.

LEGUMES ASSADOS TEMPERADOS DE OUTONO COM MOLHO DE *TAHINE* BATIDO

rende 4 porções

Os legumes de raiz são naturalmente adocicados, com qualidades construtoras e rejuvenescedoras. Com *ghee* ou óleo de coco, fazem um excelente tônico para preparar o corpo para o inverno. É só picar, mexer e assar – e você verá saindo do forno uma gloriosa travessa de alimentos. Podemos assar a maioria das verduras e dos legumes e misturar ervas como manjerona e tomilho. Esta receita é minha mistura predileta de raízes que levam o mesmo tempo para assar. Nota: quanto menores os pedaços em que você picar os legumes, mais depressa ficarão prontos. (Eu costumo cortá-los em cubinhos de 1 cm na esperança de poder comê-los em 30 minutos!) Sempre corte os legumes em pedaços de tamanho uniforme, para que assem por igual.

LEGUMES ASSADOS TEMPERADOS DE OUTONO

- 2 beterrabas médias descascadas
- 2 cenouras
- 2 pastinacas
- 2 inhames médios ou ½ abóbora-manteiga, descascados
- 2 col. sopa de *ghee* ou de óleo de coco
- 1 col. sopa de *tamari* (opcional)
- 1 col. sopa de alecrim fresco picado, de sementes de erva-doce ou de Mistura de Especiarias de Outono

Preaqueça o forno a 190 graus. Pique todos os legumes em cubinhos de mais ou menos 1 cm.

Coloque o *ghee* ou o óleo de coco numa travessa pequena e aqueça a gordura no forno de 1 a 2 minutos, tempo suficiente para que ela derreta. Use uma luva ou um pegador de panela para retirar o recipiente do forno.

Numa tigela grande, misture os legumes em cubinhos com o *ghee* ou o óleo derretido, o *tamari*, o alecrim, as sementes de erva-doce ou a Mistura de Especiarias até todos os cubos ficarem uniformemente untados. Espalhe-os numa única camada no fundo de uma assadeira grande, de 22 × 33 cm. Asse por 20 minutos. Retire a assadeira do forno e vire os legumes com uma espátula. Leve ao forno por mais 10 a 20 minutos, até que os legumes estejam macios; alguns vão começar a corar. Retire do forno, transfira para uma travessa e sirva logo em seguida com um pouco de molho de *tahine* batido.

Os assados de legumes também ficam bastante festivos quando servidos com *Chutney* de *Cranberry* e Cravo (p. 245).

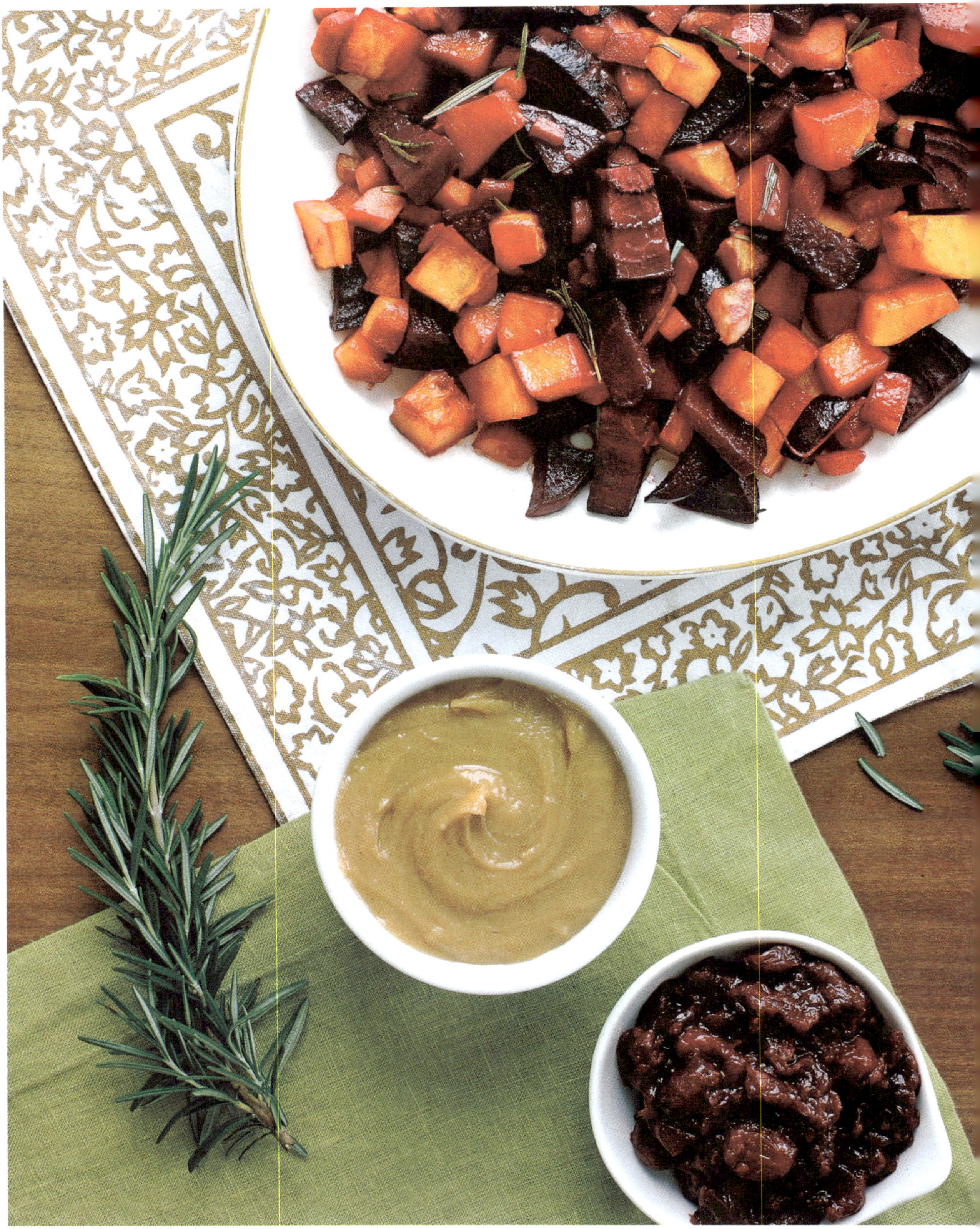

MOLHO DE *TAHINE* BATIDO

O *tahine*, ou manteiga de gergelim, é, para mim, a maneira mais deliciosa de aproveitar os benefícios do gergelim, que é muito nutritivo e hidratante. Essa semente é um tônico construtor de *ojas*, repleta de ferro e proteínas. Se você tem um organismo leve e seco, o Molho de *Tahine* Batido pode ser um alimento básico para todo o ano.

Este molho pode ser feito na hora – é só bater direto na tigela com um garfo e pronto! A receita rende um molho espesso no qual se pode mergulhar os legumes de raiz assados e quentinhos. Sempre que precisar de um molho encorpado e cremoso para as suas receitas de grãos ou outros vegetais, acrescente um pouco mais de água e bata no liquidificador.

½ xíc. de *tahine*
2 col. sopa de azeite de oliva
suco de ½ limão-siciliano
½ col. chá de sal

Coloque o *tahine* numa tigela grande, onde você possa misturar todos os ingredientes. (Em vez de medir o *tahine* num copo graduado, fazendo uma certa "sujeira" na cozinha, você pode calcular "a olho" e colocar o *tahine* com a colher diretamente na tigela. Esse cálculo aproximado não vai arruinar seu produto final.)

Acrescente o azeite, o suco de limão e o sal. Bata vigorosamente com um garfo ou um *fouet*. Em certo momento os óleos vão começar a se separar – continue batendo! A mistura vai ficar cremosa. Acrescente água (2 colheres de sopa de cada vez) se preferir um molho mais líquido para usar no regador de azeites, em vez de servi-lo com concha ou colher.

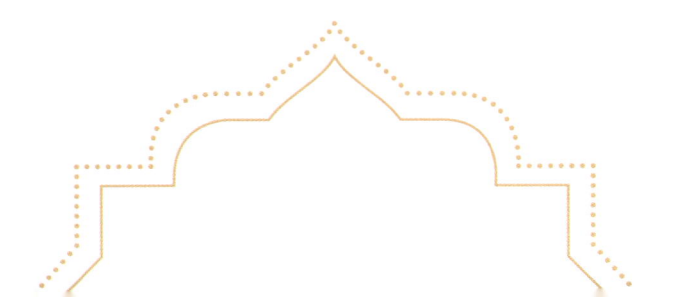

DAL DE ABÓBORA VERMELHA

rende 4 porções

A lentilha vermelha cozinha depressa e é fácil de encontrar. É leve, seca e um pouco quente. As qualidades doce e oleosa do leite de coco equilibram a secura da lentilha e a adstringência da abóbora. Esse *dal*, espesso como um molho, é excelente para servir por cima de um arroz basmati bem leve e fofo. Costumo servi-lo para as minhas visitas, pois é rápido de fazer, delicioso e satisfaz plenamente.

- 4 xíc. de água ou 3 xíc. de água mais ½ litro de leite de coco em vidro
- 1 xíc. de lentilhas vermelhas
- 1 col. chá de Mistura de Especiarias de Outono
- 1 col. chá de açúcar de cana evaporado (também conhecido como Sucanat) ou xarope de bordo (*maple*) (opcional)
- 1 abóbora japonesa pequena (mais ou menos 2 xíc., picada)
- ½ col. chá de sal

REFOGADO

- 1 col. sopa de óleo de coco
- 1 col. chá de gengibre ralado
- ½ col. chá de sementes de cominho
- ½ col. chá de sementes de mostarda
- 2 col. sopa de coco ralado

Em fogo alto, ferva a água e o leite de coco (se estiver usando) numa panela grande. Lave as lentilhas vermelhas até a água sair clara. Acrescente as lentilhas à água fervente, a Mistura de Especiarias e o adoçante. Deixe ferver de novo, sem a tampa. Em seguida, mude para fogo de baixo a médio.

Corte a abóbora, descasque-a e pique-a em cubinhos de 2,5 cm. Acrescente à panela. Coloque em fogo baixo e cozinhe, com a tampa semiaberta, por 30 minutos. Não mexa. Aqueça o azeite numa frigideira pequena em fogo médio e refogue o gengibre, as sementes de cominho e as sementes de mostarda até soltarem o aroma, por apenas 2 a 3 minutos. Retire a frigideira do fogo e acrescente o coco ralado com a frigideira ainda quente. Mexa por mais 1 minuto ou 2 até o coco dourar.

Acrescente esse refogado às lentilhas e à abóbora, juntamente com o sal. Cozinhe o *dal*, com a panela destampada, por mais 5 minutos.

Pode ser servido como sopa ou com concha sobre o arroz.

NOTA: A casca da abóbora japonesa, ao contrário da abóbora-manteiga e de outros tipos de abóbora, fica bem macia quando cozida e dá uma cor verde ao prato. Eu prefiro comer com casca, mas você pode descascar a abóbora, se quiser, antes de picá-la. A receita dá certo das duas formas.

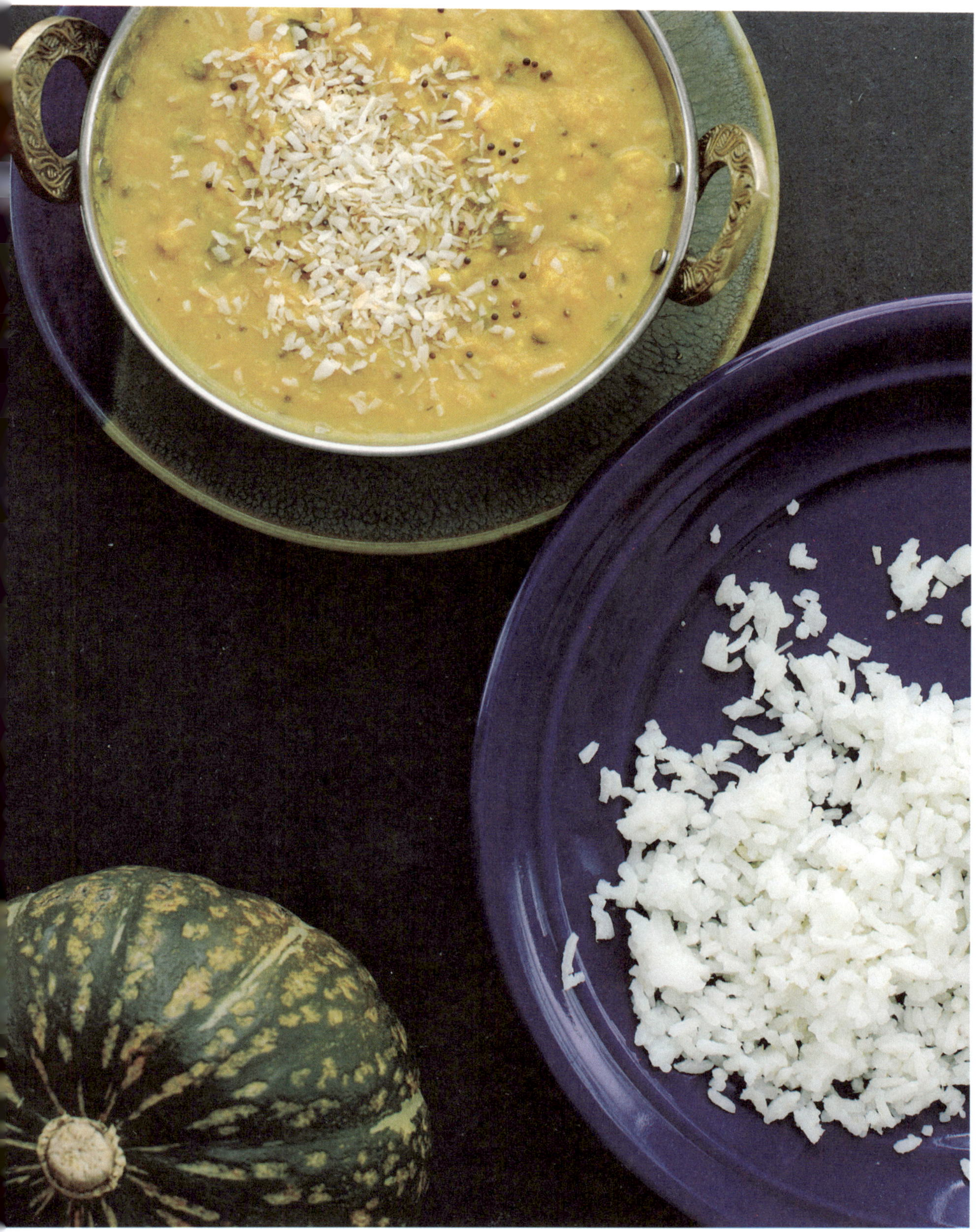

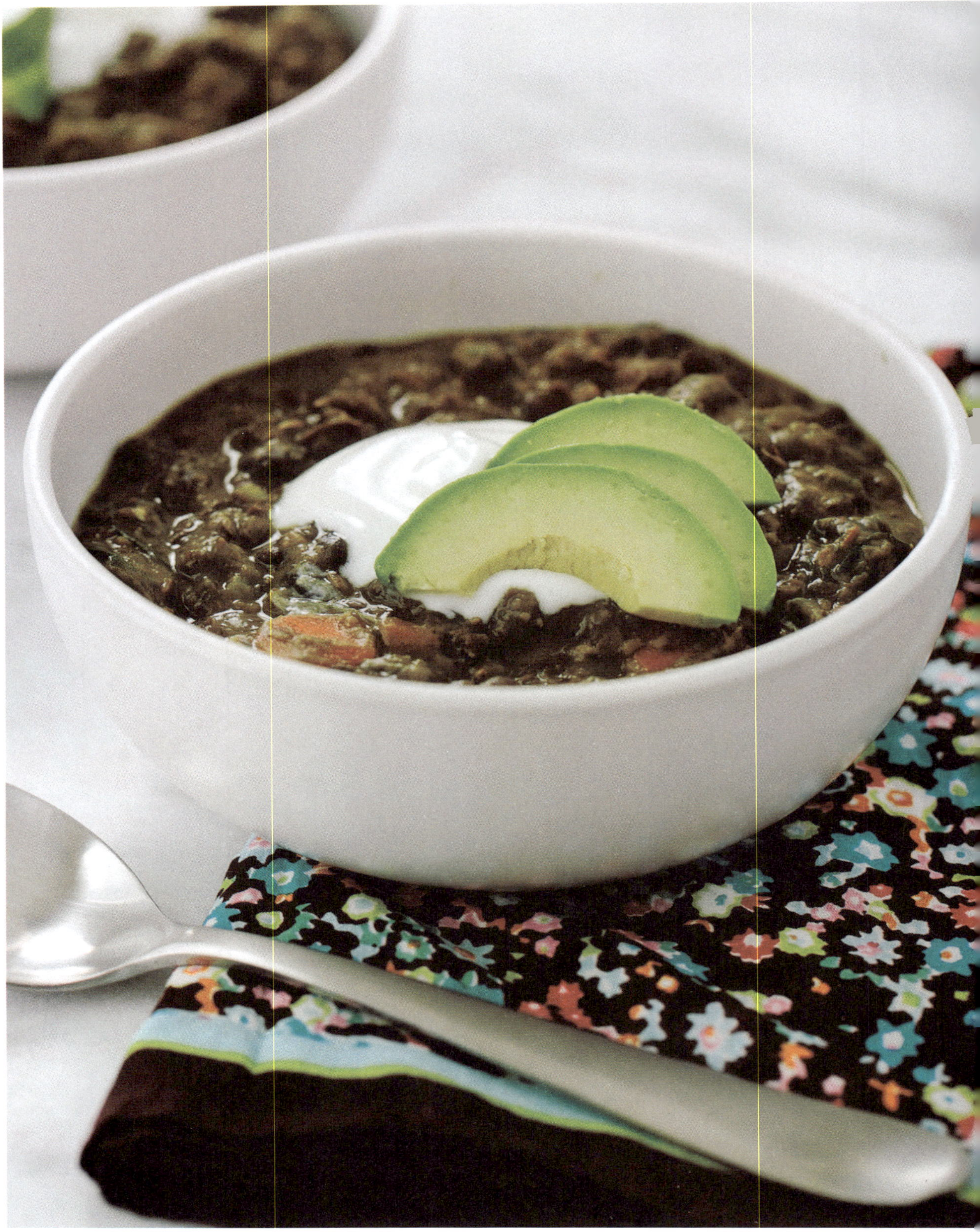

SOPA SIMPLES DE FEIJÃO-PRETO

rende 4 porções

O Ayurveda considera que o feijão nutre tanto as camadas superficiais dos tecidos como as mais profundas, sobretudo o tecido muscular, o que faz dele um poderoso complemento para a alimentação vegetariana. O cominho e o coentro avivam o fogo digestivo, e na culinária ayurvédica o feijão é sempre preparado com temperos digestivos. Sirva esta sopa consistente sobre um prato de grãos cozidos, com uma tortilha de grãos germinados ou com *Dosa*, ou talvez você se satisfaça tomando a sopa sem acompanhamentos.

---

3 xíc. de feijão-preto cozido
1 ½ xíc. de água do cozimento do feijão ou caldo de legumes
2 cenouras grandes picadas
2 folhas grandes de acelga picadas
1 col. chá de cúrcuma em pó
1 col. sopa de *ghee*
1 ½ col. chá de sementes de cominho
1 col. chá de coentro em pó
½ col. chá de sal

ACOMPANHAMENTOS OPCIONAIS
(escolha um):
fatias de abacate
coentro fresco picado
tomate fresco (com moderação) picado
1 porção de iogurte

Numa panela grande, coloque o feijão, a água ou o caldo, as verduras, os legumes e a cúrcuma em pó e deixe ferver, em fogo alto. Depois, tampe e cozinhe em fogo baixo por 15 a 20 minutos até os legumes ficarem macios.

Enquanto o feijão e os legumes estiverem cozinhando, aqueça o *ghee* numa frigideira pequena em fogo médio. Junte as sementes de cominho e refogue, de 2 a 3 minutos, até você sentir o aroma das ervas, e retire do fogo logo em seguida. Acrescente o *ghee* temperado e o coentro em pó à panela com o feijão e continue a cozinhar em fogo brando por mais 5 minutos. Retire do fogo e acrescente sal.

Use uma batedeira manual de imersão para processar a sopa até a consistência desejada. Se você bater apenas a metade dos grãos, verduras e legumes, sua sopa ficará cremosa e com uma textura encorpada.

Sirva numa tigela com fatias de abacate, tomates picados ou uma porção de iogurte de leite integral fresco e polvilhe com coentro picado.

NOTA: Se você costuma ter problema de gases quando come feijão, procure cozinhá-lo por mais tempo, até os grãos começarem a se desmanchar. Nesta sopa os grãos são batidos no liquidificador, por isso as cascas são mais fáceis de digerir do que se estivessem inteiras.

DAL SAAG RÁPIDA

rende 4 porções

Muito purificadora, muito fácil, muito nutritiva. A Mistura de Especiarias traz uma dose dos sabores doce e salgado, que dão segurança emocional/mental para os dois ingredientes amargos e adstringentes desta receita. Viajando pela Índia, muitas vezes o *dal* de espinafre é o único alimento verde disponível durante meses; assim, esse prato se tornou um dos meus prediletos. Simplifiquei a receita para que você também possa fazer desse *dal* um prato básico, sem necessidade de comprar uma longa lista de ingredientes nem usar uma superdose de alho e cebola.

1 xíc. de feijão-mungo amarelo partido
4 xíc. de água ou caldo
1 col. sopa de Mistura de Especiarias de Outono
1 col. chá de cúrcuma em pó
80 g de espinafre *baby* picado
½ col. chá de sal
4 col. chá de *ghee* derretido como guarnição

Deixe o feijão de molho por pelo menos 3 horas ou durante a noite. Lave os grãos até a água sair clara.

Numa panela média, ferva a água ou o caldo em fogo alto. Acrescente o feijão, a Mistura de Especiarias e a cúrcuma à panela e deixe ferver novamente, com a panela destampada. Reduza para fogo médio e cozinhe sem mexer, com a tampa semiaberta, por 20 minutos (ou pelo menos 30 minutos se você não hidratou o feijão antes). Acrescente o espinafre picado e espere ele murchar. Acrescente o sal.

Sirva em 4 tigelas, sobre arroz basmati branco ou integral ou com *Dosa* (p. 107). Guarneça cada porção com 1 colher de chá de manteiga *ghee* derretida.

NOTA: Se quiser caprichar mais, refogue uma colher de chá de sementes de mostarda e de cominho em 2 colheres de chá de *ghee* até as especiarias soltarem seus aromas. Acrescente esse refogado ao *dal* no fim do cozimento. Quanto ao espinafre, o *baby* orgânico é muito fácil de cozinhar e também de comprar, então não há porque usar espinafre congelado. A vitalidade dos alimentos frescos é um fato!... Se precisar, mesmo, usar espinafre congelado, a receita vai exigir apenas 3 xícaras de água. Mas cuidado com o "patrulhamento" dos adeptos do Ayurveda!

BOMBA DE BATATA-DOCE

rende 2 porções

Esta receita não é para quem tem pouco apetite. A batata-doce não tem a qualidade seca da abóbora; é um alimento puramente adocicado, quente e construtor – uma boa opção quando está na época. Mas cuidado: coma com moderação se estiver tentando perder peso. Faça um jantar rápido colocando as batatas-doces no forno logo que você chegar em casa do trabalho. Enquanto elas assam, aproveite para relaxar das tensões do dia.

- 2 batatas-doces de tamanho médio
- 2 col. chá de *ghee*, óleo de coco, xarope de bordo e/ou manteiga de amêndoa
- Mistura de Especiarias Doce ou canela a gosto

Preaqueça o forno a 180 graus. Faça alguns furos em cada batata-doce com um garfo. Coloque numa assadeira e asse até as batatas-doces ficarem completamente cozidas, por cerca de 30 minutos ou mais, dependendo do tamanho das batatas. Fure a casca com um garfo para ver se ela está macia por dentro e, quando estiver, retire do forno e corte um X no topo de cada uma. Descasque as batatas-doces e aperte as laterais para criar uma cavidade.

Para servir, preencha cada batata-doce com 1 colher de chá de *ghee*, 1 de óleo de coco, xarope de bordo e/ou manteiga de amêndoa. Polvilhe com a Mistura de Especiarias Doce ou canela a gosto. O Molho de *Tahine* Batido (p. 221) também é ótimo para servir por cima dessa deliciosa "bomba". Coma com garfo e faca.

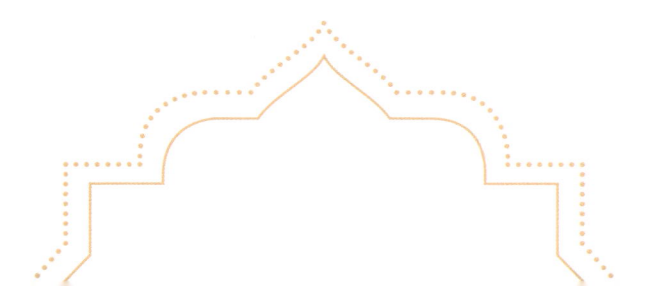

SALADA DE BETERRABA CRUA COM LIMÃO E HORTELÃ

rende 4 porções

O poder da beterraba é muito forte, especialmente no outono. A beterraba é amarga, adstringente e doce. Ela limpa o sangue e os dutos biliares do calor do verão acumulado e acelera os canais de eliminação que expelem esse excesso do corpo. Comer esta salada algumas vezes por semana garante a sua saúde. Ou, se quiser obter os benefícios purificadores da beterraba sem muitos preparativos, basta espremer suco de limão fresco sobre a beterraba ralada e servir como acompanhamento.

1 beterraba grande ou 2 pequenas, descascadas e raladas
suco de ¼ de limão-siciliano
1 raminho de hortelã (opcional)
1 col. sopa de sementes de girassol
sal a gosto

Misture a beterraba ralada e o suco de limão numa tigela pequena. Se estiver usando hortelã, pique as folhas em pedaços pequenos com as mãos ou corte com uma tesoura de cozinha e acrescente à mistura de beterraba.

Numa frigideira pequena, torre as sementes de girassol em fogo baixo por 5 minutos até corarem um pouco, agitando levemente a frigideira ou mexendo conforme necessário para evitar que as sementes queimem.

Acrescente o sal e as sementes de girassol à beterraba e mexa.

Sirva uma porção de ½ xícara ao lado de tacos de *tofu* ou dentro de um *wrap* de couve-manteiga. Também é um ótimo acompanhamento para a Sopa Verde de Limpeza ou o *Kichari*.

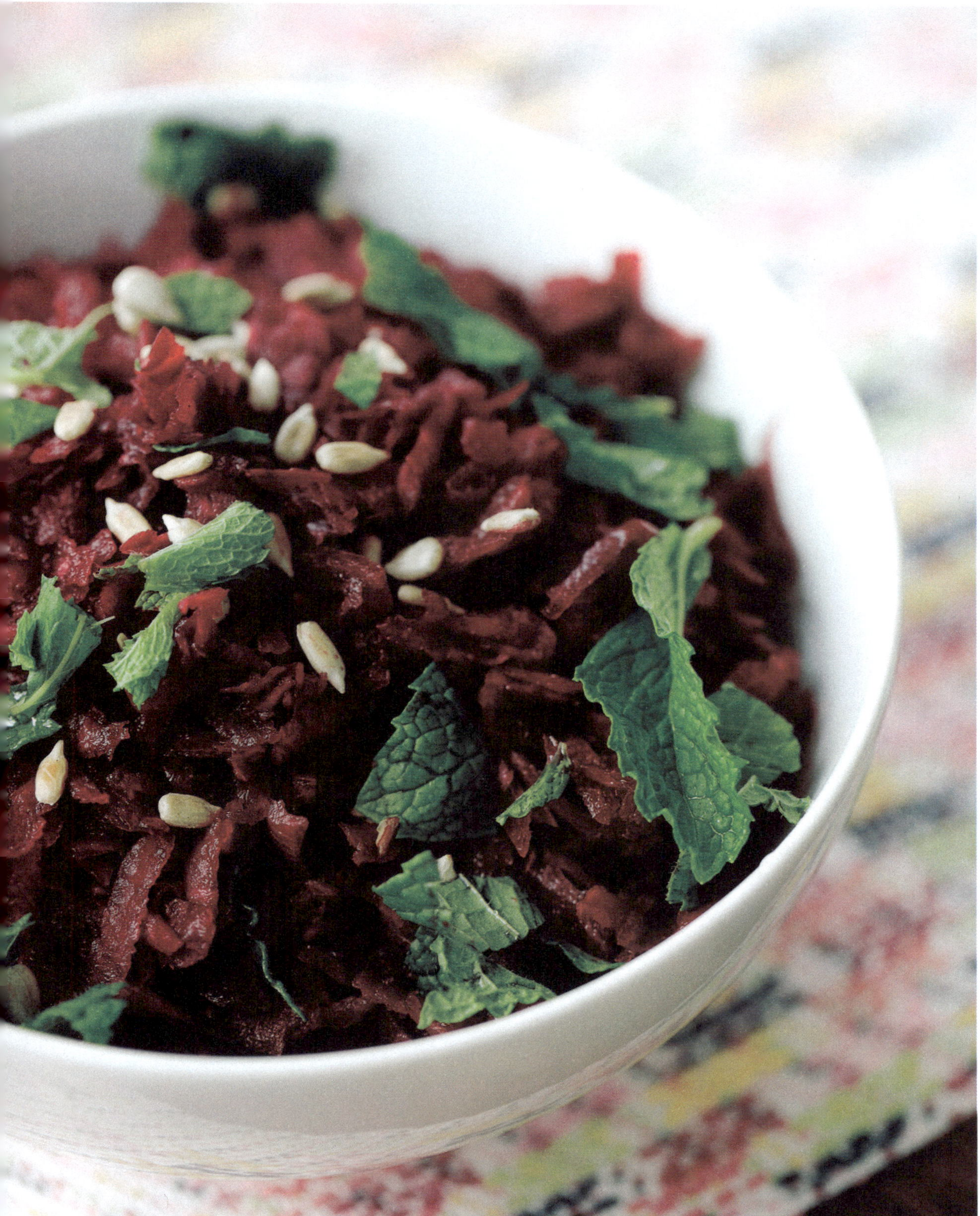

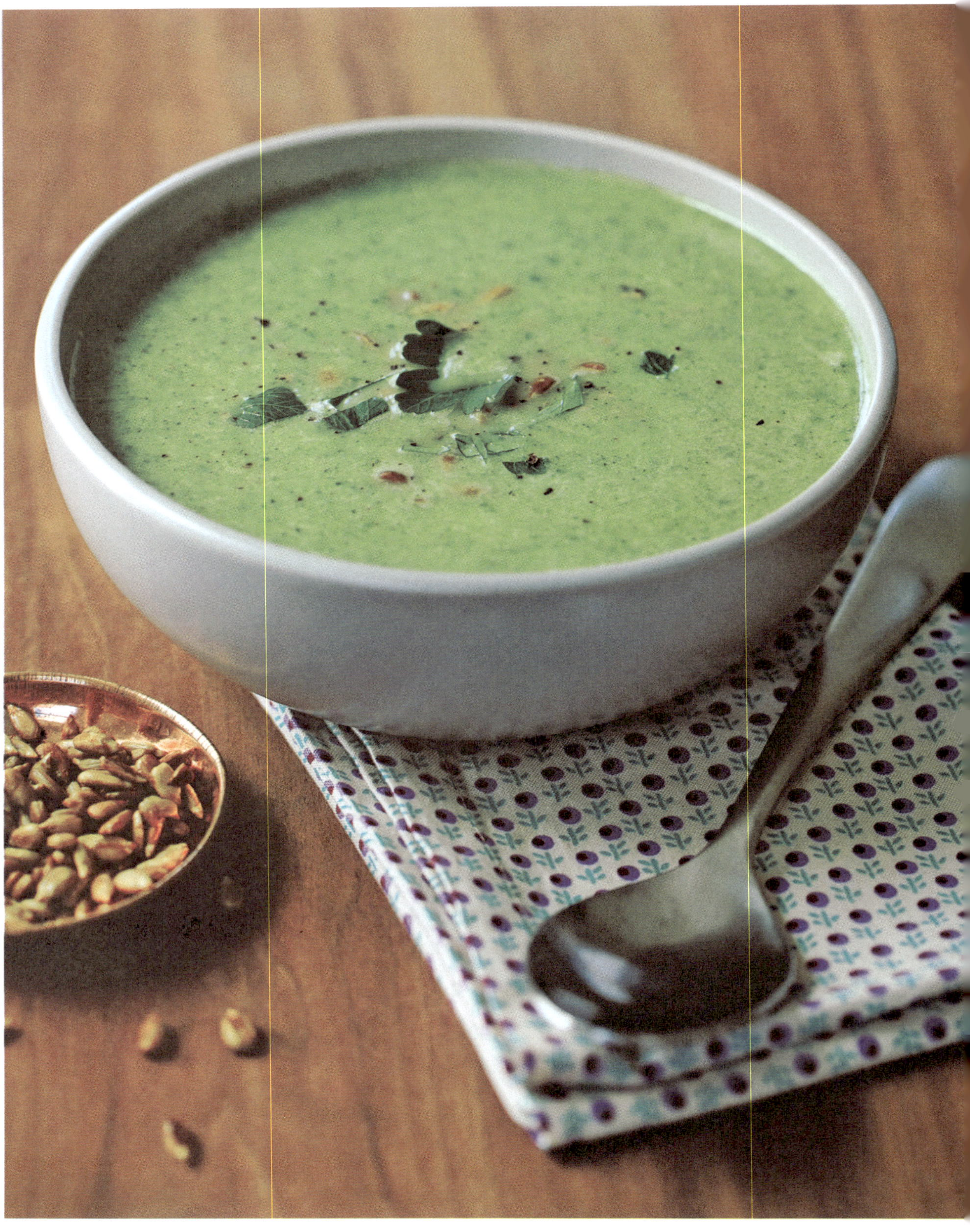

SOPA SURPRESA DE BRÓCOLIS CREMOSO

rende 2 porções

Surpresa! O brócolis, levemente amargo, e o leite de cabra, doce e cremoso, compõem juntos uma sopa incrível! Acredite: num dia frio, é deliciosa. Enquanto nós desenvolvíamos a receita da Sopa Cremosa Surpresa, acabamos descobrindo essa combinação inspiradora. O leite de cabra é suave para o intestino porque aquece o organismo e é mais leve que o leite de vaca graças ao seu pungente *vipak*, ou efeito pós-digestivo. Isso significa que o organismo conseguirá decompor e assimilar bem a gordura e, assim, o leite vai nutrir seus tecidos profundos.

- 2 xíc. de floretes e talos de brócolis picados
- 2 xíc. de caldo de legumes
- ½ xíc. de leite de cabra
- ½ xíc. de salsinha fresca picada (opcional)
- ½ col. chá de sal
- pimenta a gosto

Numa panela média, ferva o brócolis no caldo de legumes até os talos ficarem macios, por cerca de 10 minutos. Note que quanto menores os pedaços em que você cortar os talos, mais rápido eles irão cozinhar e mais facilmente o seu organismo irá digeri-los. Retire do fogo e acrescente o leite, o sal e a salsinha picada. Com uma batedeira manual de imersão, mexa até ficar homogêneo. Divida em 2 tigelas e polvilhe com pimenta fresca moída.

POR QUE LEITE DE CABRA?

O Ayurveda leva em conta os efeitos pós-digestivos de todos os alimentos, ou seja, a ação que cada um deles exerce sobre o organismo, chamada *vipak*. Por exemplo, o gengibre picado tem um sabor pungente na língua, mas seu efeito posterior no organismo tem as qualidades do sabor doce – é construtor e refrescante, em oposição às qualidades pungentes de calor e leveza.

Tanto o leite de vaca como o de cabra são pesados e oleosos; ambos têm um sabor adocicado na língua, mas exercem efeitos pós-digestivos diferentes no organismo. Ao contrário do leite de vaca, que tem uma *vipak* doce para incentivar as qualidades construtoras e estabilizantes, o leite de cabra tem uma *vipak* pungente, que estimula a leveza e o calor. A *vipak* pungente torna o leite de cabra mais leve de ser digerido do que o de vaca. As mudanças de estação, ou seja, primavera e outono, podem ser um momento difícil para a digestão de alimentos pesados, e o leite de cabra oferece algumas gorduras e proteínas numa forma mais fácil de digerir.

SOPA DE ABÓBORA COM SEMENTES UMÊ

rende 4 porções

O Ayurveda usa combinações harmoniosas de alimentos para promover a harmonia do corpo e da mente. O coco compõe um sabor perfeito com essa abóbora adocicada; além disso, os dois têm qualidades complementares: a abóbora seca se reúne ao coco oleoso e a abóbora refrescante se reúne às especiarias quentes, criando um prato equilibrado. Quando a abóbora, com sua casca de um alaranjado vivo, começa a aparecer na feira no início do outono, eu não deixo de fazer essa sopa na mesma semana.

SOPA DE ABÓBORA-MENINA COM COCO

1 abóbora-menina ou abóbora japonesa de tamanho médio
350 ml de leite de coco em vidro (1 ½ xíc.)
2 xíc. de água
1 col. chá de canela
¼ col. chá de noz-moscada
½ col. chá de sal

Preaqueça o forno a 180 graus. Corte a abóbora pela metade, retire as sementes e coloque cada metade voltada para baixo num refratário de vidro de 22 x 33 cm com 15 ml de água. Asse a abóbora por 30 minutos até que ela fique completamente macia e você consiga furá-la com um garfo. Retire do forno e coloque as duas metades sobre um prato para esfriar um pouco.

Aqueça o leite de coco e a água numa panela grande, em fogo médio. Retire a polpa da abóbora com uma colher grande e acrescente à panela junto com a canela, a noz-moscada e o sal. Deixe ferver, abaixe o fogo e cozinhe por mais 5 minutos. Retire do fogo e, usando uma batedeira manual de imersão, processe a mistura até ficar macia e cremosa.

Sirva em 4 tigelas grandes, polvilhadas com Sementes de Abóbora Umê.

SEMENTES DE ABÓBORA UMÊ

O vinagre de ameixa umê, um condimento japonês, é singular porque tem as propriedades dos três sabores construtores: azedo, doce e salgado. É um ótimo condimento estimulante para o clima frio.

½ xíc. de sementes de abóbora cruas
½ col. chá de vinagre de ameixa umê

Espalhe as sementes de abóbora-moranga numa panela de fundo grosso e torre durante 5 minutos em fogo de baixo a médio. Misture as sementes ou agite a panela a cada minuto. Quando as sementes começarem a estourar, mexa bem e deixe torrar por mais 1 minuto; em seguida retire do fogo. Coloque as sementes num prato grande para esfriar por alguns minutos. Regue com um pouco de vinagre de ameixa umê e misture bem.

Sirva como guarnição para uma sopa ou coma puro na hora do lanche.

MAÇÃ CROCANTE DA KATE

rende de 4 a 6 porções

Esta receita apresenta duas coisas deliciosas do outono: maçãs e guloseimas assadas no forno. Meus amigos costumam aparecer em casa com uma cestinha de maçãs e um sorriso esperançoso. Eu os recebo e preaqueço o forno. Assar maçãs junto com amigos é uma atividade ótima enquanto a gente bate papo e fica a par das novidades. Uma pessoa pode preparar as maçãs enquanto outra prepara a cobertura crocante.

Sem açúcar nem farinha, esta receita leva apenas alguns ingredientes inteiros de fácil digestão. Os efeitos refrescantes da maçã e do coco e a adstringência das *cranberries* formam um petisco delicioso, excelente para esfriar o sistema no início do outono. A maçã Jonagold é a minha favorita para esta receita.

- 4 maçãs de tamanho médio, picadas (umas 5 xíc.)
- suco de ½ limão-siciliano pequeno
- 1 col. chá de Mistura de Especiarias Doce
- 2 col. sopa de uvas-passas
- 2 col. sopa de *cranberries* desidratadas
- ¾ xíc. de aveia
- ¾ xíc. de farinha de amêndoas
- 3 col. sopa de óleo de coco derretido
- 3 col. sopa de xarope de bordo (*maple*)
- ¼ col. chá de sal
- ¼ xíc. de coco ralado ou nozes picadas (opcional)

Preaqueça o forno a 190 graus.

Numa tigela grande, misture as maçãs, o suco de limão, a Mistura de Especiarias e as frutas secas.

Prepare a cobertura em outro recipiente, usando um garfo para misturar a aveia, a farinha de amêndoas, o óleo de coco, o xarope de bordo, o sal e o coco ralado ou as nozes (se estiver usando).

Transfira a mistura da primeira tigela para um refratário de vidro de 20 x 20 cm. Com a cobertura, faça uma camada sobre as maçãs e aperte suavemente com a mão. Cubra o refratário com papel alumínio e asse por 40 minutos ou até as maçãs ficarem macias e borbulhantes. Retire o refratário do forno, remova o papel alumínio e, em seguida, volte a assar, sem cobrir, por mais 10 minutos ou até a cobertura ficar crocante.

Tire as maçãs quentes com uma colher grande e coloque em tigelas de sobremesa.

NOTA: Cada cozinheiro tem sua própria receita de maçã crocante. Algumas receitas têm tanta cobertura quanto maçã; outras misturam as maçãs com peras, frutas vermelhas ou frutos secos (como nozes, castanhas e afins) picados. Pessoalmente, prefiro óleo de coco em vez de manteiga, e o meu ingrediente secreto é a farinha de amêndoas. Essas gorduras e proteínas fáceis de digerir transformam essa sobremesa tradicional numa refeição completa.

Gosto de caprichar mais ainda servindo com uma porção de iogurte ao lado.

MAÇÃ ASSADA

rende 4 porções

Assar maçãs faz a casa ficar com aquele cheirinho delicioso de Natal. Vale a pena fazer esta receita, pois assar as maçãs as torna purificadoras e muito fáceis de digerir. O calor baixo e regular do forno aumenta as qualidades estabilizadoras da maçã, que ao natural é leve e seca. Como elas demoram um pouco para assar, aconselhamos fazer uma boa quantidade e guardar algumas para outra refeição no dia seguinte. Levar uma maçã assada para o trabalho vai lhe trazer aquela sensação caseira tão gostosa.

- ¼ xíc. de *cranberries* desidratadas
- ½ xíc. de uvas-passas
- 4 figos secos bem picadinhos
- 2 damascos secos ou tâmaras descaroçados, bem picadinhos
- 3 col. chá de Mistura de Especiarias Doce
- 1 xíc. de suco de maçã, cidra ou água
- 4 maçãs grandes
- 16 cravos
- 4 col. chá de mel como guarnição (opcional)

Preaqueça o forno a 180 graus.

Misture as frutas secas, a Mistura de Especiarias e o líquido numa tigela pequena e deixe-as hidratar enquanto você retira as sementes das maçãs (consulte o quadro abaixo "Como Descaroçar a Maçã"). Fure cada maçã com quatro cravos (para decorar e dar sabor). Coloque as maçãs lado a lado numa assadeira de 20 x 20 cm. Recheie as maçãs com uma colher e espalhe um pouco do recheio sobre elas. Despeje o restante do suco em cima de cada maçã e na assadeira.

Leve ao forno por 25 minutos ou até as maçãs ficarem bem macias. Para dar mais sabor, depois de meio tempo de cozimento, você pode jogar um pouco do líquido do fundo da assadeira em cima das maçãs com uma colher. Retire do forno e deixe descansar por 5 minutos.

Para servir, pingue 1 colher de chá de mel por cima de cada maçã, se quiser. Coma com garfo e faca.

NOTA: Se você tem tendência a ficar com gases quando mistura frutas com outros alimentos, resista à tentação de comer frutas de sobremesa. Procure comê-las na refeição matinal, de estômago vazio ou como um jantarzinho leve.

COMO DESCAROÇAR A MAÇÃ

Se você não tiver um descaroçador de maçãs, use uma faquinha de descascar. Penetre a faquinha na maçã bem na vertical, em paralelo ao caule, mas sem furar a casca na parte inferior. Faça isso mais três vezes, criando um quadrado grande em volta do caule e das sementes. Enfie a ponta da faca até a parte inferior desse quadrado e puxe o miolo inteiro para fora pelo caule. Confira se todas as sementes foram removidas.

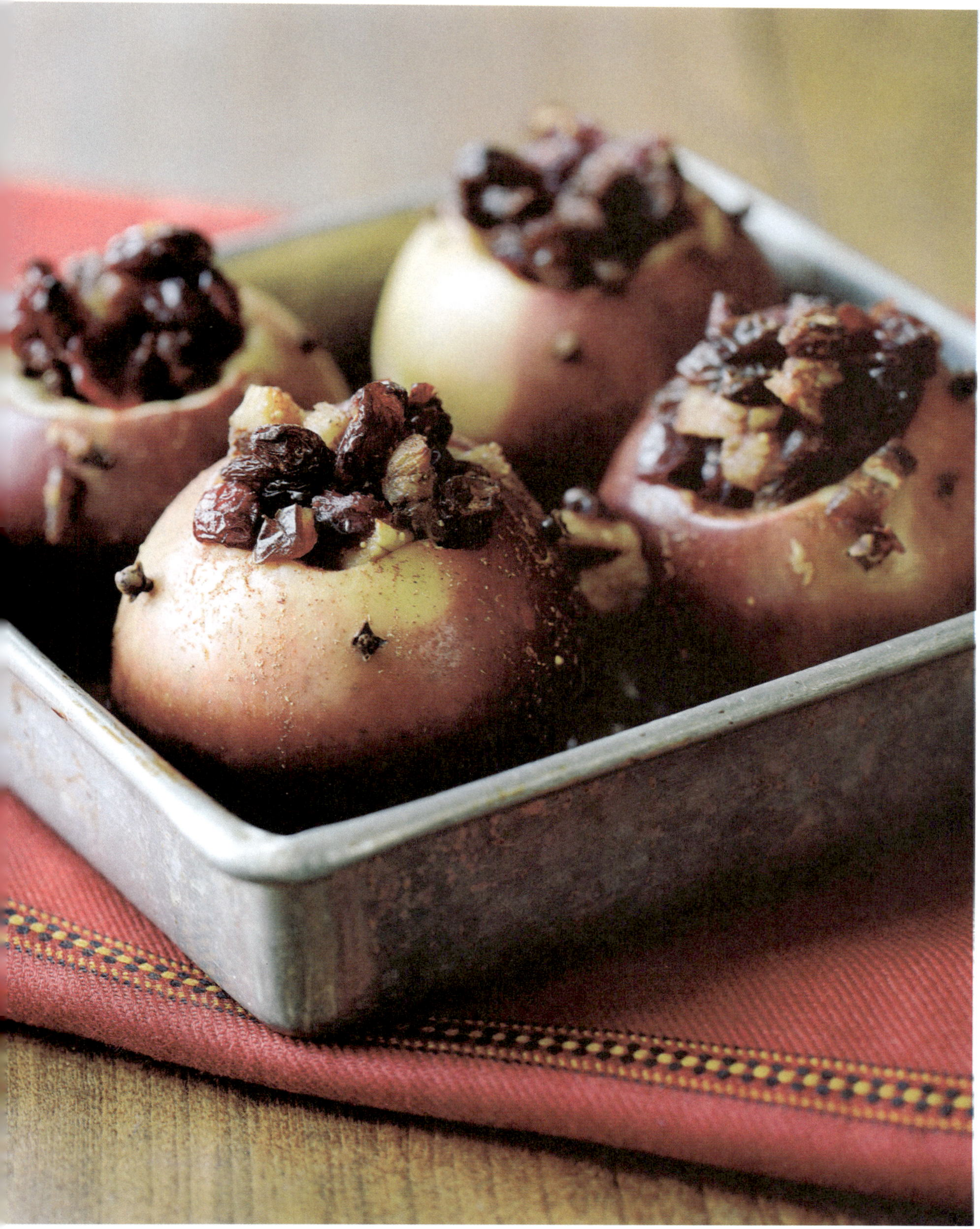

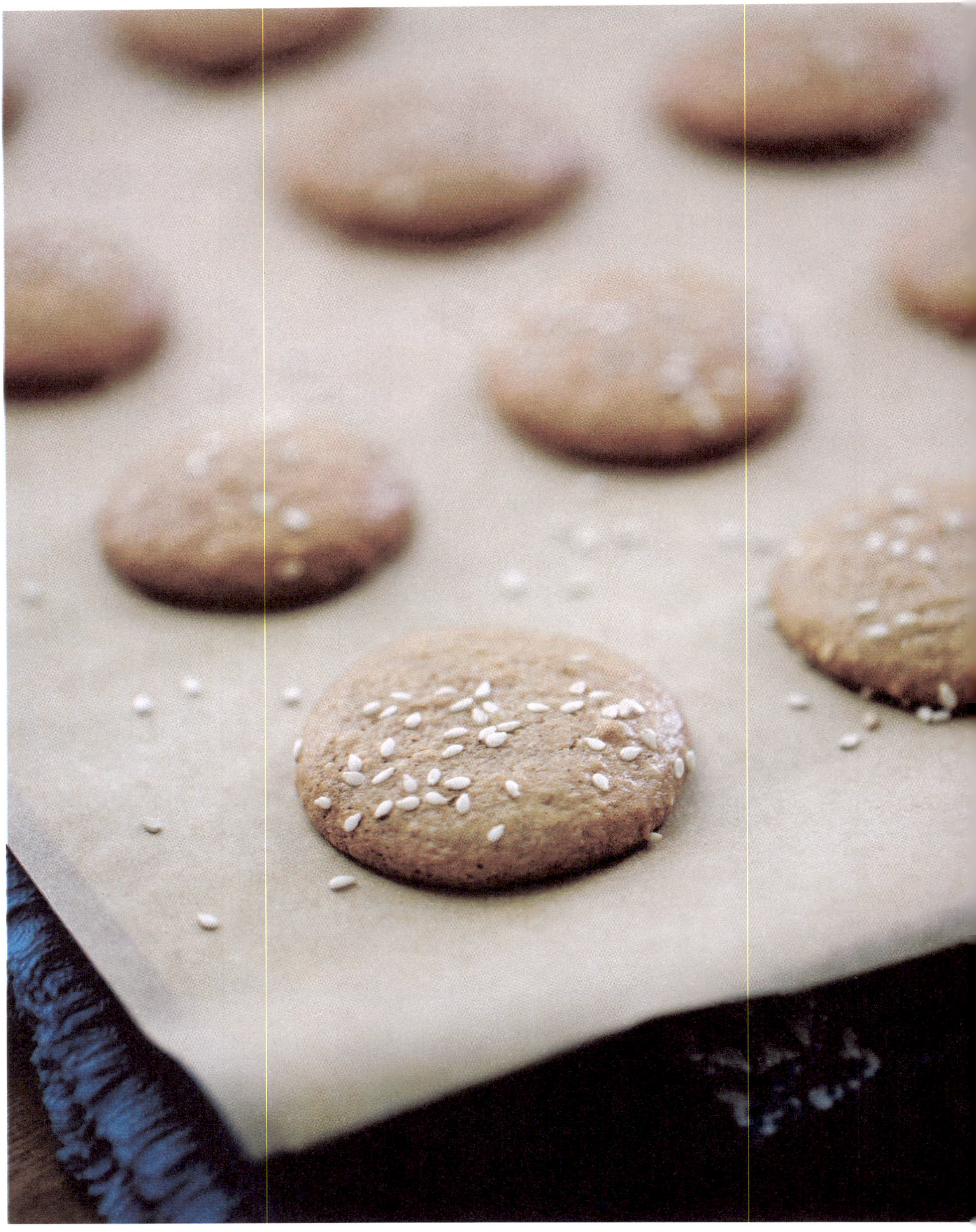

COOKIES DE GERGELIM

rende 2 dúzias

O gergelim, colhido na estação chuvosa, é reverenciado no Ayurveda como um alimento construtor de *ojas* e muito usado para fazer doces tradicionais no inverno e nas festividades religiosas. O gergelim é especial porque contém um trio muito raro de sabores: amargo, pungente e doce. Essa composição, naturalmente equilibrada, de qualidades quentes, refrescantes e construtoras, faz do gergelim um tônico para aumentar a força e a imunidade.

NOTA: Este *cookie* deve conservar o interior macio.

- 1 xíc. de *tahine* de gergelim
- ¼ xíc. de farinha de amêndoas
- ⅓ xíc. de xarope de bordo (*maple*)
- ½ col. chá de extrato de baunilha puro
- 2 col. chá de Mistura de Especiarias Doce
- ¼ col. chá de sal
- ½ col. chá de bicarbonato de sódio
- 1 ovo batido (ou 1 "ovo de linhaça" – veja ao final da receita)
- 2 col. chá de sementes de gergelim, mais gergelim para decorar

Preaqueça o forno a 180 graus. Unte 2 assadeiras com um pouco de *ghee* ou óleo de coco ou forre com papel-manteiga.

Numa tigela média, misture os ingredientes na ordem listada. Se a massa estiver muito mole para modelar, coloque-a na geladeira de 5 a 10 minutos (mas assa muito bem quando está levemente amolecida). Molde a massa em forma de bolinhas do tamanho de uma colher de sopa ou aplique com a colher sobre a assadeira. Deixe alguns centímetros entre os *cookies*, porque eles vão crescer ao assarem. Pressione levemente as bolinhas com um garfo. Polvilhe as sementes de gergelim extra por cima. Asse por 10 a 12 minutos até que estejam firmes a ponto de não grudarem no dedo.

Deixe esfriar por completo antes de retirar das assadeiras e servir. O interior dos *cookies* estará macio na hora que você for comê-los.

Para fazer 1 "ovo de linhaça": num liquidificador, misture 1 colher de sopa de sementes de linhaça moídas e 3 colheres de sopa de água; bata em velocidade alta por 2 minutos.

VARIAÇÃO: *COOKIES* TRUFADOS DE AMENDOIM

No Natal, eu faço esses *cookies* com manteiga de amendoim em vez de *tahine*, não uso as especiarias nem a farinha de amêndoas e acrescento gotas de chocolate; temos assim um *cookie* trufado sem farinha. Como a manteiga de amendoim é mais grossa que o *tahine*, a massa fica grossa o suficiente para que os *cookies* sejam colocados na assadeira sem precisar da farinha de amêndoas. O resultado é um *cookie* macio que derrete na boca. Uma tentação – comer um só basta!

PUDIM DE ABÓBORA-MORANGA E CHIA

rende 2 porções como sobremesa ou 1 porção como entrada

Este pudim vai fazer você querer se enrolar numa manta, tomando uma xícara de chá bem quentinho. A abóbora tem natureza refrescante e adstringente, sendo assim é um dos alimentos de outono que refrescam e tonificam o aparelho digestivo depois de um verão úmido.

- 2 col. sopa de sementes de chia
- ½ xíc. de leite de amêndoas
- ½ xíc. de purê de abóbora-moranga
- ½ col. chá de baunilha
- 1 tâmara Medjool ou 2 tâmaras do tipo *deglet nour* descaroçadas e hidratadas
- 1 col. chá de xarope de bordo (*maple*) ou melaço
- 1 col. chá de Mistura de Especiarias Doce ou tempero de torta de abóboras
- 1 pitada de noz-moscada fresca ralada

Numa tigela pequena, deixe as sementes de chia de molho no leite de amêndoas por 5 minutos, batendo com um garfo algumas vezes para distribuir as sementes de maneira uniforme.

Bata a abóbora, a baunilha, as tâmaras, o xarope de bordo ou o melaço e a Mistura de Especiarias no liquidificador. Acrescente a mistura de chia com leite. Bata em velocidade alta por 2 minutos até formar uma textura cremosa de *chantilly*. As sementes de chia e as tâmaras devem estar dissolvidas no purê.

Divida em 2 taças de sobremesa ou coloque tudo numa tigela grande. Uma pitada de noz-moscada por cima, ralada na hora, deixa esse pudim muito especial.

MINIABÓBORA-MORANGA ASSADA

Usar abóbora enlatada é fácil, mas também é muito fácil assar as pequenas abóboras doces – e, depois de experimentar, a diferença de sabor é muito grande. Quando essas miniabóboras doces aparecem na feira no outono, compre algumas – quanto menores, mais doces. Corte ao meio, tire as sementes e coloque os dois lados virados para baixo numa assadeira com três dedos de água. Leve ao forno a 175 graus até ficarem macias, por cerca de 30 minutos. Depois de esfriarem, retire a polpa e coloque-a num recipiente de vidro para misturar com cereais, bolos e pudins.

SMOOTHIE CONDIMENTADO DE LEITE DE AMÊNDOAS

rende 1 porção

Esta bebida é uma delícia como sobremesa e é também uma refeição completa como café da manhã. Use água morna, um pote com tampa de rosca de 500 ml e um *mixer* manual. Você pode beber na hora ou levá-la para o trabalho. Se você não retirar a polpa das amêndoas (como fazemos ao preparar leite de amêndoas), o resultado será uma bebida um pouco mais grossa e saciante. Se o seu organismo é sensível à fibra e tende ao inchaço, hidratar e descascar as amêndoas antes resolve esse problema.

- ¼ xíc. de amêndoas hidratadas (veja "Técnicas de Cozinha", p. 304)
- ¾ xíc. de água morna
- 1 col. chá de xarope de bordo (*maple*)
- ¾ col. chá de Mistura de Especiarias Doce
- ½ col. chá de extrato de baunilha puro (opcional)
- 1 pitada de sal

Coloque as amêndoas hidratadas e ¼ de xícara de água morna num recipiente de vidro de boca larga de 500 ml. Usando um *mixer* manual, processe até formar uma pasta homogênea. Acrescente a ½ xícara de água morna restante, o xarope de bordo, a Mistura de Especiarias, o extrato de baunilha (se estiver usando) e o sal. Misture até ficar homogêneo. Beba fresco, na hora.

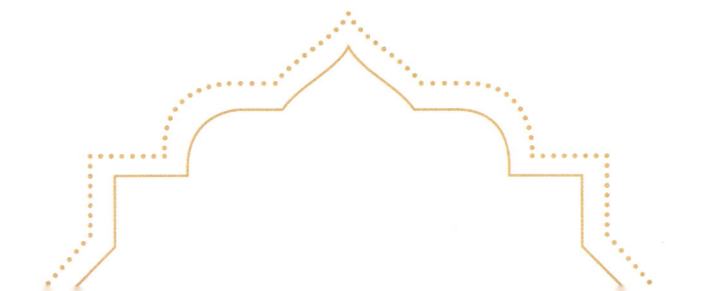

CHÁ DIGESTIVO DE OUTONO

rende 2 canecas

A raiz de alcaçuz neutraliza a característica seca do outono com a sua qualidade emoliente que ajuda o corpo a reter líquido no intestino. Essa erva, chamada *yashtimadhu* em sânscrito, é amplamente utilizada para lubrificar o intestino, assim como o pó da casca de olmo (olmo escorregadio) e a raiz de *marshmallow* (malvarisco). A erva-doce reduz a acidez que ficou no corpo do verão, e a canela e o gengibre aquecem o estômago.

- 2 xíc. de água
- 0,5 cm de gengibre fresco
- ½ col. chá de sementes de erva-doce
- ½ col. chá de canela
- 1 col. chá de raiz de alcaçuz em pó ou 2 col. chá de raiz de alcaçuz picada

Numa panela pequena, ferva 2 xícaras de água.

Pique o gengibre – não se preocupe em descascar. Acrescente o gengibre picado, a canela, as sementes de erva-doce e o alcaçuz em pó ou picado à água. Tampe a panela e cozinhe em fogo brando por 10 a 15 minutos.

Use um coador de chá pequeno para servir 2 canecas. Tome 200 ml durante ou logo após a refeição.

POR QUE PRATICAR *ABHYANGA*?

Uma ótima maneira de administrar a qualidade seca do outono é praticar a *abhyanga*, uma massagem ayurvédica com óleo em que se estimula a circulação esfregando a pele em movimentos específicos. Segundo o *Ashtanga Hridayam*, "deve-se recorrer à *abhyanga* diariamente, pois afasta a velhice, o esgotamento e a irritação do *vata*; confere boa visão, nutrição para o corpo, vida longa e uma pele boa, forte e saudável".[1] Essa massagem é um aspecto valioso da prática ayurvédica, especialmente nas épocas frias e secas.

Redução do estresse
Releia "Artha: Uso Indevido dos Órgãos dos Sentidos" (p. 40) para compreender de que maneira a pele, os olhos, os ouvidos, o nariz e a língua são condutos diretos para o sistema nervoso. A pele, o maior dos nossos órgãos sensoriais, fica exposta às qualidades e energias do ambiente o tempo todo. Lubrificar a pele cria uma camada protetora sutil em torno do seu corpo e do seu campo de energia.

Circulação
Para que o corpo possa distribuir os nutrientes, hormônios e informações sensoriais para onde são necessários dentro do organismo e eliminar o que precisa sair do corpo, a circulação deve ser forte e consistente. Para obter melhores resultados, aplique o óleo com movimentos ao mesmo tempo firmes e estimulantes, calmos e rítmicos.

Praticar a automassagem estimula a circulação e o bom fluxo do *prana*. Consulte o Apêndice 1 (p. 290) para aprender a praticar a massagem com óleo.

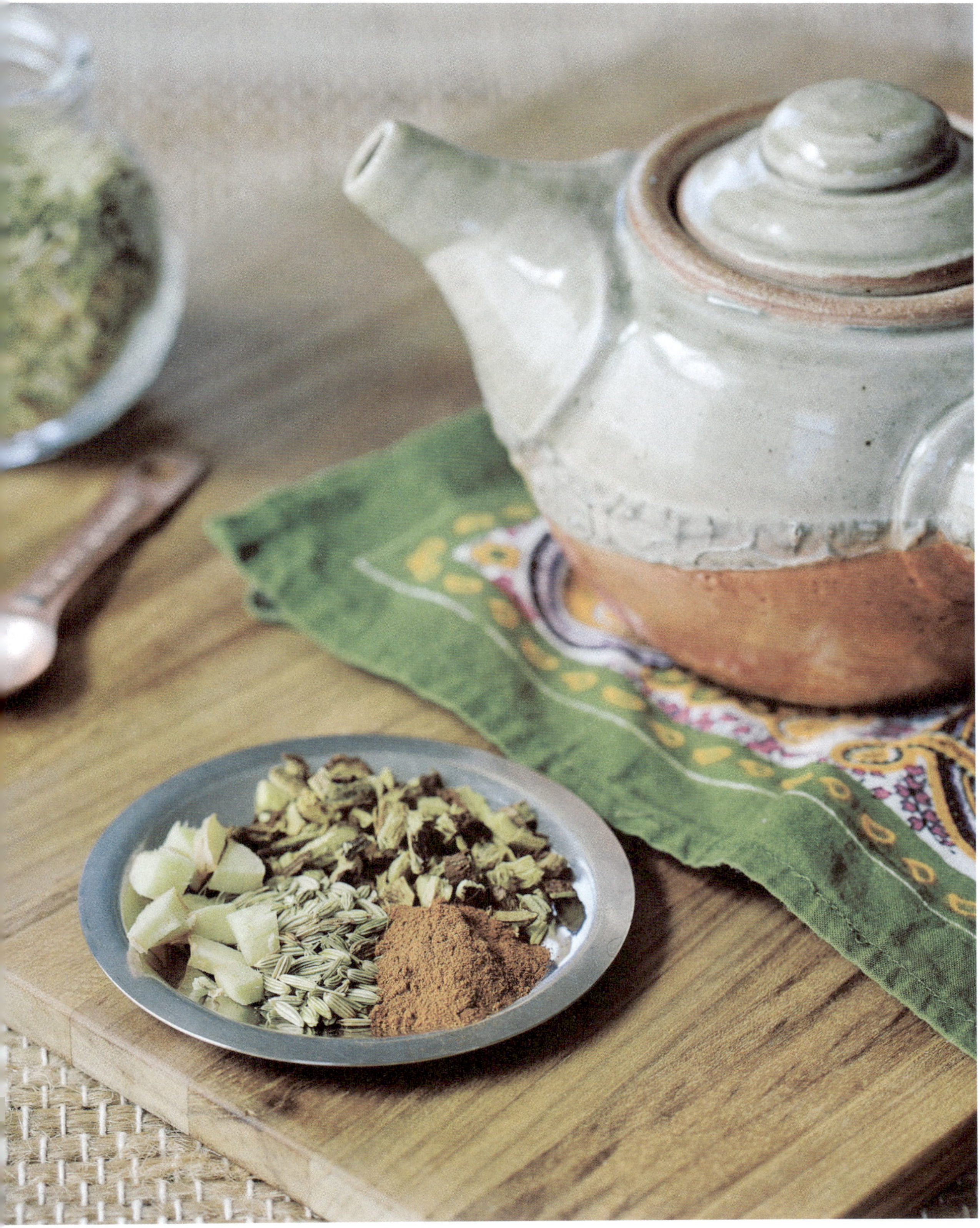

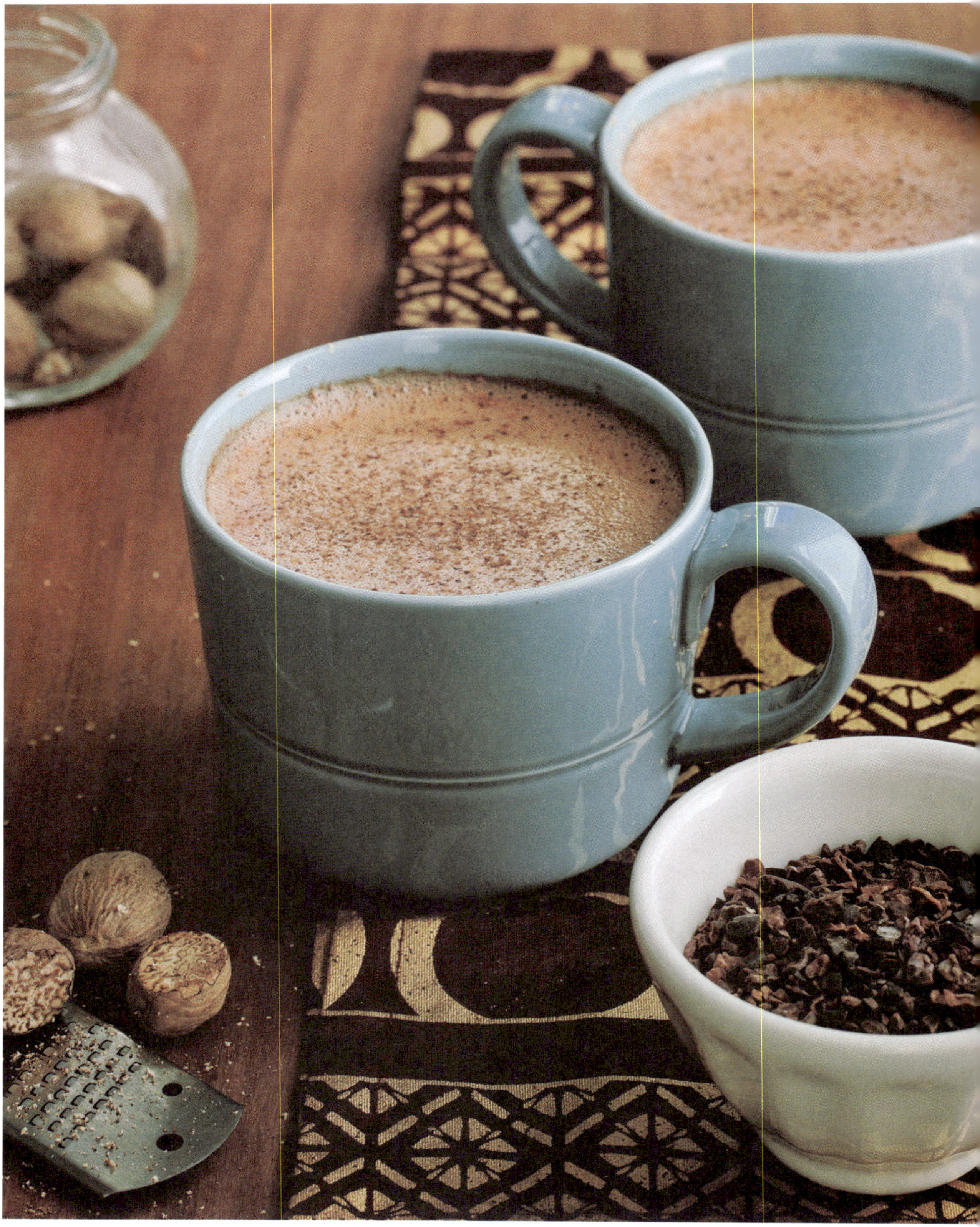

CHOCOLATE QUENTE MEDICINAL

rende 2 canecas

Este chocolate se torna medicinal com o acréscimo da *ashwagandha*. Também conhecida como "ginseng indiano", a raiz é usada por seus benefícios revigorantes, por nutrir a camada óssea, fortalecer o sistema imunológico e melhorar a potência sexual. O uso dessa erva mantém o organismo "forte como um cavalo", daí o nome da erva (*ashwin* significa "cavalo"). Acrescentar *ashwagandha* ao chocolate quente o deixa mais espesso, com sabor maltado e extremamente saudável e revitalizante. Mas, mesmo sem *ashwagandha*, você pode fazer essa receita. Devido à sua energia calorífica, a *ashwagandha* em geral é recomendada apenas para dias frios.

- 2 xíc. de leite de amêndoas, de girassol ou de vaca
- 1 col. sopa de xarope de bordo (*maple*), açúcar de coco ou açúcar mascavo
- ¼ xíc. de cacau em pó
- 1 col. chá de canela ou de Mistura de Especiarias Doce
- 1 col. chá de *ashwagandha*
- 2 paus de canela ou noz-moscada fresca ralada para decorar (opcional)

Comece aquecendo o leite numa panela média, em fogo médio. Acrescente o adoçante e o cacau em pó. Mexa vigorosamente até começar a espumar. Retire do fogo e acrescente a canela ou a Mistura de Especiarias e a *ashwagandha*. Misture manualmente ou use um *mixer* manual. Acredito que bater a mistura por 30 segundos com um *mixer* manual resulta na textura cremosa e na espuma semelhante a um *cappuccino*.

Sirva em 2 canecas. Quer impressionar os convidados? Rale a noz-moscada fresca por cima da espuma ou sirva cada caneca com um pau de canela.

CHOCOLATE OU CACAU?

A diferença é grande. Processar o cacau até transformá-lo em chocolate em pó altera as propriedades naturais do alimento; em outras palavras, o alimento percorre um caminho muito longo desde o seu nascimento como vagem de cacau, usa muitos recursos em seu transporte, absorve energia do tempo gasto nas fábricas para seu processamento e seu empacotamento. Para fazer seu próprio cacau, integral e de baixo impacto ambiental, recomendo que compre *nibs* de cacau e, com um moedor de café, moer o suficiente para encher um pote num dia de folga. Faça um pó bem fino. O cacau em pó embalado também é bom, mas custa mais caro do que moer a mesma quantidade em casa.

MISTURA DE ESPECIARIAS E MISTURA DE SAIS DE OUTONO

Uma pitada da Mistura de Especiarias de Outono ao preparar a sua comida cria um equilíbrio que auxilia a digestão a fazer a transição do tempo quente para o frio. Equilibre as qualidades fria, seca e leve da estação escolhendo pratos quentes, úmidos, bem temperados (mas não quentes e picantes). Esta Mistura de Especiarias aumenta o fogo digestivo, estimula e acalma os órgãos digestivos. Quando você não quiser usar os temperos indianos, os Sais de Outono vão trazer sabores frescos e estimulantes da horta para a sua cozinha. Os dias secos de outono pedem um pouco mais de sal, enquanto os dias úmidos pedem menos.

MISTURA DE ESPECIARIAS DE OUTONO

rende ¼ xícara

- 1 col. sopa de sementes de coentro
- 1 col. sopa de sementes de cominho
- 2 col. chá de sementes de erva-doce
- 1 col. sopa de cúrcuma em pó
- 2 col. chá de gengibre em pó

Torre durante alguns minutos as sementes de coentro, cominho e erva-doce numa panela de fundo grosso, em fogo médio, até sentir o aroma das sementes. Transfira as sementes para uma tigela grande e deixe esfriar por completo. Triture as sementes até obter uma consistência uniforme num moedor de café reservado para especiarias ou com um pilão. Coloque de volta na tigela e acrescente o pó de cúrcuma e de gengibre.

Guarde num pote pequeno de tampa hermética ou num polvilhador de vidro. Esta receita rende para mais ou menos um mês.

SAIS DE OUTONO

rende ¼ xícara

- 1 col. sopa de sálvia
- 1 col. sopa de alecrim
- 1 col. sopa de tomilho
- 1 col. sopa de sal marinho
- 1 ½ col. chá de pimenta-do-reino

Triture as ervas num pilão até ficarem finas o bastante para passarem pelos furos do polvilhador.

Misture as ervas secas, o sal e a pimenta-do-reino num polvilhador de vidro. Estes sais podem ser usados para cozinhar e também ser mantidos sobre a mesa como tempero. Rende até um mês.

CHUTNEY DE CRANBERRY E CRAVO

rende 500 ml

Uma dose de *cranberries* ajuda você a concentrar sua energia. As frutas vermelhas purificam o sangue e os órgãos digestivos com sua poderosa combinação dos sabores adstringente e azedo: cortante e penetrante, porém refrescante. Este *chutney* ajuda a digerir alimentos pesados e fará você se sentir alerta e energizado. Fazendo esta receita em casa você evita usar o molho de *cranberry* comprado em loja, que contém muito açúcar.

- 450 g de *cranberries*
- 2 cravos
- 1 col. chá de canela
- 0,5 cm de gengibre fresco descascado, picado fino ou ralado
- 1 xíc. de suco de laranja
- 1 col. sopa de raspas de laranja
- ½ xíc. de caldo de cana desidratado

Numa panela média, junte as *cranberries*, as especiarias, o gengibre, o suco de laranja e as raspas de laranja. Deixe ferver, em fogo alto. Abaixe o fogo e acrescente o suco de cana desidratada. Cozinhe todos os ingredientes em fogo brando com a panela destampada por 20 minutos, até as *cranberries* começarem a se desmanchar e o *chutney* grudar na colher. O *chutney* vai engrossar um pouco mais à medida que esfriar.

Você pode eliminar o açúcar nesta receita ou acrescentar apenas a gosto, mas levará de 5 a 10 minutos a mais para engrossar.

Sirva uma colher de sopa acompanhando um prato de couve-crespa cozida no vapor, um assado de legumes ou creme de cereais.

VARIAÇÃO PARA O FINAL DO OUTONO: Acrescente 6 grãos de pimenta-do-reino para dar mais calor à mistura.

ATAQUE DOS CRAVOS!

Os cravos podem ser deixados no *chutney* para infundir o sabor, mas cuidado quando for servir! Para falar a verdade, eu tiro todos antes de guardar o *chutney*, porque morder um cravo é realmente desagradável. Já mordi muitos temperos estranhos nas minhas viagens e quando cozinho em casa tento evitar essas aventuras.

MANTEIGA DE MAÇÃ COM GENGIBRE

rende 6 porções

Esta pastinha versátil combina muito bem como acompanhamento para a abóbora, cozida no mingau de aveia ou ainda para passar nos *muffins*. Acrescentar gengibre fresco à receita faz desta manteiga um complemento digestivo para usar nas refeições principais e nas receitas de forno. Embora o Ayurveda normalmente recomende não misturar frutas com outros alimentos (veja "Misturar Frutas com Outros Alimentos", p. 61), cozinhar as maçãs torna a combinação aceitável.

- 6 maçãs descaroçadas e picadas
- ¼ xíc. de cidra de maçã ou suco de maçã
- 1 col. sopa de xarope de bordo (*maple*)
- 0,5 cm de gengibre fresco descascado e picado
- 1 col. chá de Mistura de Especiarias Doce

Numa panela de tamanho médio, misture as maçãs picadas, a cidra de maçã ou o suco de maçã e o xarope de bordo. Aqueça em fogo de médio a baixo, acrescentando a mistura de gengibre picado e a Mistura de Especiarias à medida que aquece. Cozinhe em fogo brando por 30 minutos. Retire do fogo. Bata com um *mixer* manual ou um processador até obter um purê homogêneo. Deixe esfriar e guarde num pote de conserva de 500 ml. Sirva a pastinha para passar em *muffins* ou cereais cremosos.

Para fazer Manteiga de Pera, substituía 3 maçãs por 3 peras descaroçadas e picadas.

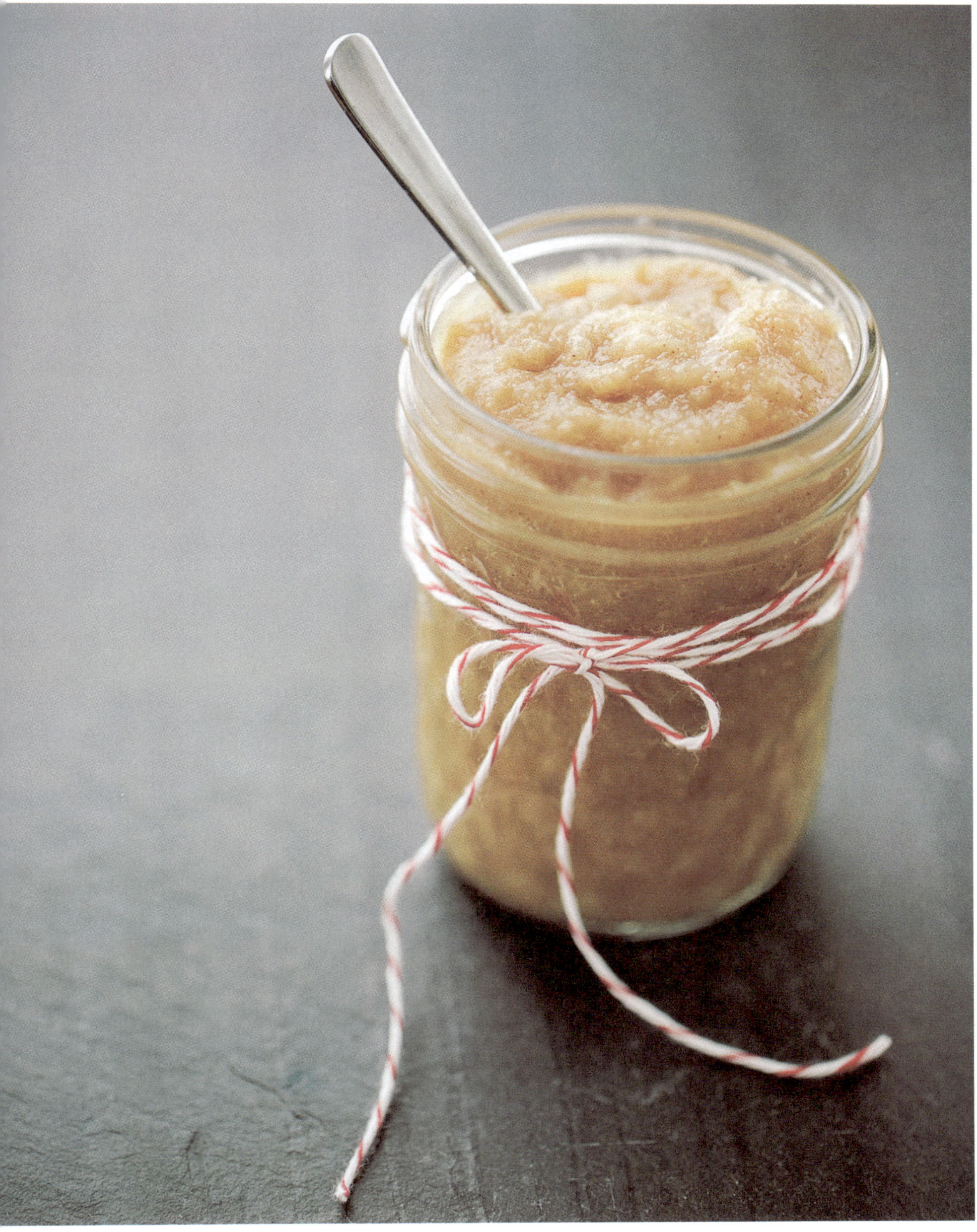

CAPÍTULO 8

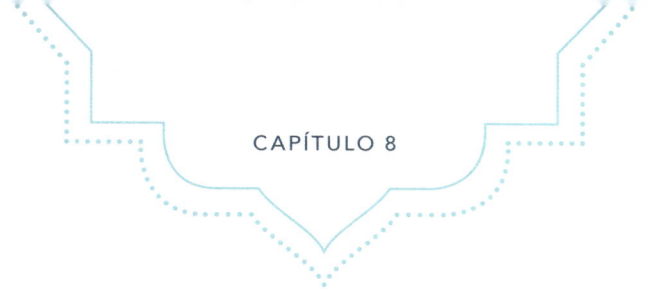

Receitas de Inverno

O ar está seco, frio, claro e leve. O suave orvalho da manhã se transforma em neve e gelo em países em que neva. As plantas armazenam energia em suas raízes, protegendo-se do frio e do vento cortante do inverno. Nosso corpo faz a mesma coisa: vestimos chapéu, luvas e botas para aquecer as extremidades. No tempo frio, o fogo digestivo naturalmente se condensa em seu núcleo; assim, a fornalha do organismo está no seu melhor momento para digerir e metabolizar deliciosas receitas de inverno feitas com proteínas e gorduras saudáveis. O Ayurveda sugere que se desfrute das qualidades robustas, densas e oleosas de alimentos como frutos secos (nozes, castanhas e afins), batata-doce e *ghee*. As receitas seguintes, que são bem temperadas, caloríficas e promovem equilíbrio emocional/mental, privilegiam ingredientes como tâmaras, grãos germinados, frutas cozidas e canela. Faça estas receitas de inverno para sentir-se em seu centro e com a sua chama interior bem acesa.

Visão geral da alimentação e do estilo de vida do inverno

Os elementos: Ar e éter

Sensações: frio, seco (especialmente dentro de casa, com aquecimento ligado), leve, ventoso, áspero, duro

QUALIDADES A INTRODUZIR	QUALIDADES A REDUZIR
Quente	Fria
Úmida	Seca
Estabilizante (segurança emocional/mental)	Errática
	Dura
Suave	

SINAIS E SINTOMAS DE DESEQUILÍBRIO	SABORES PARA DESFRUTAR
Prisão de ventre	Doce
Pele seca, articulações estalando	Azedo, ácido
Mãos e pés frios	Salgado
Ganho de peso	
Letargia e tristeza	

Guia de alimentos do inverno

Prefira alimentos cozidos, ricos em proteínas, como sopas e ensopados.

ALIMENTOS A PRIVILEGIAR

- Legumes ricos em amido, como batata-doce, legumes de raiz e abóbora; verduras de clima frio como algas, couve-crespa, couve-manteiga e acelga; alcachofras (final do inverno). Consuma o sabor amargo com moderação, pois ele esfria o corpo. Equilibre o amargo das verduras com o sabor doce de grãos ou legumes de raiz.
- Especiarias caloríficas como canela, gengibre, cominho, sal, pimenta-do-reino, pimenta-malagueta e vinagres (com moderação); adoçantes não refinados como o xarope de bordo (*maple*), mel *in natura* e melaço.
- Leite de vaca, leite de cabra, leite de amêndoas, morno e temperado com especiarias; iogurte diluído.
- Sementes e frutos secos ao natural ou torrados em casa; manteigas vegetais.
- Óleos ricos em gordura como o *ghee* e o óleo de gergelim.
- Grãos úmidos como trigo, arroz integral e aveia, cozidos com um pouco mais de água.

- Frutas doces ou pesadas, de natureza aquosa e qualidades construtoras como laranja, banana, tâmara, figo, mamão, manga; *grapefruit* e limão-siciliano (ótimos no final do inverno).
- Proteínas como lentilhas, feijões de grãos pequenos, tofu e ovos; a maioria das carnes, para os não vegetarianos; se você come carne vermelha, o inverno é a estação adequada para incluí-la algumas vezes no seu cardápio.

ALIMENTOS A REDUZIR
- Alimentos secos como biscoitos e *chips*.
- Alimentos crus.
- Grãos que ressecam como o painço, o centeio e a cevada.
- Alimentos frios, especialmente os laticínios.
- Frutas e verduras que não estão na época.

ORIENTAÇÕES PARA O ESTILO DE VIDA DO INVERNO
- Use um óleo aquecido, rico em gorduras como o de gergelim, para a sua massagem matinal. Você pode somar a este outros óleos de aromas doces e calorosos como o de rosa e o de laranja. Massageie o couro cabeludo com óleo pelo menos uma vez por semana e lave o cabelo uma hora depois ou na manhã seguinte.
- Use chapéu e cachecol para evitar que as orelhas e a garganta acumulem o frio e a aspereza da estação.
- Pratique a *nasya* (lubrificação das narinas com óleo) pela manhã ou na hora de dormir (p. 293). Use um umidificador no seu quarto à noite.
- Faça exercícios moderados diariamente como yoga, dança e caminhada.
- Use roupas coloridas e tenha muitas cores ao seu redor.
- Tome banhos quentes ou faça sauna pelo menos uma vez por semana.

LISTA DE COMPRAS DO INVERNO

VERDURAS E LEGUMES
Abóboras de sua preferência
Acelga
Alcachofra
Algas (*dulse, nori, wakame, postelsia*)
Batata-doce
Batata-inglesa, com moderação
Beterraba
Cenoura
Couve-crespa
Couve-manteiga
Pastinaca
Pimentão vermelho assado (uma ou duas vezes por mês)
Tomate em conserva caseira

FRUTAS
Banana
Grapefruit
Laranja
Maçã
Mamão
Manga (madura para comer e verde para *chutney*)
Pera
Tâmara

GRÃOS
Arroz integral
Arroz vermelho
Aveia
Macarrão de arroz
Trigo *bulgur* (trigo para quibe)

FEIJÕES
Feijão-preto
Lentilha verde
Lentilha vermelha

GORDURAS
Castanha-de-caju
Coco ralado
Farinha de amêndoas
Leite de cabra
Leite de vaca
Manteiga de amêndoas ao natural
Manteiga de semente de girassol
Óleo de gergelim
Ovos
Tahine

ESPECIARIAS
Chili powder
Páprica
Pimenta-malagueta seca

EXTRAS
Cacau em pó
Cidra de maçã
Melaço
Vinagre de arroz
Xarope de bordo (*maple*)

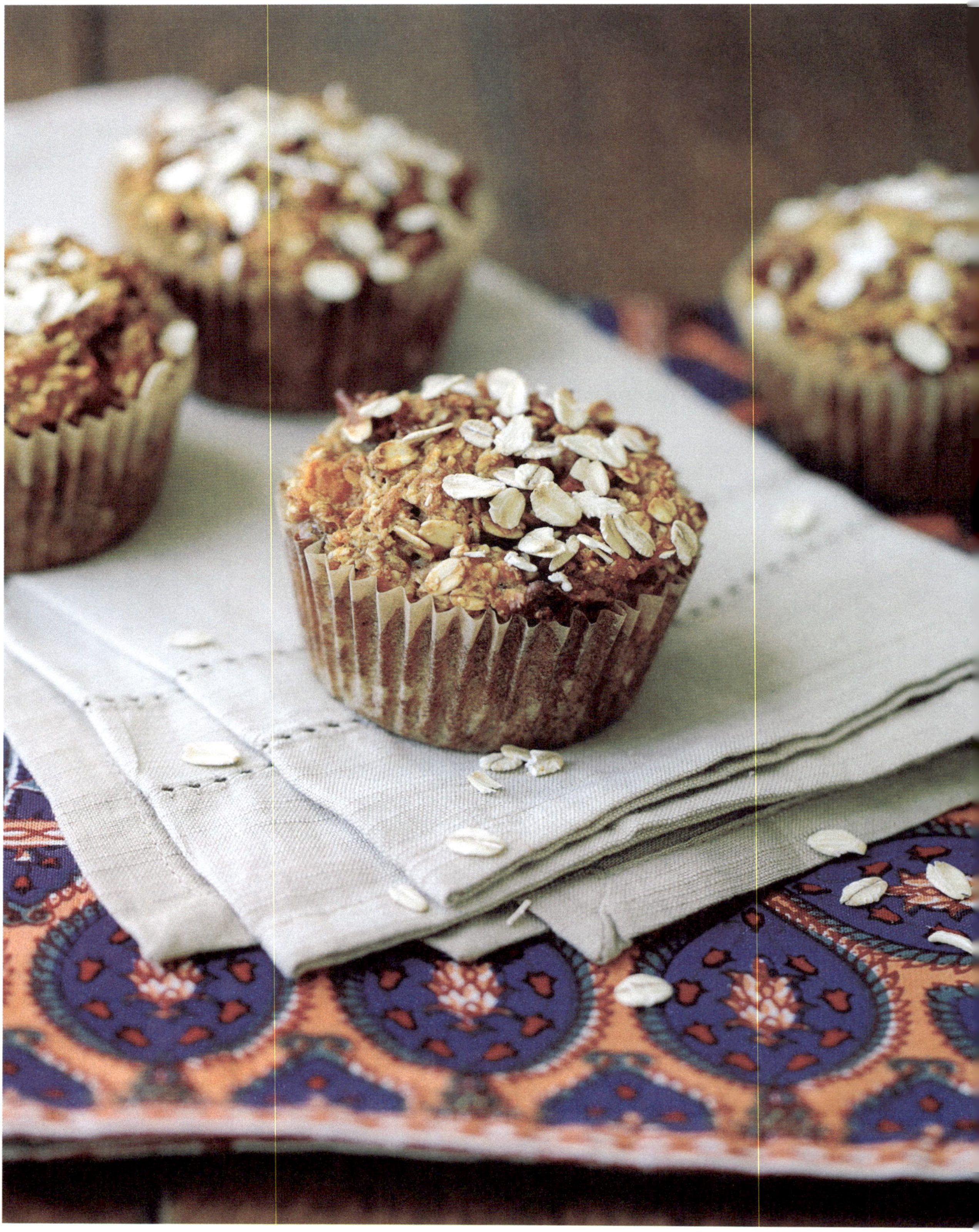

MUFFINS DE BATATA-DOCE COM AVEIA

rende 6 porções

A batata-doce é o melhor amigo do vegetariano. Combinada com os minerais do melaço, ela lhe dará nesta receita um tesouro de qualidades construtoras para ajudar você a se recuperar depois de fazer exercícios, a aquecer-se quando voltar para casa num dia frio, a satisfazer um desejo de comer doces e a alimentar as pessoas que você ama – especialmente você que está lendo! A receita não contém nenhum óleo; para servir, passe em cada *muffin* um pouco de *ghee*, óleo de coco ou manteiga vegetal. Você também pode servir esses *muffins* com Manteiga de Maçã com Gengibre (p. 246).

1 ovo (ou substitua por 1 "ovo de linhaça" – veja no final da receita)
½ xíc. de leite de vaca integral ou leite de amêndoas
½ xíc. de batata-doce amassada
1 col. sopa de xarope de bordo (*maple*) ou melaço
½ xíc. de aveia (para moer)
½ xíc. de aveia em flocos
¼ col. chá de bicarbonato de sódio
⅛ col. chá de fermento em pó
¼ col. chá de canela
¼ col. chá de gengibre em pó
⅛ col. chá de noz-moscada
1 pitada de sal
1 a 2 col. chá de *ghee*, óleo de coco ou manteiga de oleaginosas por muffin para acompanhar

EXTRAS (OPCIONAL):
½ xíc. de nozes-pecã picadas
¼ xíc. de tâmaras descaroçadas e picadas

Preaqueça o forno a 200 graus. Forre a assadeira de *muffins* com forminhas ou unte a assadeira com óleo de coco.

Numa tigela pequena, bata os ovos até ficarem fofos, em seguida junte o leite, as batatas-doces amassadas e o xarope de bordo ou o melaço.

Para moer ½ xícara de aveia, coloque a aveia no liquidificador ou no processador de alimentos (secos) e bata até triturar. Leva menos de 1 minuto. Numa tigela grande, misture a aveia moída com os outros ingredientes secos.

Junte os ingredientes molhados aos ingredientes secos, apenas o suficiente para incorporar os ingredientes. Não mexa demais. Acrescente aos poucos os ingredientes extras opcionais. Distribua a massa igualmente em 6 forminhas. Asse por 30 minutos ou até a parte de cima ficar dourada e um palito inserido no centro do *muffin* sair limpo.

Sirva cada *muffin* com 1 a 2 colheres de chá de *ghee*, óleo de coco ou manteiga de oleaginosas para dar ao corpo os óleos necessários no inverno.

Para fazer 1 "ovo de linhaça": num liquidificador, misture 1 colher de sopa de sementes de linhaça moídas e 3 colheres de sopa de água; bata em velocidade alta por 2 minutos.

INHAME OU BATATA-DOCE?

Tanto a batata-doce quanto o inhame são usados em receitas ayurvédicas mas não são o mesmo tubérculo. A batata-doce tem casca marrom, polpa alaranjada e é mais rica em vitaminas. O inhame tem polpa branca, é maior e mais doce e tem um sabor mais suave do que a batata-doce. Geralmente eu uso a batata-doce de casca marrom para as sopas porque tem cor mais viva, mas, para esses *muffins*, o sabor mais doce do inhame combina melhor.

REFEIÇÃO MATINAL DE TRIGO *BULGUR*

rende 2 porções

O trigo *bulgur* (também conhecido como trigo para quibe) pode ser preparado durante a noite apenas ficando de molho em água quente (em panela elétrica). Pela manhã basta aquecê-lo e acrescentar alguns legumes e você terá uma refeição salgada, robusta e saborosa. Podemos ralar ou picar os legumes com antecedência (leva só um minuto no processador de alimentos) e guardá-los na geladeira num recipiente hermético. Quando colocados na panela de manhã, eles cozinham em poucos minutos. Uma refeição matinal salgada, em vez de doce, dá uma boa energia para o dia todo. Leve as sobras para o almoço e sirva com Hambúrguer de Feijão-Preto e Aveia (p. 258) ou Patê de Lentilhas Vermelhas e Gomásio Mineral (pp. 267, 269).

- 1 xíc. de trigo *bulgur* (trigo para quibe)
- 2 xíc. de água fervente ou caldo de legumes
- 2 col. chá de Mistura de Especiarias de Inverno
- ¼ xíc. de uvas-passas (opcionais) ou ½ xíc. de cenoura, inhame ou repolho ralados
- 1 pitada de sal

Lave o trigo e coloque numa panela média. Despeje 2 xícaras de água ou caldo de legumes fervente sobre os grãos, tampe e deixe de molho durante a noite.

Pela manhã, acrescente a Mistura de Especiarias de Inverno e um pouco de água na panela para evitar que o trigo grude no fundo e aumente para fogo médio. Junte as uvas-passas (se estiver usando) ou os legumes. (Você pode ralar a cenoura, a batata-doce ou o repolho diretamente na panela, se quiser). Não mexa. Tampe a panela e deixe os legumes cozinharem no vapor por 7 a 10 minutos.

Acrescente sal e afofe com um garfo antes de servir em 2 tigelas.

NOTA: Você pode fazer esta receita sem legumes. Deixe as passas e a Mistura de Especiarias de molho durante a noite com o trigo *bulgur* (trigo para quibe). Para comer, basta aquecer o cereal por alguns minutos.

MAÇÃS FRITAS NO *GHEE*

rende 1 porção

Lembrando o recheio de uma torta de maçã, esta refeição matinal quente leva apenas alguns minutos para ficar pronta e satisfaz um apetite leve.

- 2 col. chá de *ghee*
- ½ col. chá de Mistura de Especiarias Doce
- 1 maçã grande descaroçada e fatiada
- 1 col. sopa de uvas-passas ou figos picados (opcional)

Aqueça o *ghee* e a Mistura de Especiarias numa frigideira pequena em fogo médio. Acrescente as fatias de maçã e misture bem os pedaços de fruta ao tempero. Frite em fogo médio por 2 a 3 minutos, mexendo. Acrescente 1 ou 2 colheres de sopa de água para as maçãs não grudarem na frigideira e frite por mais 2 a 3 minutos até ficarem macias.

Para variar, acrescente uvas-passas ou figos picados à água. Transfira para uma tigela pequena e estão prontas para serem saboreadas.

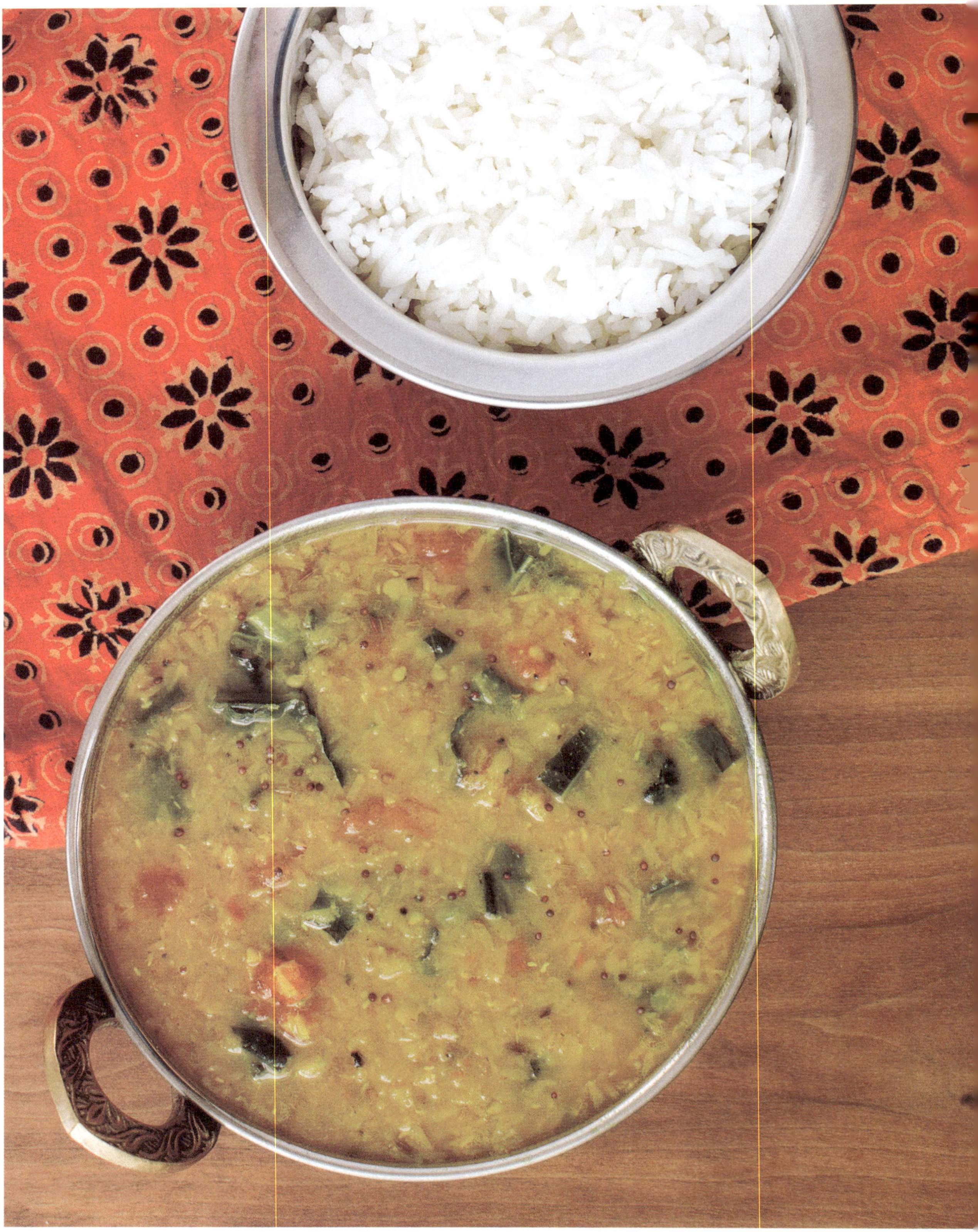

DAL QUENTINHO DE TOMATE

rende 4 porções

A combinação de tomates com lentilhas vermelhas é basicamente calorífica, mas este prato também oferece as qualidades pungente e ácida que desejamos sentir no inverno. As cores vivas – amarelo, verde e vermelho – são bem-vindas nos dias de frio intenso. Você pode equilibrar o calor do *dal* servindo-o sobre um prato de grãos adocicados, como o arroz basmati ou com uma tortilha de trigo germinado.

---

4 xíc. de água
1 xíc. de lentilhas vermelhas
1 col. sopa de Mistura de Especiarias de Inverno
2 tomates frescos ou 450 gramas de tomates em conserva, picados (reserve o suco)
2 folhas de couve toscana
1 col. sopa de *ghee*
½ col. chá de sementes de cominho
½ col. chá de sementes de mostarda preta
1 col. chá de sal

Numa panela grande, ferva os 4 copos de água em fogo alto. Lave as lentilhas até a água sair clara. Acrescente as lentilhas e a Mistura de Especiarias à água fervente.

Em outra panela pequena, escalde os tomates frescos, com as hastes, na água por 4 a 5 minutos. Retire com uma escumadeira e deixe-os esfriar para retirar a pele. Descarte as peles, pique os tomates e acrescente ao *dal*. Se você estiver usando tomates enlatados, além dos tomates frescos, acrescente o suco da conserva ao *dal*. Deixe levantar fervura de novo, abaixe o fogo e deixe cozinhar em fogo brando, com a panela destampada. Programe um *timer* (temporizador) para 30 minutos. Corte as folhas de couve em tiras finas e acrescente à panela. Continue cozinhando em fogo brando, com a tampa da panela semiaberta, até o *timer* chegar aos 30 minutos. Enquanto o *dal* cozinha em fogo brando, aqueça o *ghee* numa frigideira pequena, em fogo médio, e refogue as sementes de cominho e mostarda até exalarem o aroma, de 2 a 3 minutos. Se as sementes de mostarda estiverem pulando, tampe a frigideira.

Acrescente o *ghee* temperado e o sal às lentilhas e deixe cozinhar por mais 5 minutos, com a panela destampada. Misture e sirva em 4 tigelas grandes com arroz ou tortilhas.

NOTA: Esta receita também funciona bem com panela elétrica de cozimento lento ou panela de pressão. As lentilhas vermelhas não precisam ficar de molho durante a noite, mas qualquer *dal* fica mais cremoso se você deixar os grãos de molho.

CONVERSANDO SOBRE TOMATES

Algumas pessoas não digerem bem a casca do tomate, que contém mais ácido que o interior, o que pode irritar a pele. Escaldar o tomate para tirar a casca é o método tradicional indiano, onde há muitos pratos à base de tomate. Não é possível digerir tantas cascas de tomate num só dia. Tirar a casca cria um prato mais suave, mais leve para o intestino e também com visual mais agradável, sem pedaços de casca flutuando.

O tomate enlatado, embora conveniente, não tem a vitalidade do produto fresco. Mas se você investir sua energia para cultivar tomates e guardá-los em potes de vidro herméticos, a recompensa será uma sensação ótima ao comê-los, graças ao *prana* e ao *sattva* que os alimentos frescos nos dão.

HAMBÚRGUER DE FEIJÃO-PRETO E AVEIA

rende 2 porções

Esta receita fácil pode ser dobrada, deixando alguns hambúrgueres extras para o almoço do dia seguinte. Este hambúrguer servido com a Salada Cozida no Vapor ou com arroz e *chutney* de manga vai aquecer você nos dias de inverno.

1 xíc. de feijão-preto cozido
1 punhado de espinafre *baby*
¼ xíc. de pimentão vermelho picado e assado
⅓ xíc. de farinha de aveia (veja no final da receita)
1 col. chá de Sais de Inverno
1 col. chá de *ghee* (opcional, para fritar)

Preaqueça o forno a 180 graus. Forre uma assadeira com papel-manteiga.

Numa tigela grande, amasse bem o feijão com um garfo. Continue a amassar, acrescentando todos os outros ingredientes, exceto o *ghee*, até a mistura ganhar uma consistência uniforme, mas não é preciso amassar todos os ingredientes: deixe uns pedacinhos. Modele dois hambúrgueres grandes ou três de tamanho médio, coloque-os sobre o papel-manteiga e asse por 10 minutos de cada lado. Como alternativa, você pode derreter 1 colher de chá de *ghee* numa frigideira antiaderente de cerâmica e fritar os hambúrgueres em fogo médio até dourarem, de 5 a 7 minutos cada lado.

PARA FAZER A FARINHA DE AVEIA: bata a aveia em flocos no liquidificador até virar uma farinha fina.

NOTA: Se você não sente sinais de calor interno (consulte "Compreendendo o Clima Interno", p. 80), você pode usar molho mexicano em vez do pimentão.

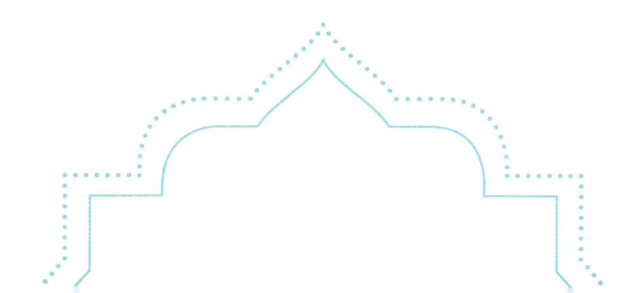

HUEVOS RANCHEROS E PICADINHO DE COUVE-DE-BRUXELAS

rende 2 porções

Esta é uma receita mais complicada, para um *brunch* divertido ou mesmo só para você, quando tiver um tempinho e o desejo de comer algo especial! A tradicional receita mexicana de *huevos rancheros* (ovos rancheiros) pode ser um pesadelo em termos de combinação de alimentos, mas não tenha medo, pois apliquei as orientações do Ayurveda para criar este prato calorífico. Como proteína, escolha ovos ou feijão e sirva com Picadinho de Couve-de-bruxelas. Para simplificar o preparo, não use o molho *ranchero* e sirva apenas os ovos ou o feijão com o picadinho.

MOLHO RANCHEIRO

NOTA: Esta receita é um pouco trabalhosa, mas rende 4 porções. Guarde as 2 que sobrarem para comer depois com verduras, legumes ou grãos.

½ xíc. de cebola roxa picada
½ dente de alho picado (opcional)
2 col. chá de *ghee*
1 col. chá de mistura de pimenta *chili powder*
1 col. chá de cominho em pó
1 col. chá de coentro em pó
1 col. chá (cheia) de páprica
1 pitada de pimenta-de-caiena
½ col. chá de sal
1 xíc. de tomate picado
1 xíc. de aipo picado
1 xíc. de cenoura picada
1 xíc. de caldo de legumes

Numa panela média ou numa frigideira grande, frite a cebola e o alho (se estiver usando) no *ghee*, em fogo médio, mexendo até ficarem macios, por alguns minutos. Acrescente as especiarias e mexa. Depois, junte o tomate, o aipo e as cenouras e mexa por mais 1 minuto. Acrescente o caldo de legumes e cozinhe em fogo brando, com a panela destampada, por 30 minutos. Retire do fogo e processe com uma batedeira manual de imersão o suficiente para fazer um molho encorpado, com pedacinhos não triturados. Tampe para manter aquecido.

PICADINHO DE COUVE-DE-BRUXELAS

2 xíc. de couve-de-bruxelas
1 col. sopa de *ghee*
1 pitada de sal

Segure a couve-de-bruxelas pelo caule e rale as folhas utilizando os furos grandes do ralador ou corte o caule e bata no processador de alimentos.

Aqueça 1 colher de sopa de *ghee* numa frigideira grande, em seguida coloque a couve ralada, mexendo. Acrescente 1 pitada de sal e continue mexendo. Retire do fogo quando o picadinho corar a seu gosto. Ponha as tortilhas de milho sobre o picadinho e tampe para aquecê-las enquanto você faz os ovos.

OVOS RANCHEIROS (OU FEIJÃO RANCHEIRO)

4 ovos ou 1 xíc. de feijão-preto cozido
1 col. chá de *ghee*
1 col. chá de cúrcuma em pó (para os ovos)
4 tortilhas de milho
coentro fresco picado (opcional)

Se estiver usando os ovos, aqueça o *ghee* numa frigideira grande, quebre os ovos diretamente na frigideira e polvilhe com cúrcuma. Frite os ovos até as gemas começarem a endurecer. Se estiver usando o feijão, aqueça-os numa panela com 1 colher de chá de *ghee* e amasse com um garfo ou, para obter uma textura cremosa, processe com um *mixer* manual.

PARA SERVIR

Coloque 2 tortilhas quentes em cada prato. Divida os ovos ou o feijão em 2 porções sobre as tortilhas. Ponha uma colher de Molho Rancheiro como cobertura. Divida o Picadinho de couve-de-bruxelas e sirva ao lado das tortilhas. Enfeite com coentro fresco picado, se desejar.

NOTA: Caso você não tenha 2 frigideiras grandes, use uma pequena para fazer o picadinho e esquente as tortilhas no forno. Preaqueça o forno a 135 graus e coloque as tortilhas numa assadeira. Retire quando estiverem quentes, depois de 3 a 5 minutos.

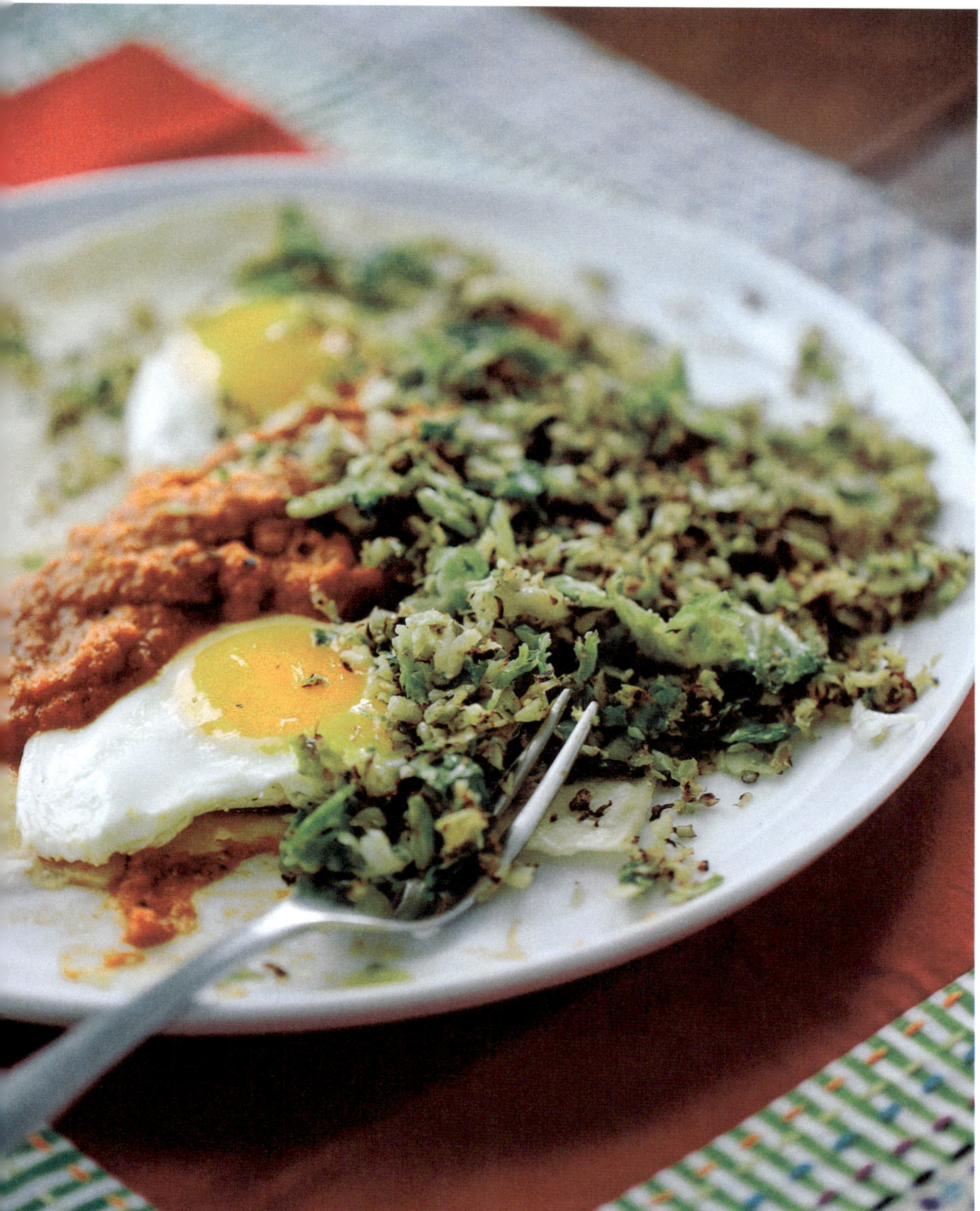

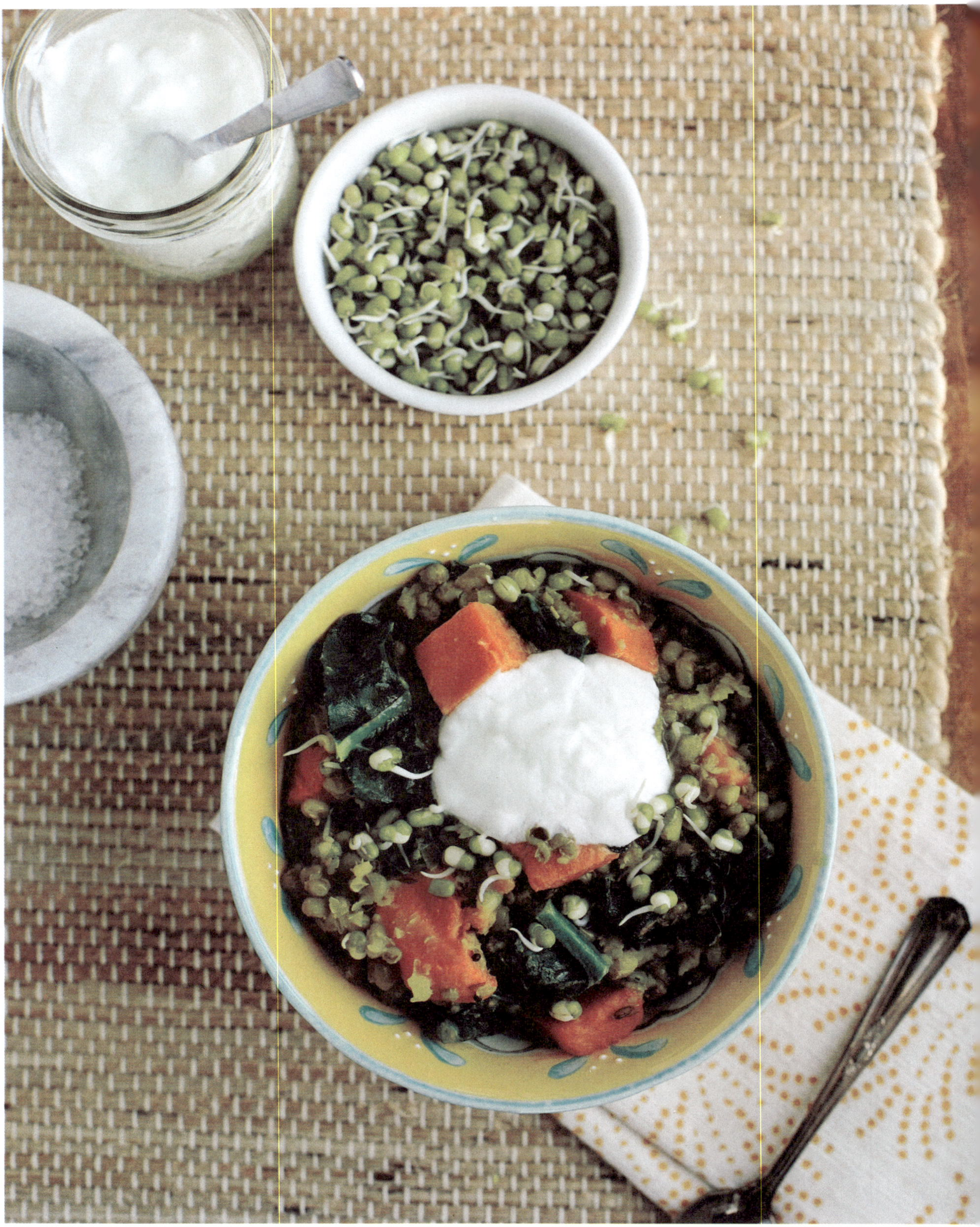

DAL DE BROTOS DE FEIJÃO-MUNGO COM IOGURTE

rende 4 porções

É fácil germinar o feijão-mungo, e seus brotos conferem uma aura de frescor e energia a este cozido encorpado de inverno, além de terem uma textura crocante. A energia do broto é leve, móvel e cheia de *prana*, a força vital. Num inverno frio, fazer o feijão germinar exige bem pouco esforço e acrescenta um elemento vivo à sua alimentação.

---

5 xíc. de água ou caldo

1 xíc. de feijões-mungo verde, lavados e hidratados durante a noite

1 col. chá de Mistura de Especiarias de Inverno

2 xíc. de batata-doce, cenoura ou batata-inglesa picada

4 folhas de acelga

1 col. sopa de *ghee*

½ col. chá de sementes de cominho

½ col. chá de sementes de mostarda preta

½ col. chá de sal

½ xíc. de brotos frescos de feijão-mungo

4 col. sopa de iogurte como guarnição

Numa panela grande, ponha a água ou o caldo para ferver, em fogo alto. Escorra os feijões hidratados e acrescente-os à água ou ao caldo juntamente com a Mistura de Especiarias. Ferva por 10 minutos. Acrescente as batatas ou cenouras picadas. Abaixe o fogo, deixe a tampa semiaberta e programe o *timer* (temporizador) para 30 minutos. Enquanto o *dal* cozinha, corte a acelga em tiras finas e junte ao *dal* para cozinhar durante o tempo restante, ainda com a tampa semiaberta.

Numa frigideira pequena, aqueça o *ghee* em fogo médio e refogue as sementes de cominho e de mostarda até você sentir o aroma das ervas, de 2 a 3 minutos. Se as sementes de mostarda estiverem pulando, tampe a frigideira.

Despeje o *ghee* temperado na panela com o feijão e os vegetais. Acrescente o sal e os brotos de feijão e deixe cozinhar com a tampa semiaberta até o *timer* tocar.

Sirva como um refogado, talvez sobre uma porção de arroz, com 1 colher de sopa de iogurte sobre cada porção.

BROTOS DE FEIJÃO-MUNGO

O feijão cresceu nas vagens, foi colhido e foi seco. Agora o feijão é uma semente, repleta de energia latente, que vai se manifestar quando ele receber água. A germinação desperta a energia da semente e faz com que ela se torne novamente um alimento vivo.

Comece com feijões que não estejam velhos e secos. Procure numa loja com alta rotatividade e com uma seção grande de alimentos a granel. O feijão velho não vai germinar; já perdeu sua potência, sua mágica.

Deixe ½ xícara de feijão de molho em 1½ xícara de água durante a noite. Pela manhã, escorra e lave o feijão numa peneira ou num escorredor. Espalhe os feijões numa camada fina no fundo da peneira ou do escorredor, coloque uma tigela grande por baixo para aparar as gotas que caem e um pano de prato por cima. Deixe sobre a pia um dia e uma noite para germinar.

Na manhã seguinte, lave e escorra os brotos mais uma vez. Cubra com o pano de prato e repita o processo. Dentro de aproximadamente 48 horas (dependendo da temperatura da cozinha) vão começar a nascer os brotinhos brancos. É melhor comê-los antes de crescerem mais que 6 cm. Se não quiser comê-los logo, pode guardá-los na geladeira por alguns dias num pote de vidro.

No inverno costumo fazer brotos uma ou duas vezes por semana. É ótimo desfrutar de vegetais frescos da nossa própria cozinha, mesmo no auge do inverno.

FAÇA SEUS BROTOS GERMINAREM

A germinação é um processo que tem seu próprio ritmo e, quando você se acostumar a fazer brotos, não vai esquecer de lavar os feijões. Você pode colocá-los de molho numa tigela quando chegar em casa à noite ou antes de dormir. De manhã, lave-os e coloque-os em cima da geladeira (um lugar quente e agradável), cobertos com um pano de prato. Ao chegar em casa no fim do dia, lave-os novamente. Os brotos devem começar a germinar na manhã seguinte e ficar prontos para comer durante o dia; ou então você pode deixar os brotos crescerem mais um ou dois dias e preparar o *Dal* de Brotos de Feijão. Os brotos vão adorar o fato de você dar a eles tão belo destino.

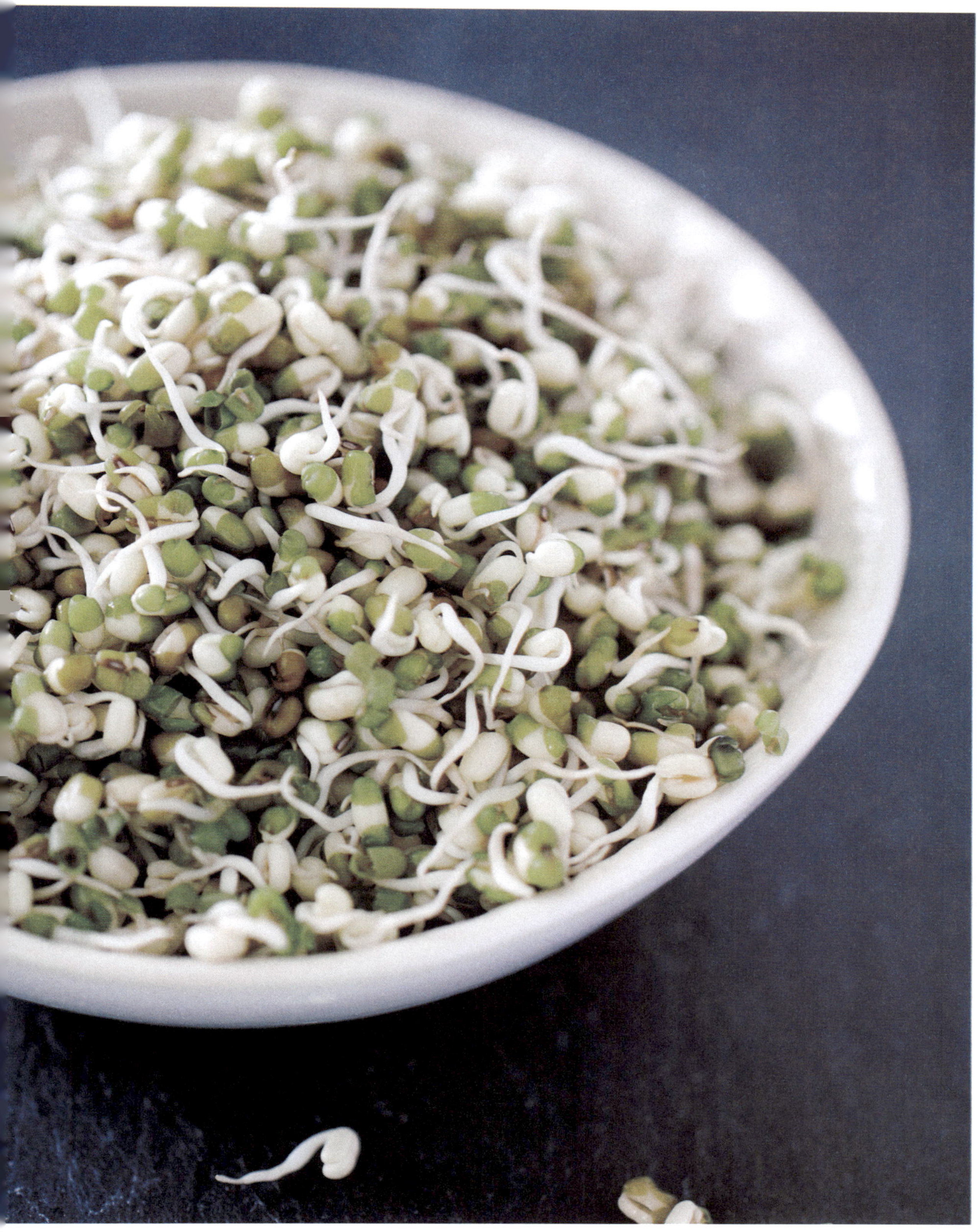

TIGELA DE MACARRÃO COM *NORI* TORRADO E GOMÁSIO MINERAL

rende 2 porções

Nesta receita você vai trabalhar com o mundo das algas, ricas em minerais e vitaminas do complexo B, e um alimento básico da dieta vegetariana de inverno. O sabor das algas é doce e salgado, dando água ao organismo nas épocas secas. Esta sopa contém algas secas e os dois condimentos, o *Nori* Torrado e o Gomásio Mineral, que podem ser usados para enriquecer qualquer refeição de inverno. As algas não aparecem nos textos ayurvédicos, mas quem vive no litoral pode e deve aproveitar esse alimento local muito rico em iodo, um mineral básico para a saúde da tireoide.

TIGELA DE MACARRÃO

- 4 xíc. de água
- 230 g de tofu, cortado em triângulos de 5 cm ou em cubos de 1 cm
- 2 xíc. de vegetais picados: verduras cortadas em tiras, cenoura, rabanete branco (nabo japonês)
- ½ xíc. de algas secas (*postelsia* ou *wakame* dão certo nesta receita)
- 2 punhados grandes de macarrão de arroz, macarrão de algas ou Espaguete de Abobrinha Libanesa (p. 192)
- 2 col. sopa de missô vermelho

Ferva a água numa panela grande. Acrescente o *tofu*, os vegetais picados e as algas. Reduza para fogo médio e deixe cozinhar, com a panela tampada, por 10 minutos. Acrescente o macarrão nos últimos 2 minutos de cozimento e deixe cozinhar até o macarrão e os vegetais estarem *al dente*. Retire do fogo.

Numa tigela pequena, acrescente água quente (não fervente) ao missô, em quantidade suficiente para obter uma pasta fina, cerca de ¼ xícara. Acrescente essa pasta de missô à panela de sopa e mexa. Ferver o missô mata as enzimas, por isso é importante misturá-lo à sopa depois de retirar do fogo, um pouco antes de servir.

Sirva em 2 pratos de sopa grandes e, se desejar, acompanhe com *Nori* Torrado e Gomásio Mineral.

NORI TORRADO

Para este condimento opcional, torre 2 folhas de *nori* (a alga que envolve o sushi) passando-as por alguns segundos acima da chama do fogão, até ficarem crocantes e de um verde brilhante. Não as deixe muito perto da chama, do contrário ficarão pretas – especialmente num fogão a gás. O *nori* tostado pode ser servido como um acompanhamento crocante ou um picadinho sobrea a sopa antes de servir. Gosto de cortar as folhas em quatro e servi-las num pratinho.

GOMÁSIO MINERAL

½ xíc. de sementes de gergelim
1 col. chá de sal finamente moído
1 col. sopa de alga *dulse* em flocos

Torre as sementes de gergelim numa panela de fundo grosso (pode ser de ferro fundido) em fogo de médio a baixo, mexendo sempre até as sementes começarem a dourar, em poucos minutos. Deixe esfriar por completo, depois triture a grosso modo as sementes de gergelim com um pilão ou usando um moedor de café reservado para temperos. Transfira para uma tigela pequena e acrescente o sal e os flocos de *dulse*.

Guarde num polvilhador à temperatura ambiente.

NOTA: A maioria das lojas de produtos naturais vende as algas *dulse*, *nori* e *wakame* na seção de alimentos japoneses ou asiáticos.

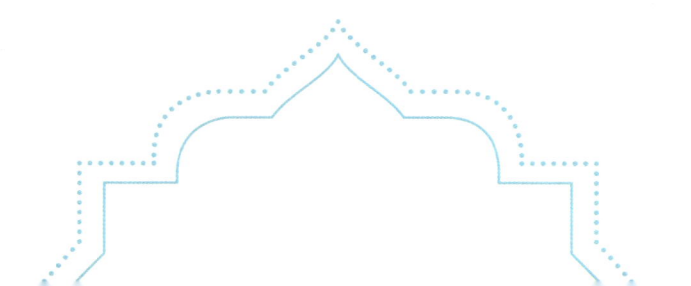

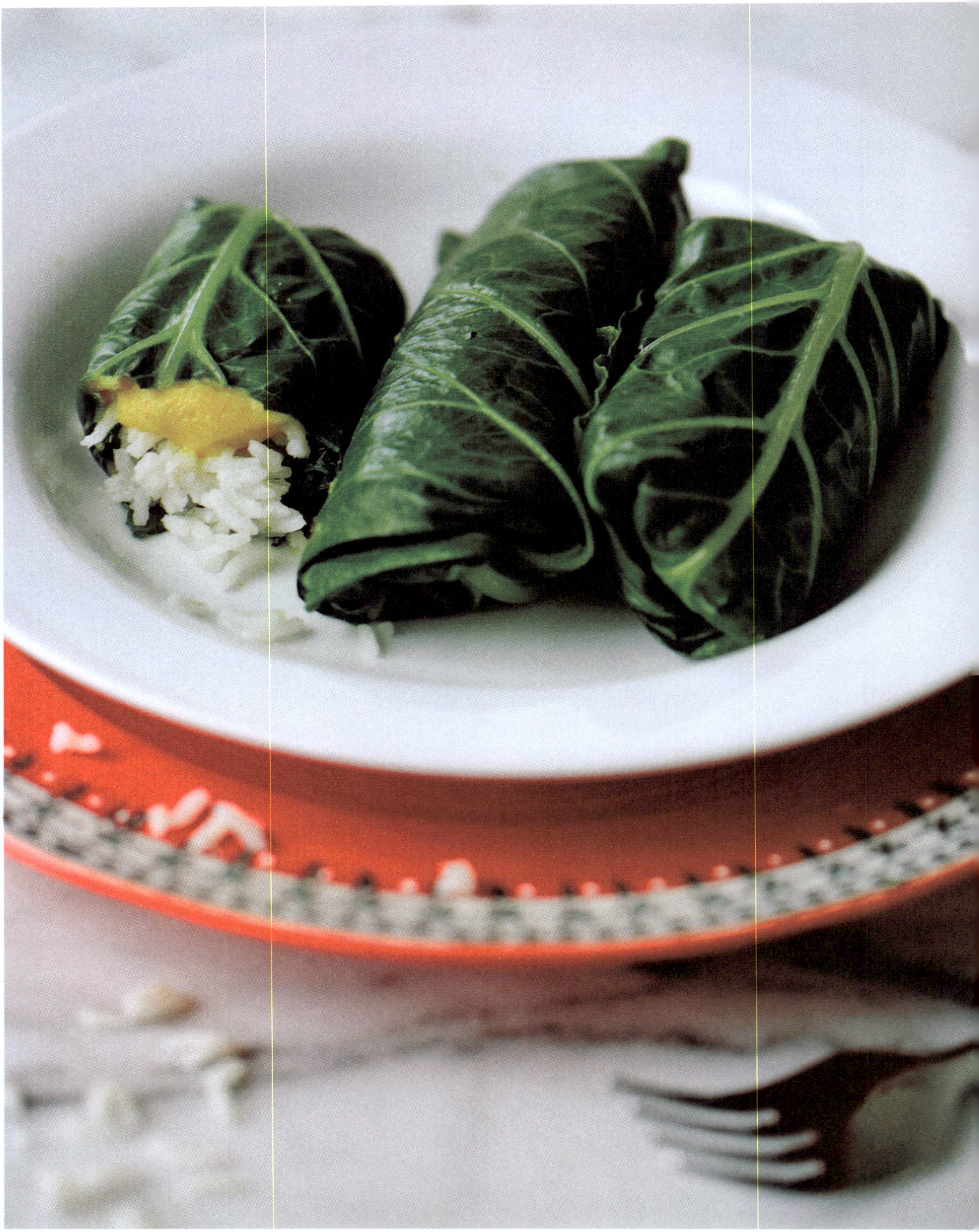

WRAPS DE COUVE-MANTEIGA COM PATÊ DE LENTILHAS VERMELHAS

rende 4 porções

Assim que captar o conceito, você poderá fazer *wraps* de quase qualquer tipo de recheio com folhas de couve-manteiga, folhas de repolho ou folhas de alface no verão. O missô vermelho é muito salgado, azedo e um pouco calorífico, e a couve-manteiga é uma das poucas verduras que continuam boas para consumo no inverno; assim, esta receita é uma opção nutritiva para o inverno, mas você pode incorporá-la à vontade ao menu das outras estações. Por exemplo, rechear uma folha de couve com *kichari* é uma maneira rápida de sair da rotina do *dal* com arroz.

PATÊ DE LENTILHAS VERMELHAS

½ xíc. de lentilhas vermelhas
¾ xíc. de água
2 ½ col. chá de Mistura de Especiarias de Inverno
1 col. sopa de *tahine* de gergelim
suco de ½ limão-siciliano pequeno
1 ½ col. sopa de missô vermelho dissolvido em 1 col. sopa de água quente

Lave e hidrate as lentilhas durante a noite. Escorra e lave novamente. Numa panela média, deixe a água levantar fervura. Acrescente as lentilhas e a Mistura de Especiarias. Com a panela tampada, cozinhe em fogo brando por 30 minutos até que as lentilhas fiquem macias e a água seja absorvida. Retire do fogo e deixe esfriar um pouco. Acrescente o *tahine*, o suco de limão e a pasta de missô e misture com um *mixer* manual se quiser um patê cremoso ou com um garfo se quiser um patê com mais textura. Acrescente mais água ao patê se preferir uma consistência mais fina.

WRAPS DE COUVE-MANTEIGA

4 folhas grandes de couve-manteiga
1 xíc. de arroz basmati branco cozido
½ xíc. de cenoura, repolho ou beterraba (ralados) (opcional)

Leve 1 xícara de água à fervura numa panela grande com uma cesta de cozimento a vapor dentro.

Retire os caules das folhas de couve e, se você tem uma digestão delicada, retire também o caule grosso no meio da folha – cortar de uns 2,5 cm a 5 cm (de baixo para cima) do caule da folha ainda permite que ela seja usada para fazer um *wrap*. Coloque as folhas de couve na cesta de cozimento a vapor e tampe a panela. Cozinhe em fogo médio a baixo por 3 minutos. Retire do fogo e tire as folhas com um pegador de saladas. As folhas devem estar verde brilhante – não cozinhe-as demais.

COMO FAZER OS WRAPS:

Para cada *wrap*, alise bem uma folha de couve-manteiga e coloque ¼ xícara de patê de lentilha e ¼ de xícara de arroz bem no meio da folha, formando um retângulo. Para um recheio mais crocante, espalhe ⅛ xícara de cenoura, repolho ou beterraba (ralados). Dobre primeiro as duas pontas mais curtas e depois enrole como um burrito conforme mostram as fotos.

TORTA MISTA DE BATATAS COM AMÊNDOAS TORRADAS EM XAROPE DE BORDO

rende 6 porções

Se seus amigos que moram na fazenda lhe trouxerem uma cesta de batatas neste inverno, aqui vai uma maneira deliciosa de servir um banquete de batatas – doces e salgadas – para a família e os convidados. A batata-inglesa é leve, fria e seca e pertence à família das solanáceas. Estas são um pouco venenosas quando consumidas em excesso e geram inflamações; assim, aparecem apenas com moderação na culinária ayurvédica. Esta receita inclui também a benéfica batata-doce, que não é uma solanácea. Procure sempre balancear as qualidades seca, leve e fria servindo batatas com bastante óleo e algo de sabor doce. As Amêndoas Torradas em Xarope de Bordo são deliciosas, bonitas e equilibram as qualidades da batata-inglesa.

AMÊNDOAS TORRADAS EM XAROPE DE BORDO

½ col. chá de Mistura de Especiarias Doce

2 col. sopa de xarope de bordo (*maple*)

1 xíc. de amêndoas cruas

¼ col. chá de sal marinho

1 col. sopa de açúcar de coco ou açúcar de bordo

Preaqueça o forno a 180 graus. Forre uma assadeira com papel-manteiga. Numa tigela de tamanho médio, misture a Mistura de Especiarias Doce e o xarope de bordo. Acrescente as amêndoas e misture bem ao tempero. Misture o sal e o açúcar e junte com as amêndoas. Espalhe a mistura na assadeira forrada e asse por 10 a 12 minutos. Retire do forno e reserve. Quando esfriar, pique as amêndoas a grosso modo.

TORTA MISTA DE BATATAS

2 col. sopa de *ghee*, e *ghee* extra para untar o prato

2 xíc. de batata-doce cozida amassada (para assar batata-doce, veja a Bomba de Batata-Doce (p. 227)

2 col. chá de Mistura de Especiarias de Inverno ou Mistura de Especiarias Doce

1 ovo (opcional)

sal marinho e pimenta-do-reino moída a gosto

1 batata-inglesa média

Unte com *ghee* os lados e o fundo de uma assadeira de torta de 22 cm. Com um processador ou amassador de alimentos, misture bem o purê de batata-doce, o *ghee*, a Mistura de Especiarias, o ovo, o sal e a pimenta. Corte a batata-inglesa, com a casca, em fatias de 0,30 cm de espessura. Cubra o fundo da assadeira com as fatias de batata-inglesa, sobrepondo as batatas para cobrir totalmente o fundo da assadeira. Com uma colher, coloque a mistura de batata-doce amassada sobre a da batata-inglesa, espalhe de maneira uniforme para os lados da assadeira e alise o topo.

Asse na grelha superior do forno a 180 graus, por 40 minutos, ou até a parte de cima começar a dourar. Retire do forno, cubra com as Amêndoas Torradas em Xarope de Bordo picadas e deixe esfriar um pouco antes de cortar em fatias.

Sirva o restante das amêndoas numa tigela para quem quiser mais.

BISQUE DE BATATA-DOCE

rende 2 porções

Se você está com fome numa fria noite de inverno, esta sopa aconchegante vai lhe dar todo o bem-estar de que você precisa – é como comer a sobremesa como prato principal da refeição. O sabor doce é a base da alimentação no clima frio, equilibrando as qualidades seca, dura e áspera da estação. O impacto oleoso e pesado do creme, servido quente e bem temperado, vai nutrir os tecidos profundos do organismo. As crianças também gostam deste bisque.

2 xíc. de caldo de legumes

1 cm de gengibre fresco descascado e picado

¼ xíc. de creme de leite de vaca ou leite de coco

2 xíc. de batata-doce (1 média ou 2 pequenas) assada, com ou sem casca

½ col. chá de cúrcuma

1 pitada de noz-moscada

1 pitada de sal e pimenta (opcional)

2 col. chá de *ghee*

creme de leite ou leite de coco extra como guarnição

Aqueça o caldo de legumes, o gengibre picado e o creme de leite ou leite de coco numa panela média, em fogo médio a alto. Corte a batata-doce assada em 4 ou 5 fatias e junte à panela. Acrescente as especiarias, o sal, a pimenta (se estiver usando) e o *ghee* e cozinhe em fogo brando até o líquido ferver. Retire do fogo e bata com um *mixer* manual até obter uma consistência homogênea, com o gengibre totalmente processado.

Sirva em 2 tigelas de sopa com um toque extra de creme ou leite de coco por cima.

NOTA: Se você não descascar a batata-doce, a cor da sopa não ficará tão agradável – ficará mais para marrom do que alaranjada. Gosto de tirar as cascas da batata-doce assada e comê-las quentes com *ghee*, como acompanhamento. Essa é a minha versão pessoal de "batata recheada".

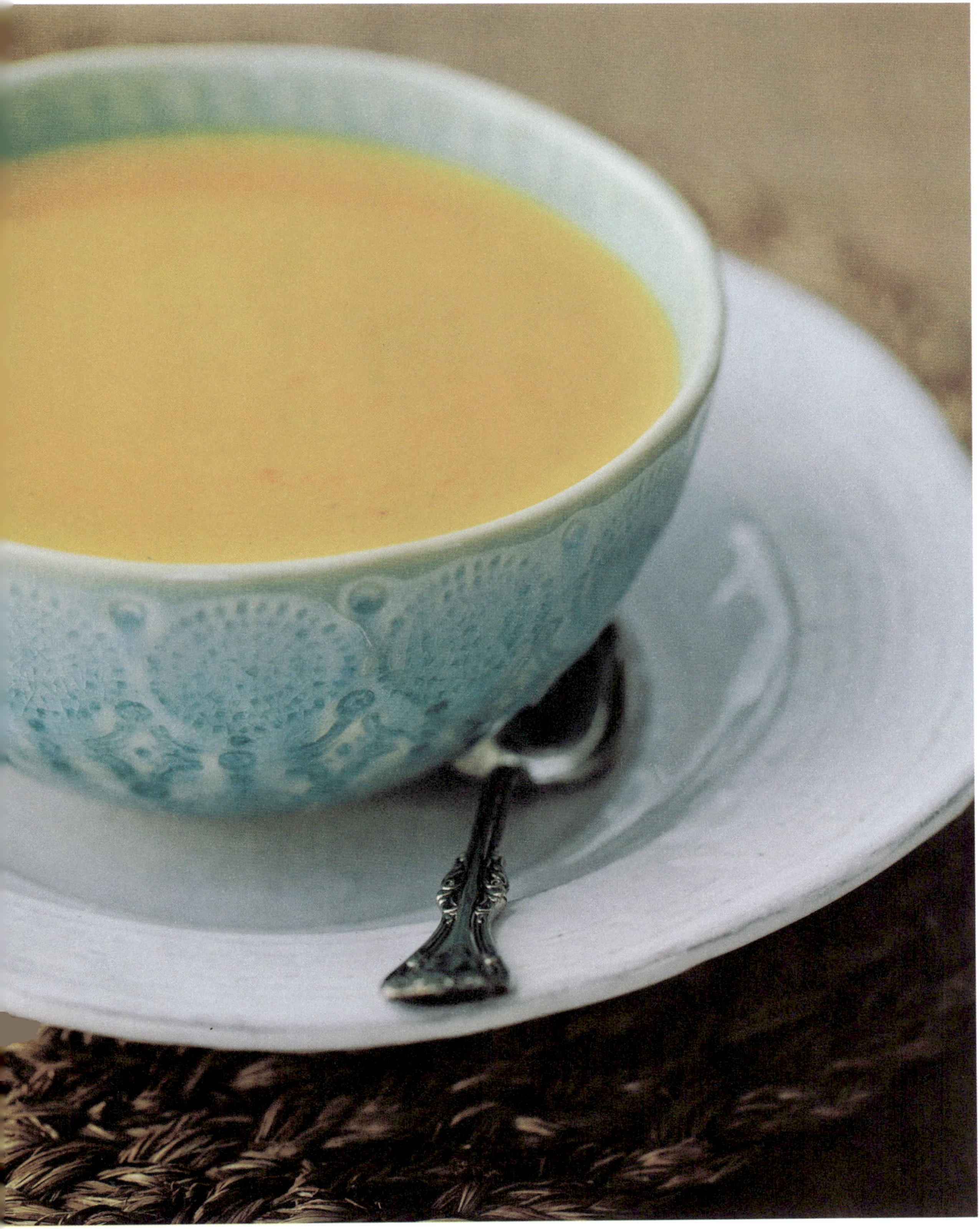

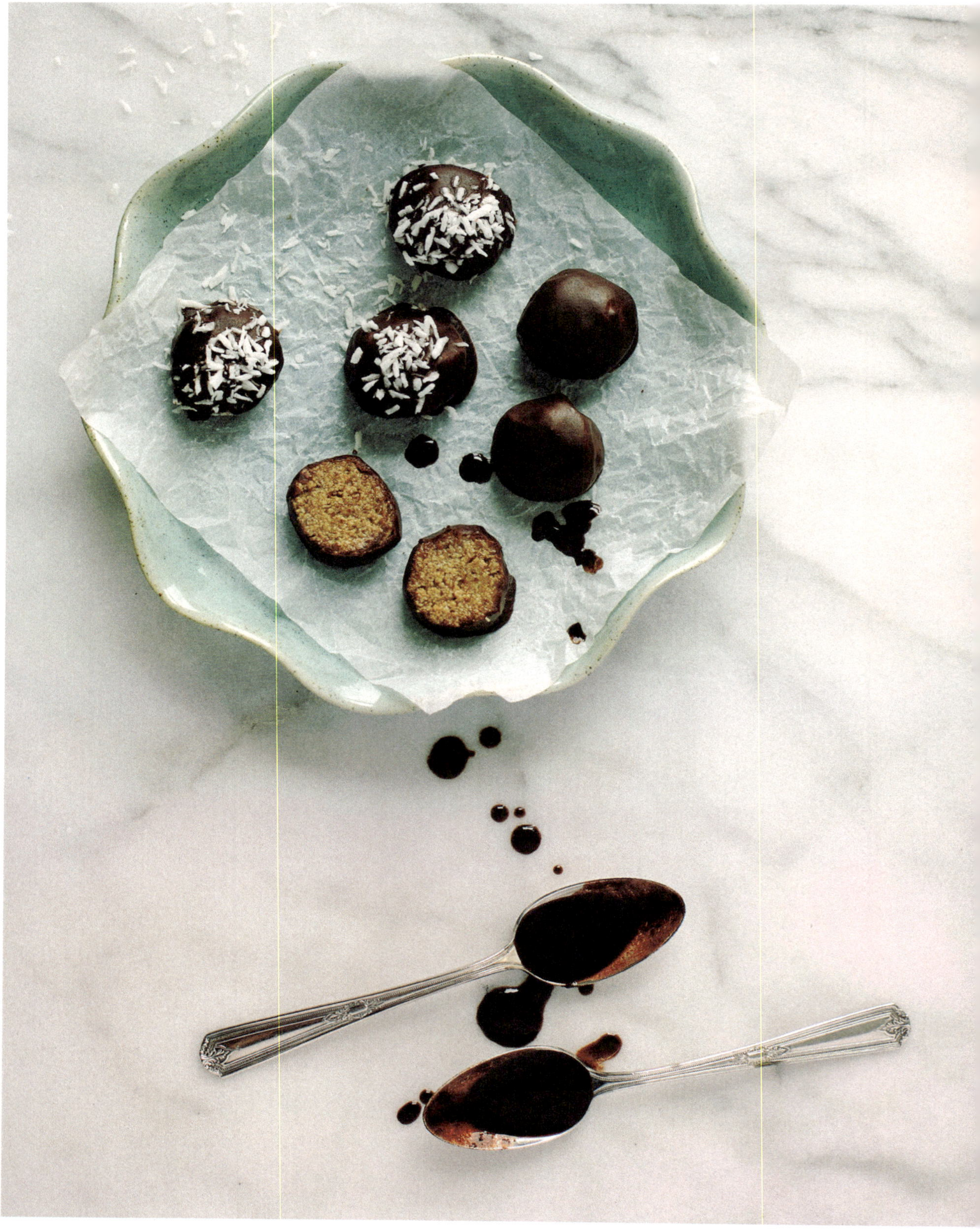

TRUFAS DE MANTEIGA DE GIRASSOL

rende cerca de 12 unidades

A manteiga de amendoim é muito usada nos doces, mas o amendoim, conhecido na Índia como "fruto seco rasteiro", não é recomendado pelo Ayurveda. O amendoim é, na verdade, uma leguminosa; é considerado difícil de digerir e aumenta as qualidades pesada, densa e lenta. Você não vai sentir falta da manteiga de amendoim nesta guloseima que a substitui por sementes de girassol e amêndoas. Essas trufas são tão gostosas que você pode comer mais de uma sem sentir o estômago pesado, pois a manteiga de girassol é mais leve do que qualquer manteiga oleaginosa. A cobertura de chocolate deve ficar refrigerada para não derreter.

RECHEIO DE MANTEIGA DE GIRASSOL

- 2 col. chá de óleo de coco derretido
- ½ xíc. de manteiga de girassol
- 1 col. sopa de mel *in natura*
- 1 col. chá de extrato de baunilha puro
- ¾ xíc. de farinha de amêndoas
- ½ col. chá de canela
- 2 col. chá de *ashwagandha*

COBERTURA DE CHOCOLATE

- 3 col. sopa de óleo de coco derretido
- 1 col. sopa + 2 col. chá de xarope de bordo (*maple*)
- 1 col. sopa + 2 col. chá de cacau em pó
- coco ralado para decorar (opcional)

Derreta o óleo de coco em banho-maria. Numa tigela pequena, misture 2 colheres de chá de óleo de coco derretido, a manteiga de girassol, o mel e a baunilha. Acrescente a farinha de amêndoas, polvilhe a canela e o *ashwagandha* e misture bem. Tampe e deixe no *freezer* por 45 minutos.

Forre uma assadeira de *cookies* com papel-manteiga. Para fazer a cobertura de chocolate, junte 3 colheres de sopa de óleo de coco, o xarope de bordo e o cacau em pó numa tigela e bata com um garfo. Coloque a tigela dentro de outra tigela maior com água morna para a cobertura não endurecer enquanto molda as trufas. Não deixe cair água dentro do chocolate.

Com a mistura de manteiga de girassol temperada, molde uma bolinha de 2,5 cm e solte-a dentro do chocolate. Usando duas colheres, role a bolinha até ela ficar totalmente coberta de chocolate, depois a retire e transfira para a assadeira de *cookies*. Se desejar, polvilhe o coco por cima antes de a cobertura endurecer.

Guarde na geladeira até a hora de servir.

NOTA: Estas trufas contêm *ashwagandha*, uma erva adaptogênica conhecida por sua capacidade de nutrir os tecidos profundos (ossos, tecidos nervosos, tecidos reprodutivos) e ajudar o organismo a enfrentar o estresse. Devido à sua energia calorífica, seu uso é especialmente indicado no outono e no inverno. Se você não tiver como comprar *ashwagandha*, substitua as 2 colheres de chá da erva por 1 colher de chá de farinha de amêndoas.

COOKIES DE AMÊNDOAS COM GENGIBRE

rende 12 unidades

Estes *cookies* crocantes com *nibs* de cacau, com um recheio saboroso, sem farinha e sem açúcar, não deixam nada a desejar. Falando sério! O gengibre fresco aumenta o ânimo e melhora a digestão. É uma ótima receita para levar a uma reunião de férias, pois se conservam bem se transportados em recipiente fechado.

- ¾ xíc. de farinha de amêndoas
- ¼ xíc. de coco ralado sem açúcar
- ¼ col. chá de fermento em pó
- ⅛ col. chá de sal
- ¼ xíc. de açúcar de cana evaporado (também conhecido como Sucanat) ou açúcar de coco
- 2 col. sopa de *nibs* de cacau
- 1 ovo ou 1 "ovo de linhaça" (veja no final da receita)
- 1 ½ col. sopa de óleo de coco
- ¼ col. chá de extrato de baunilha puro
- 1 col. chá de gengibre ralado fininho

Preaqueça o forno a 190 graus. Unte uma assadeira de *cookies* com óleo de coco (não muito).

Numa tigela pequena, misture os ingredientes secos. Numa tigela de tamanho médio, bata o ovo com um garfo até afofar.

Junte o óleo, a baunilha e o gengibre ao ovo. Despeje os ingredientes secos nos ingredientes molhados e mexa até misturar bem.

Com uma colher grande, deixe "cair" bolinhas do tamanho de uma colher de sopa, com uma distância de 5 a 7 cm uma da outra, sobre a assadeira. Aperte cada bolinha delicadamente com um garfo para achatá-las. Asse de 8 a 10 minutos até os *cookies* ficarem levemente dourados. Deixe esfriar antes de retirar da assadeira.

Para fazer 1 "ovo de linhaça": num liquidificador, misture 1 colher de sopa de sementes de linhaça moídas e 3 colheres de sopa de água; bata em velocidade alta por 2 minutos.

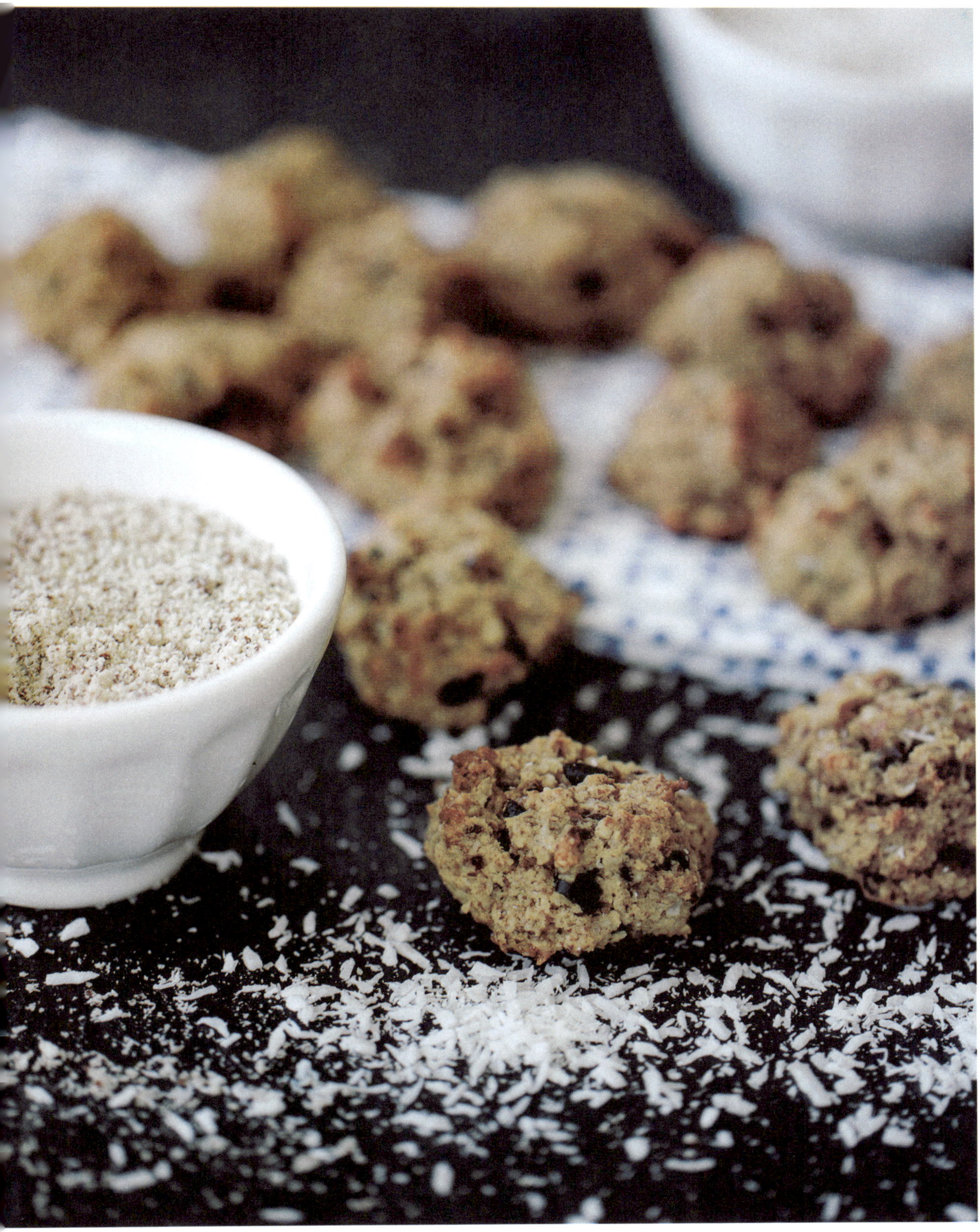

LASCAS DE CHOCOLATE

Uma das grandes alegrias do Natal é o momento de derreter o chocolate e salpicar nele frutas e frutos secos diversos. O amor por essa atividade natalina me inspirou a criar uma receita feita com açúcar não refinado e gorduras benéficas. Que o espírito do Natal possa reinar, mas sem prejudicar nosso intestino!

½ xíc. de óleo de coco derretido

¼ xíc. de xarope de bordo (*maple*)

¼ xíc. de cacau em pó finamente moído

1 col. chá de canela, cardamomo ou gengibre em pó ou 1 gota de óleo de hortelã puro (opcional)

cranberries desidratadas, frutos secos (nozes, castanhas e afins) picados, sementes de cânhamo, raspas de laranja, gengibre cristalizado (nota: gengibre cristalizado geralmente contém açúcar branco) ou lavanda desidratada para decorar

Forre uma assadeira com papel-manteiga ou papel de cera.

Misture numa tigela média o óleo de coco derretido, o xarope de bordo, o cacau em pó, a especiaria em pó ou o óleo de hortelã, se for usar. Se sua cozinha for fria, você deve trabalhar rápido para que o chocolate não comece a endurecer ou colocar a tigela dentro de uma tigela maior com água quente enquanto você prepara o resto da receita.

Despeje a mistura de chocolate na assadeira forrada e espalhe com uma espátula, formando uma camada de aproximadamente 0,60 cm de espessura. Salpique os ingredientes decorativos por cima. Leve à geladeira até endurecer, por 20 minutos. Estará pronto quando você tocar no chocolate sem deixar a marca do dedo. Retire da geladeira e quebre em pedaços com as mãos – funciona melhor do que cortar com faca.

Mantenha na geladeira para não derreter.

NOTA: O óleo de coco é um produto que foi separado da carne e da fibra da fruta. A manteiga de coco combina a carne e o óleo natural do coco. Nosso organismo absorve melhor o óleo puro, mas essas lascas continuarão sólidas em temperatura ambiente (até 24 graus) se você usar manteiga de coco no lugar do óleo nesta receita, ou seja, se você pretende levar as lascas de chocolate para uma festa ou dar de presente, elas ficarão mais estáveis em temperatura ambiente se forem feitas com manteiga de coco.

TÂMARAS RECHEADAS

rende 2 porções

Deu aquela vontade de comer doces? Precisa inventar uma sobremesa rápida? Estas tâmaras fazem sucesso – são densas, úmidas e muito gratificantes, sem conter nenhum ingrediente refinado. No Ayurveda as tâmaras são consideradas um afrodisíaco e aumentam o *rajas*, ou seja, a excitabilidade da mente. Aprecie com moderação as Tâmaras Recheadas, que contêm minerais, gorduras e um sabor doce natural que reforça nosso sistema durante os meses frios.

- 4 tâmaras Medjool
- 4 col. chá de manteiga de amêndoa crua
- 4 amêndoas ou castanhas-de-caju
- 1 pitada de Mistura de Especiarias Doce ou canela

Faça um corte de 2,5 cm em cada tâmara, no sentido do comprimento, e retire o caroço.

Recheie cada tâmara com 1 colher de chá de manteiga de amêndoa, deixando vazar um pouco da manteiga. Insira uma amêndoa ou uma castanha-de-caju dentro desse recheio.

Para servir, arrume as tâmaras num prato e polvilhe uma pitada da Mistura de Especiarias ou da canela sobre elas.

CHÁ DIGESTIVO DE INVERNO

rende 2 canecas

Este chá é um verdadeiro aquecedor de inverno para o corpo. O cominho ajuda a eliminar o muco – é especialmente útil no final do inverno, quando o muco começa a se acumular.

- 2 xíc. de água
- 1 cm de gengibre fresco
- ½ col. chá de sementes de cominho
- ½ col. chá de sementes de erva-doce
- ½ col. chá de canela

Numa panela pequena, ferva 2 xícaras de água. Pique o gengibre a *grosso modo* e acrescente-o à água; não é preciso retirar a casca. Acrescente o cominho, a erva-doce e a canela. Abaixe o fogo e cozinhe por 10 minutos ou mais tempo se preferir um sabor mais forte.

Para servir, coe o chá em duas canecas. Tome 200 ml durante ou após as refeições.

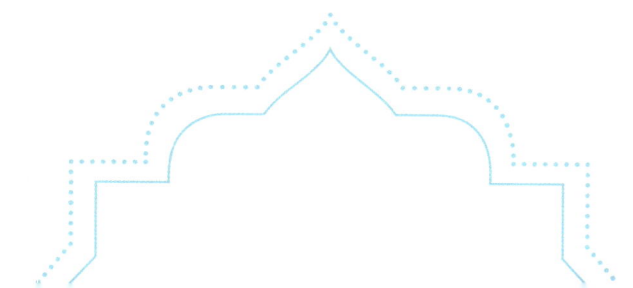

TÔNICO REJUVENESCEDOR DE INVERNO

rende 2 canecas

Tradicionalmente toma-se este tônico à noite, às vezes acrescentando ervas de qualidades construtoras, por exemplo, adicionando 1 colher de chá de *ashwagandha* para reforçar o *ojas*, o "creme" nutritivo do nosso organismo. Se você gosta de fazer *smoothies*, experimente esta versão quente no lugar dos *smoothies* gelados de frutas, que congelam o intestino e nos fazem sentir frio. Sirva como um café da manhã reforçado, uma sobremesa gostosa ou um lanche tentador para as crianças. Quem tem intolerância à lactose pode usar qualquer outro leite de origem não animal.

3 a 4 tâmaras Medjool
10 amêndoas hidratadas durante a noite
1 xíc. de leite integral ou Leite de Amêndoas
½ col. chá de Mistura de Especiarias Doce
1 col. chá de *ashwagandha* (opcional)

Numa tigela pequena, deixe as tâmaras de molho em água morna por 20 minutos. Depois, retire o caroço das tâmaras.

Escorra e descasque as amêndoas. As cascas vão soltar facilmente entre os dedos após a hidratação.

Numa panela pequena, aqueça as tâmaras, as amêndoas, o leite, a Mistura de Especiarias e a *ashwagandha* (se estiver usando) em fogo médio. Quando o leite estiver quente, retire do fogo e bata com uma batedeira manual de imersão até ganhar a consistência de um *smoothie* ou bata no liquidificador até dissolver as amêndoas e tâmaras.

Sirva numa caneca grande. Eis aqui um *smoothie* quente para o inverno!

NOTA: Há quem considere 1 xícara de leite integral pesada ou gordurosa demais para o sistema digestório. Em vez de comprar leite desnatado com suas propriedades naturais alteradas, basta diluir o leite integral com água até chegar à consistência que você prefere.

MASALA CHAI

rende 4 canecas

Não devemos abrir mão de certas coisas. A alegria de viver que uma xícara de *chai* perfeita proporciona não deve ser adulterada. Esta receita contém leite de vaca, uma dose saudável de adoçante e chá preto indiano tipo "pó", bem fino. Nesses anos todos, já fiz muitas variações sem leite e sem cafeína: *chai* com *rooibos* (uma planta sul-africana), chá verde, leite de soja, leite de amêndoas... e assim por diante. Mas agora eu realmente preciso lhe apresentar o verdadeiro e genuíno *chai* indiano. E, se quiser, pode omitir o chá e ficar com um benéfico leite com especiarias, uma excelente sobremesa. Experimente fazer variações desta receita e em breve você terá criado sua própria versão deste *chai* com sua mistura favorita de especiarias.

---

4 xíc. de água
1 xíc. de leite integral
1 ½ col. sopa de chá tipo "pó" fino, ao estilo indiano, ou 3 col. sopa de folhas de chá preto (*Brooke Bond Red Label* é o preferido das famílias indianas)
2 col. sopa de açúcar de coco

ESPECIARIAS BÁSICAS PARA O *CHAI*

½ col. chá de gengibre em pó ou gengibre fresco ralado
½ col. chá de canela
5 vagens de cardamomo verde trituradas

INGREDIENTES EXTRAS PARA UM *CHAI* MAIS SOFISTICADO

2 cravos
½ col. chá de sementes de erva-doce
1 pitada de noz-moscada (em pó ou moída na hora)
Meu Ingrediente Secreto: 1 col. chá de coentro em pó

Numa panela de tamanho médio, ferva a água em fogo alto. Acrescente todas as especiarias. Abaixe o fogo e deixe as especiarias fervendo por pelo menos 10 minutos. Aumente para fogo médio, acrescente o leite, deixe começar a ferver de novo e logo em seguida abaixe o fogo outra vez. Acrescente o chá e o açúcar. Mexa até dissolver. Tome cuidado, porque o leite pode ferver e derramar. Não saia de perto até ter certeza de que o fogo está baixo o suficiente para o leite não transbordar. Se eu tivesse ganho um dólar a cada vez que deixei o *chai* transbordar... Estou tentando salvar você desse mesmo destino. Deixe em fogo baixo, sem tampa, de 5 a 7 minutos. (Assim, com menos tempo, o resultado é um *chai* com menos cafeína e menos adstringência secante). Retire do fogo e passe o líquido para outra panela usando uma peneira fina.

Sirva 4 canecas pequenas usando uma concha.

NOTA: Costumo ferver 1 xícara de água na véspera, acrescento as especiarias, desligo o fogo e deixo durante a noite para acentuar o sabor. Pela manhã acrescento o leite, o resto da água e fervo novamente.

SOBRE O MEU INGREDIENTE SECRETO

Todo *chai wallah* – um especialista em chá indiano – que se preze tem um ingrediente secreto, e aqui estou divulgando o meu. Aprendi esse truque em 1998 com um professor de yoga de Rishikesh. Ele chamava o *chai* que preparava com coentro em pó (que estimula o fígado) de "chá yogue". Eu me convenci e desde então sempre faço o *chai* com essa especiaria.

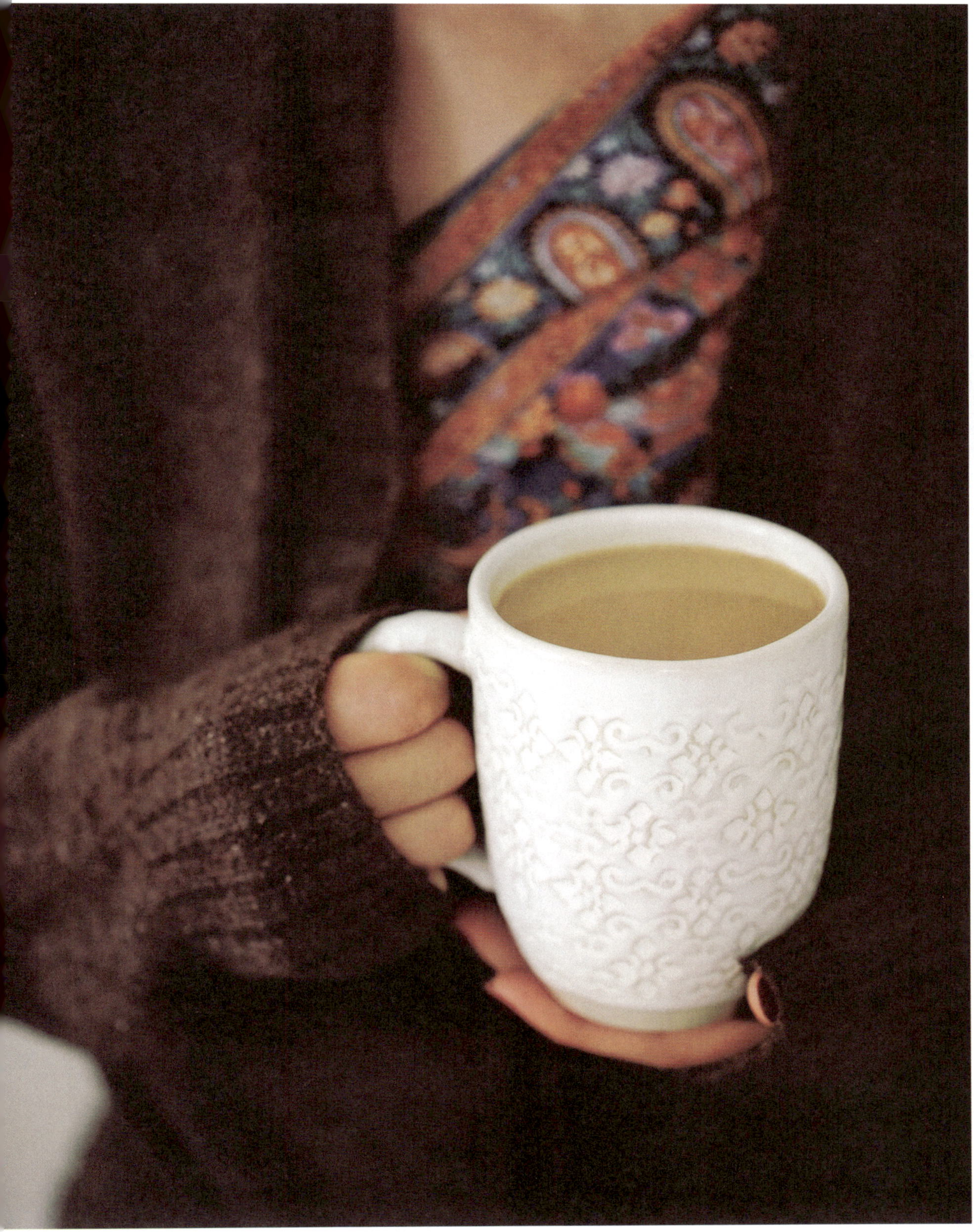

LASSI DE AÇAFRÃO

rende 2 copos

O sabor de um *lassi* de açafrão é sutil, porém exótico. A cor dourada é agradável e revigorante. Os estigmas, ou fios finos das flores de açafrão, são valorizados por suas qualidades afrodisíaca e rejuvenescedora – ambas apropriadas para o inverno. Não incluí o açafrão em muitas receitas pois custa caro e não é fácil de se encontrar. Mas, caso tenha açafrão, vale a pena experimentar esta receita.

- ¼ xíc. de iogurte de leite integral orgânico
- 1 xíc. de água em temperatura ambiente
- 1 pitada de fios de açafrão
- 1 col. chá de xarope de bordo (*maple*) (opcional)

Num pote de conserva de boca larga de 500 g, bata todos os ingredientes durante 1 minuto com um *mixer* manual ou use um liquidificador.

Sirva em 2 copos e beba em temperatura ambiente.

MISTURA DE ESPECIARIAS E SAIS DE INVERNO

Bem-vindas, especiarias de inverno! Salgado, doce e azedo são os sabores que amenizam essa estação. Estas duas misturas contêm uma boa dose de sal e um pouco de doçura natural para combinar bem com todos os seus pratos de inverno. O inverno é a época do ano para usarmos as especiarias generosamente.

MISTURA DE ESPECIARIAS DE INVERNO

rende ¼ de xícara

- 1 col. sopa de sementes de coentro
- 1 col. sopa de sementes de cominho
- 1 col. sopa de cúrcuma em pó
- ½ col. chá de sal
- ½ col. chá de açúcar de cana evaporado (também conhecido como Sucanat)
- 1 col. chá de gengibre em pó
- 1 col. chá de pimenta-do-reino (opcional)

Torre a seco as sementes de coentro e de cominho numa panela de fundo grosso, por poucos minutos, até sentir o aroma das sementes. Deixe esfriar por completo. Misture com os outros ingredientes e triture até obter uma consistência uniforme, com um moedor de café reservado para especiarias ou com um pilão.

Guarde num polvilhador pequeno de vidro.

SAIS DE INVERNO

rende ⅓ de xícara

- 2 col. sopa de alecrim seco
- 2 col. sopa de manjerona ou orégano (secos)
- 1 col. sopa de sal marinho
- 1 col. sopa açúcar de cana evaporado (também conhecido como Sucanat) ou açúcar de bordo (*maple*)
- 1 col. sopa de pimenta-do-reino

Misture as ervas secas, o sal, o açúcar e a pimenta num polvilhador pequeno de vidro. Se necessário, triture primeiro com um pilão para obter uma consistência uniforme. Muitas receitas desta seção pedem os Sais de Inverno, mas você também pode deixá-lo sobre a mesa de jantar para ser usado como condimento. Mantenha um moedor de pimenta cheio de grãos de três cores sobre a mesa no inverno e na primavera. Você pode usar esse moedor de mesa para moer 1 colher de sopa para esta receita.

CHUTNEY DE MANGA VERDE E GENGIBRE

rende 500 ml

Comprar mangas verdes é o início de uma receita deliciosa. Escolha mangas bem duras e com a casca totalmente verde. Quando eu quero fazer uma boa quantidade de *chutney*, para durar um mês inteiro de inverno, me programo para fazer isso num dia em que vou ficar em casa boa parte do tempo e poderei deixar o caldeirão ferver bastante. Algumas horas de preparação vão render uma preciosidade saborosa que dura semanas na geladeira. Recomendo fazer no final do inverno, quando as qualidades doce, amarga e picante do *chutney* são apropriadas. Ponha uma música para tocar e entregue-se ao movimento rítmico de picar os ingredientes.

4 mangas verdes
sabor picante opcional:
  2 pimentinhas verdes ou ¼ col. chá de pimenta-de-caiena
10 cm de gengibre fresco
½ xíc. de vinagre de maçã
¾ xíc. de açúcar de cana evaporado (também conhecido como Sucanat)
especiarias neutras opcionais:
  1 col. chá de canela, cominho e/ou coentro em pó

Descasque e pique as mangas verdes em cubinhos de 2 cm para que cozinhem rápido.

Se usar pimenta, pique em pedacinhos bem pequenos. Descarte as sementes da pimenta se quiser um *chutney* menos picante, mas sem perder o sabor.

Descasque e pique o gengibre em palitinhos de 1 cm, de modo que as fibras fiquem em pedacinhos.

Numa panela grande, misture todos os ingredientes e cozinhe em fogo baixo, sem tampa, durante cerca de 1 hora, até a mistura ganhar uma consistência de geleia. Você também pode deixar todos os ingredientes da noite para o dia numa panela elétrica de cozimento lento.

Deixe esfriar e transfira para um pote de vidro de 500 ml. Guarde na geladeira.

NOTA: Recomendo acrescentar os ingredientes picantes opcionais, mas, para quem já tem um ambiente interno quente, recomendo as especiarias neutras opcionais. Nunca use os ingredientes picantes e os neutros ao mesmo tempo. Embora a mistura possa ficar saborosa, são especiarias demais para misturar de uma só vez.

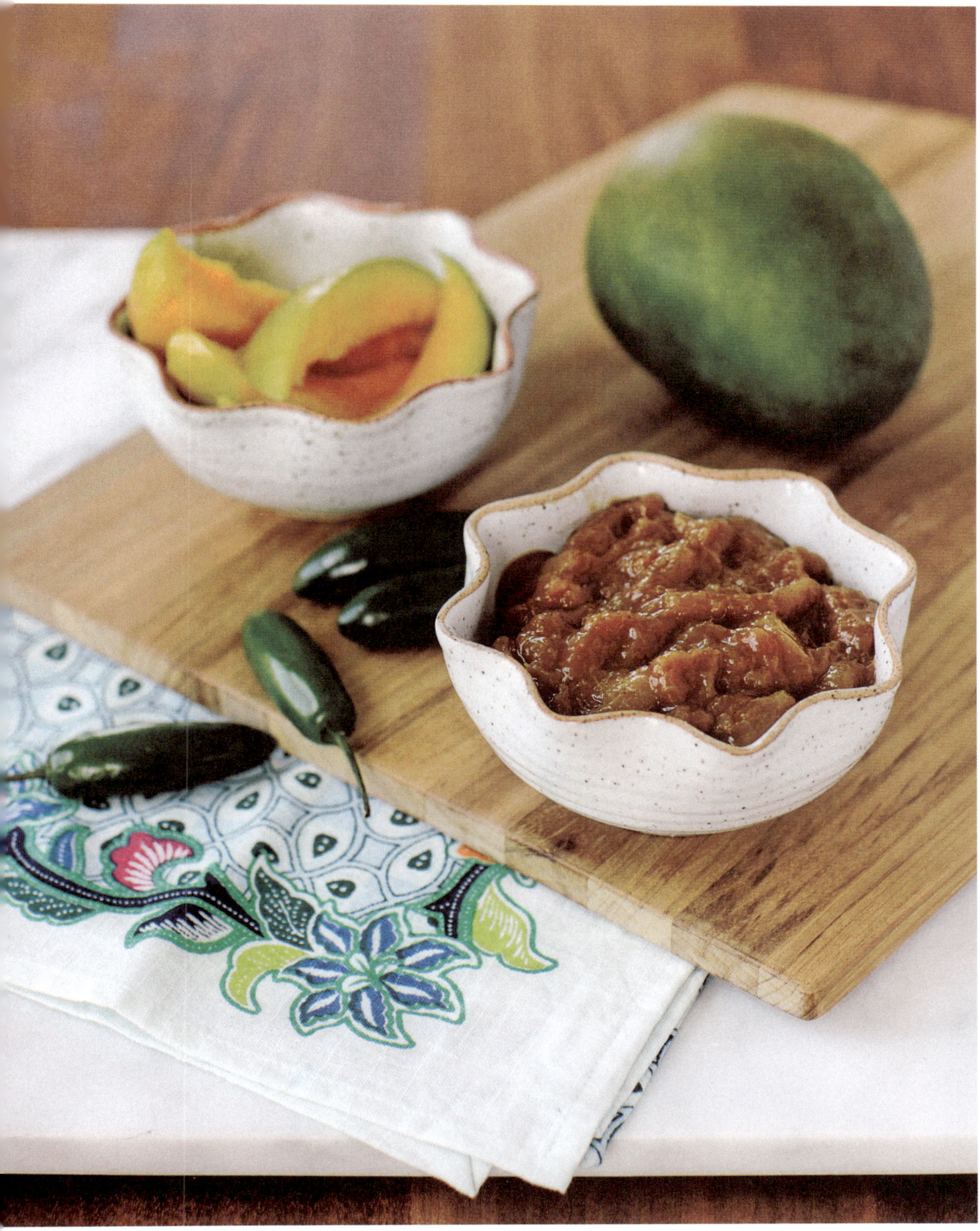

CHUTNEY DE TOMATE E TÂMARAS

rende 500 ml

Esta receita inspirada no Punjab é uma ótima maneira de usar as conservas de tomate que você colheu na sua horta de verão. O feno-grego favorece o funcionamento do fígado durante o inverno. Experimente esta conserva para dar um sabor mais picante à *dosa* ou acompanhando pratos de arroz. O *chutney* de tomate e tâmaras se conserva por uma semana na geladeira.

- 1 col. chá de *ghee*
- 1 col. chá de sementes de feno-grego
- 2 xíc. de tomate caseiro em conserva
- 6 tâmaras *deglet nour* descaroçadas
- 1 col. chá de sal
- 2 col. chá de suco fresco de limão-siciliano

Derreta o *ghee* numa frigideira média ou numa panela larga, em fogo médio. Torre as sementes de feno-grego no *ghee*, mexendo sempre, até você sentir o aroma da mistura, de 2 a 3 minutos. Acrescente os tomates e o sal ao *ghee* e mexa. Pique as tâmaras em rodelas de 0,5 cm e acrescente à panela. Abaixe o fogo e cozinhe em fogo brando com a panela destampada até as tâmaras se dissolverem quase por completo, de 15 a 20 minutos. Mexa algumas vezes durante o cozimento. Quando o *chutney* adquirir uma consistência de geleia, retire do fogo e misture o suco de limão.

Deixe esfriar e transfira para um pote de conserva de 500 ml, de vidro. Mas, antes de guardar, saboreie uma *dosa* com o *chutney* ainda quente!

MOLHO DE MISSÔ DE GERGELIM

rende de 2 a 3 porções

Quatro dos seis sabores estão representados neste majestoso condimento. O sabor triplo do gergelim: doce, amargo e pungente, misturado com o azedo do missô, compõe um molho muito equilibrado, especialmente quando servido com os sabores amargo e adstringente das verduras escuras. Faça dessa combinação um prato básico de inverno.

- 2 col. chá de sementes de gergelim
- 1 col. sopa de missô vermelho dissolvido em 1 col. sopa de água quente
- ¼ xíc. de óleo de gergelim (cru ou refinado em fogo médio; não torrado)
- ¼ xíc. de vinagre de arroz
- ½ col. chá de gengibre em pó
- ½ col. chá de cominho em pó
- 1 gota de vinagre de ameixa umê (opcional)

Numa frigideira pequena, toste as sementes de gergelim em fogo de médio a baixo, mexendo sempre, até as sementes começarem a dourar, em poucos minutos.

Junte todos os ingredientes numa tigela pequena e bata com um garfo ou agite num pote de conserva de 230 gramas.

Este molho se conserva uma semana na geladeira.

Para servir, agite ou misture vigorosamente antes de regar sobre uma Salada Cozida no Vapor, o Patê de Lentilhas Vermelhas, verduras e legumes refogados ou grãos cozidos.

O AYURVEDA E OS ALIMENTOS FERMENTADOS

Os alimentos fermentados, como o missô e o vinagre, aquecem o organismo e equilibram o nível de acidez estomacal. Os fermentos devem ser usados apenas como condimentos e podem causar desequilíbrio quando consumidos em excesso. Quem tem um sistema digestório propenso à acidez deve evitar por completo os fermentados ou ingerir no máximo 1 colher de sopa desses alimentos como componente estritamente medicinal da alimentação.

No Ayurveda, os produtos lácteos fermentados, como o soro de leite coalhado e o queijo caseiro (chamado "*paneer*"), fazem parte da alimentação regular. Legumes e frutas em conserva podem ser servidos em pequenas quantidades (de 1 a 2 colheres de chá) para estimular a digestão no tempo frio e chuvoso, enquanto o soro de leite coalhado fresco, em pequena quantidade, muitas vezes é servido no final do almoço (veja *Lassi* Digestivo, p. 122).

Na alimentação ocidental, o vinagre, o vinho, os *picles*, o *kombuchá*, os queijos curados, o chucrute e o *kimchi* são servidos em quantidades que ultrapassam em muito sua utilidade medicinal. Exagerar na dose de uma coisa boa – neste caso, das qualidades cortante e penetrante da fermentação – pode, em alguns casos, elevar o clima interno e promover o desequilíbrio.

Por fim, lembre-se de que quanto mais um alimento fica guardado, mais azedo será o seu sabor. Os alimentos fermentados tradicionais em geral são frescos e feitos em casa, não comprados em lojas. Assim, introduza os alimentos fermentados na alimentação com moderação e encontre um fornecedor local ou aprenda a fazê-los em casa.

APÊNDICE 1

Como Praticar a *Dinacharya*

As seguintes *dinacharya*, ou práticas diárias, aparecem aqui na ordem ideal para realizá-las. Não é preciso praticar todas elas; consulte as diretrizes de estilo de vida no capítulo referente a cada estação e saiba em qual época do ano esses procedimentos são mais benéficos. De modo geral, raspar a língua e lubrificar a pele são as práticas diárias mais importantes.

Raspador de língua: É uma peça de cobre ou aço inoxidável em forma de U, com a borda afiada, utilizada para limpar a língua.

Escovação a seco (*dry brushing*): Com cerdas naturais firmes e cabo de madeira, usada para esfoliar a pele.

Óleo de massagem: Prefira um óleo orgânico de alta qualidade para massagem, comprado há menos de um ano. Mantenha os óleos longe do sol.

Pote *neti*: Pode-se comprar em farmácias um *kit* de irrigação nasal contendo um pote de plástico e pacotinhos de sal (ambos úteis para viagens), mas é melhor comprar um pote de cerâmica ou de aço inoxidável para usar em casa.

Vidros com conta-gotas: Estéreis, vazios, são vendidos em algumas lojas de produtos naturais e de plantas medicinais. Use para guardar óleo de gergelim para aplicar nas narinas (*nasya*) ou água floral de rosas para aplicar nos olhos.

Água floral de rosas: Decocção feita da água de pétalas de rosa no vapor, segura para usar nos olhos e para dar sabor aos alimentos. A água floral é diferente da água de rosas, que é feita com óleo essencial de rosas diluído em água e não é segura para aplicar nos olhos.

Raspagem da língua

Use um raspador de língua de cobre ou de aço inoxidável. Logo que acordar de manhã, a primeira coisa a fazer, antes de consumir qualquer bebida, deve ser raspar a língua de cinco a seis vezes, começando bem atrás, onde você conseguir alcançar, e vindo até a ponta. Procure recobrir toda a superfície da língua, em especial a região mais atrás. Pressione com suavidade; não agrida o tecido da língua. Provavelmente vai aparecer um muco sobre o raspador; lave na pia conforme necessário.

ÓLEO DE MASSAGEM

POTE *NETI*

CONTA-GOTAS DE VIDRO

ÓLEO PARA *NASYA*

ESCOVA DE CERDAS

RASPADOR DE LÍNGUA

Quando terminar, limpe o raspador cuidadosamente com água quente e guarde perto da sua escova de dentes. Não raspe a língua em outros momentos do dia. Depois da raspagem escove os dentes e tome uma xícara de água quente ou de Chá Matinal Tranquilizante (p. 120).

Lavagem dos olhos

Faça escorrer água fria da torneira e lave bem os olhos, jogando água com as mãos sobre os olhos abertos, quatro ou cinco vezes. Em seguida procure piscar sete vezes e rolar os olhos em círculos. Se tiver ardor, coceira ou vermelhidão, pode aplicar água floral de rosas nos olhos nesse momento, com *spray* ou conta-gotas. Certifique-se de comprar água floral, e não água misturada com óleo essencial de rosas que não é segura para aplicar nos olhos.

Neti (irrigação nasal)

Considere o *neti*, irrigação da passagem nasal, como um equivalente a usar fio dental para as narinas. A limpeza com pote *neti* consiste em despejar uma pequena quantidade de água salgada, com um pote de cerâmica ou de aço inoxidável, fazendo-a passar através de cada narina, desalojando o muco e as impurezas acumuladas. Gosto de praticar *neti* no chuveiro, quando a água quente abre as passagens nasais e leva embora todos os resíduos.

Os micróbios não entrarão no seu organismo se você usar o pote *neti*. Pratique o *neti* pela manhã na época de mudança das estações, quando começa a temporada de gripes e resfriados, e conforme necessário na primavera e no outono. Quem tem tendência a alergia ou a muco vai se beneficiar do uso diário do pote *neti*, ao passo que quem é predisposto à secura vai precisar fazer o *neti* só ocasionalmente e deve se beneficiar mais com a *nasya* (veja p. seguinte). O *neti* também pode ser praticado alguns dias seguidos se você sentir sua imunidade debilitada. Nem todo mundo precisa praticar o *neti* todos os dias.

Para praticar o *neti*, ferva água filtrada e acrescente bastante água fria, também filtrada, para a mistura não ficar quente demais. Você deve conseguir colocar o dedo na água sem se queimar. Não se esqueça de checar a temperatura antes de aplicar a água no nariz! Dissolva completamente nessa água morna sal marinho puro, moído fino. (Como os potes *neti* vêm em diversos tamanhos, leia as instruções do seu para saber a quantidade correta de sal.) No chuveiro ou na pia, incline-se para a frente, mantendo o pescoço estendido e dobrando o torso. Incline a cabeça de lado, coloque o bico do pote na narina superior e espere a água sair pela outra narina.

Se a água não escorrer para fora facilmente após algumas tentativas, suspenda a prática e procure orientação especializada. Deixe a água escorrer naturalmente. *Não assoe o nariz com força*, pois isso pode fazer a água entrar mais para o fundo. Você pode tapar uma narina e simplesmente exalar para expelir o restante da água. Incline a cabeça para o outro lado e repita o procedimento na outra narina.

NOTA: Sal demais queima; se for muito pouco, o *neti* dará a sensação de que você está com otite externa. Não pratique o *neti* mais de uma vez por dia.

Nasya (lubrificação das narinas)

A menos que você esteja com congestão nasal, depois do *neti* faça sempre a *nasya*, que é a aplicação de óleo de gergelim nas narinas. Introduza o óleo na narina girando com um cotonete ou a ponta do dedo mindinho e inspire profundamente. Isso vai equilibrar a secura do sal usado na irrigação nasal. Encomende o óleo de algum fornecedor especializado; ou, se quiser, você pode fazer seu próprio óleo para *nasya*, decantando óleo de gergelim refinado num conta-gotas esterilizado. Pingue um pouco de óleo no dedo mindinho ou num cotonete, ou mesmo diretamente na narina, sem tocar na ponta do conta-gotas. Mesmo se você não praticar o *neti*, lembre-se de pingar óleo nas narinas ao fazer sua massagem diária com óleo. Não se esqueça de levar o óleo para *nasya* nas viagens de avião e de usar antes de utilizar transportes públicos. O óleo em geral se conserva bem por um ano.

A *nasya* não é indicada em casos de congestão nasal crônica; seria melhor consultar um médico ayurvédico para ajudar a descobrir a causa. Mas observe que as alergias alimentares podem causar congestão nasal; assim, uma limpeza sazonal pode descongestionar o nariz e também dar uma oportunidade de descobrir o que está causando o problema, à medida que você começa a reintroduzir determinados alimentos na sua dieta após a limpeza.

Escovação a seco (*dry brushing*)

Esse procedimento é especialmente indicado no final do inverno e na primavera ou em casos de ganho de peso ou retenção de líquido. Para escovar a pele a seco, use uma escova de cerdas naturais (disponível em farmácias e lojas de produtos naturais).

Comece pelos tornozelos e suba em direção ao coração, fazendo pequenos movimentos circulares, rápidos e vigorosos, para esfoliar e estimular a pele do corpo inteiro. Dê atenção especial às axilas e ao peito, à parte interna das coxas e à virilha e a todos os lugares onde os tecidos gordurosos teimam em se acumular. Escove durante 3 a 5 minutos com firmeza, mas sem agredir. O resultado deve ser uma cor rosada na pele. Você pode escovar todos os dias ou algumas vezes por semana, antes de tomar seu banho e fazer sua massagem com óleo.

Abhyanga (lubrificação da pele)

Se você decidir fazer apenas uma prática de *dinacharya*, faça esta. Você vai notar que lubrificar a pele cria um campo de força protetor ao seu redor durante o dia todo.

É melhor aplicar o óleo aquecido, generosamente, logo antes do banho ou mesmo no chuveiro. A água morna abre os poros e a massagem fará o óleo penetrar mais profundamente. Para aquecer o óleo, coloque-o num pequeno recipiente e deixe-o imerso na pia com água quente, enquanto você tira a roupa. Aplique o óleo antes de entrar no chuveiro, por 5 minutos, com movimentos alongados acompanhando os ossos e com movimentos circulares sobre as articulações.

No inverno você pode manter sempre um frasquinho plástico com óleo de massagem no chuveiro. Quando quiser fazer *abhyanga*, coloque o recipiente no piso do box e ligue a água, de modo que você e o óleo se aqueçam juntos, durante 1 minuto. Desligue o chuveiro; coloque bastante óleo na palma da mão e aplique no corpo inteiro, incluindo nos ouvidos e nas narinas – mas não no resto do rosto. Esfregue bem por alguns minutos, depois ligue de novo o chuveiro na água quente, fique embaixo do jato e esfregue um pouco mais. Não ensaboe a pele – apenas as partes onde há pelos, para remover o óleo. Ao se secar, aproveite para ficar enrolado na toalha alguns minutos, deixando a pele absorver mais o óleo. Agora você pode se vestir e se dedicar às atividades do dia.

QUE TIPO DE ÓLEO USAR

Pode-se variar o óleo de massagem conforme as estações, como indicado neste livro nos guias sazonais de estilo de vida; mas aqui estão algumas indicações gerais. Sempre faça um teste prévio com qualquer óleo, passando primeiro numa pequena área da pele antes de aplicar no corpo todo, para ter certeza de que não vai provocar alergia.

Óleo de gergelim: tradicionalmente preferido por sua capacidade de promover força e suavidade no organismo. A massagem com esse óleo aquece e é indicada para quem costuma sentir frio e tem a pele seca.

Óleo de girassol e óleo de amêndoas: são mais leves, não aquecem nem resfriam. Indicados para quem não têm a pele muito seca.

Óleo de coco: refrescante, indicado para quem sente muito calor ou tem a pele sensível.

Abhyanga especial durante a limpeza sazonal

A prática seguinte, conhecida como *snehana*, é recomendada para todos os dias durante a fase de limpeza sazonal, para acalmar os nervos e amolecer as impurezas, assim como os canais que as transportam, de modo que sejam expelidas do corpo.

Sneha significa "amor" em sânscrito; essa antiga prática é, literalmente, uma aplicação do amor. Dedicar um tempo para essa massagem uma vez por semana, durante o ano inteiro, fortalece consideravelmente o sistema imunológico e o sistema nervoso e também ajuda a controlar as dores.

Aqueça de ¼ a ½ xícara de óleo de gergelim orgânico, colocando-o num recipiente imerso em água quente. O aposento onde você faz sua massagem deve estar aquecido e aconchegante. Prepare o ambiente e tire a roupa apenas antes de começar, para minimizar a necessidade de se locomover e encostar nos móveis. Estenda no chão uma toalha de banho velha e sente-se. Respire fundo algumas vezes e agradeça por dispor desse tempo e desse lugar para se cuidar bem. Aplique o óleo aquecido no corpo com amor e paciência. Esfregue bem, especialmente nas áreas que lhe causam incômodo. Comece pelos pés e vá subindo pelo corpo, faça movimentos alongados acompanhando os ossos, pequenos círculos sobre as articulações e círculos amplos no peito e no abdome, no sentido horário. Por último massageie o rosto e a cabeça, esfregando óleo no couro cabeludo. Com o dedo mindinho, aplique óleo dentro dos ouvidos e das narinas. Meia xícara vai lhe parecer uma quantidade muito grande. Continue massageando até julgar que sua pele não está absorvendo mais nada; isso pode demorar por volta de 15 minutos. Quando tiver passado todo o óleo, deite-se na toalha e relaxe por 5 a 30 minutos. A pele demora pelo menos 20 minutos para absorver o óleo; assim, após 15 minutos de massagem, relaxe pelo menos 5 minutos. Aproveite para acender uma vela ou ouvir música suave. Agora desfrute de um bom banho quente, mas primeiro seque os pés, para não escorregar. Não use sabonete; a água quente vai remover o excesso de óleo. Aplique xampu no cabelo antes de molhar, para eliminar o óleo. Depois do chuveiro, seque-se com toques leves da toalha, sem esfregar. Sua pele ainda pode estar um pouco oleosa; massageie um pouco mais para fazer o óleo penetrar e, aos poucos, ele será absorvido. Depois de terminar, lembre-se de limpar bem a banheira ou o *box* do chuveiro, enxugando todos os resquícios de óleo, para ninguém escorregar!

NOTA: Quando a toalha fica muito oleosa pode criar um risco de incêndio se colocada na secadora depois de lavar. É melhor pendurar as toalhas de *abhyanga* para secar naturalmente e substituí-las de vez em quando.

APÊNDICE 2

Práticas de Limpeza Sazonal

Estas orientações valem para a limpeza de primavera e de outono.

QUANDO FAZER?

Estude seu calendário e encontre uma semana em que não haverá eventos importantes, prazos a cumprir nem viagens aéreas. Talvez você precise cancelar um ou dois compromissos sociais, especialmente à noite, para garantir um bom descanso. Ficar acordado até muito tarde provoca fome e cansaço e diminui a eficácia do seu período de limpeza. Se for inevitável comparecer a um compromisso, leve uma refeição que você preparou; se for a um restaurante, peça legumes no vapor, arroz branco, água quente com suco fresco de limão e um caldo leve. Durante o período que você reservou para a limpeza, não tenha vergonha, por favor, de tirar da bolsa a refeição que trouxe de casa quando for comer fora com outras pessoas. Você está aproveitando essa fase para se cuidar e não vai aborrecer nem incomodar ninguém por escolher determinados alimentos durante certo período. Ao contrário, você será uma inspiração para os demais!

Pode ser difícil encontrar uma semana sem nenhum compromisso; mas é melhor arranjar uma janela de apenas alguns dias do que se deixar derrotar pela sua agenda e desistir por completo. E é melhor levar sua própria comida feita em casa do que deixar que os convites para comer fora atrapalhem a maneira especial com que você está se cuidando nessa época do ano.

POR QUANTO TEMPO?

Reserve de três a sete dias para a sua limpeza e vivencie essa experiência, um dia de cada vez. Se você tem pouca gordura corporal, se sentir fortes dores de cabeça, tontura ou dificuldade para se concentrar, pode precisar terminar a limpeza dentro de três dias. Uma limpeza profunda não é uma competição, mas sim uma maneira de cuidar de si mesmo com bondade e atenção; até mesmo um dia ou dois exercem um efeito positivo. Em geral, o mais difícil é começar. Esteja aberto para vivenciar essa experiência por apenas alguns dias, em vez de se forçar a ir até o extremo, e terá sucesso.

DICAS PARA UMA LIMPEZA SUAVE

- Pela manhã, prepare uma porção de *kichari*, que servirá para suas três refeições do dia. Coma um pouco no café da manhã, leve um pouco para almoçar no trabalho e deixe o resto na panela para o jantar (só guarde na geladeira se você mora num clima quente).
- Uma massagem vigorosa com óleo pela manhã ajuda a despertar, ao passo que uma massagem suave à noite ajuda a adormecer. Dedique 30 minutos

por dia do seu período de limpeza, a qualquer hora do dia, para fazer a *abhyanga*. Consulte, no Apêndice 1, "*Abhyanga* Especial Durante a Limpeza Sazonal" (p. 294).
- Prepare bastante *kichari* e leve para o trabalho. Pessoas mais leves ou com pouco açúcar no sangue podem precisar de quatro refeições por dia. *Especialmente* se você for novato nessa limpeza, sempre leve uma refeição extra, para evitar ficar sem se alimentar.
- Lembre-se: descanso e relaxamento são elementos essenciais para a desintoxicação. Seu organismo não vai se livrar das toxinas enquanto você não reservar algum tempo e criar um ambiente repousante e tranquilo para se desintoxicar. Se o corpo físico ou o sistema nervoso estiver sobrecarregado, o organismo continuará a ansiar pelas qualidades de construção e estabilização que vêm dos alimentos "reconfortantes" mais pesados, tais como pão, queijo e carne, para acompanhar esse ritmo intenso.
- Se você sofre de congestão crônica, note que ela pode ser causada por alergias alimentares. A limpeza sazonal pode ajudar e lhe dar a oportunidade de descobrir a causa do problema, à medida que você vai reintroduzindo certos alimentos na sua alimentação após a limpeza. Se a congestão persistir, consulte um médico ayurvédico.

DESTAQUE: *PANCHAKARMA*

Panchakarma significa "cinco ações" e se refere às cinco ações usadas tradicionalmente para remover o excesso de *dosha* acumulado no corpo: vômitos, purgação intestinal com laxativos, limpeza da passagem nasal e dois tipos de lavagem intestinal, a de limpeza e a nutritiva. Consulte um médico ayurvédico ou encontre um centro de *panchakarma* para aprender mais sobre o assunto. Não execute essas práticas sem orientação profissional.

A *purvakarma* é mais apropriada para quem quer se tratar sozinho (como a maioria dos leitores deste livro). *Purva* significa "antes", e *purvakarma* refere-se às ações preparatórias antes da *panchakarma*. Entre elas, alimentar-se com uma monodieta de *kichari* e praticar terapias como *abhyanga* (massagem com óleo) e *svedana* (suar, transpirar numa sauna ou banho quente), preparando o corpo para eliminar o *dosha* nocivo. A *purvakarma* auxilia o organismo no seu processo natural de expulsar o *dosha* acumulado de três maneiras:

- Retira da dieta os alimentos difíceis de digerir.
- Permite que o corpo e seus órgãos sensoriais relaxem e descansem.
- Amolece as impurezas e amacia os canais que as eliminam do organismo.

Para a limpeza sazonal completa, dedique um tempo na fase de mudança das estações para fazer uma massagem com óleo, preparar alimentos sazonais simples e permitir-se desfrutar de um pouco de descanso e tranquilidade. Os capítulos sobre a primavera e o outono dão as orientações para que você se beneficie ao máximo dessas práticas milenares.

Limpeza simples de primavera

Com a temperatura subindo, as qualidades mais quentes já acumuladas, pesada/densa e viscosa/úmida, que nos protegeram contra o frio do inverno, começam a se atenuar. O organismo se prepara para decompor e eliminar tudo que já não é necessário. A Limpeza Simples de Primavera aproveita ao máximo a tendência natural do organismo de se livrar do excesso de gordura e muco quando chega a primavera. Trata-se de um programa de três a sete dias alimentando-se exclusivamente de *Kichari* (p. 110), que promove a desintoxicação, e praticando diariamente a escovação a seco e a massagem com óleo. Essas duas práticas removem as impurezas da pele e estimulam o sistema linfático, que é a linha mestra para a desintoxicação. A Limpeza Simples de Primavera é uma prática preventiva que garante a boa saúde na nova estação que vem chegando.

Você pode perceber que precisa de menos alimentos durante a primavera e que sente vontade de se exercitar um pouco mais durante a Limpeza ou logo depois. Escute os desejos naturais do seu corpo. Se você teve um inverno muito sedentário, confortável demais, vai ter que eliminar alguns atributos pesados, escolhendo verduras amargas e adstringentes, e colocar seu corpo em movimento.

PREPARAÇÃO

Comece a praticar o *dinacharya*, a moer sua Mistura de Especiarias de Primavera e a familiarizar-se com a lista de compras de primavera. Se nunca fez um *kichari*, experimente fazer uma panela para pegar o jeito.

Se você sentir que precisa de mais orientações durante a Limpeza Simples de Primavera, ou se deseja saber se essa limpeza é mesmo adequada para você, consulte um médico ayurvédico.

MENU DIÁRIO

- Tome o Chá Matinal Tranquilizante para começar o dia; nada de cafeína.
- Faça uma monodieta de *kichari*, com um vegetal diferente por panelada. Faça também a Mistura de Especiarias de Primavera (p. 166).
- Coma três refeições por dia. Indivíduos mais leves, ou que têm um teor irregular de açúcar no sangue, podem precisar de quatro refeições diárias – mas não coma entre as refeições. E não coma se não estiver com fome!
- Beba 200 ml de Chá Digestivo de Primavera, quente. Tome com as refeições e/ou ponha na garrafa térmica e beba aos pouquinhos durante o dia.
- Beba água morna e chá de gengibre, em pequenos goles, ao longo do dia – nada de bebidas frias.
- Se precisar de algo mais nutritivo, experimente a Sopa Verde de Limpeza (p. 118) ou o Suco Verde Depurativo (p. 165) para reforçar o almoço. Quer mais variedade? Tente o *Kanji* de cevada (p. 99) na refeição matinal.

MASSAGEM DIÁRIA COM ÓLEO

A cada dia, reserve 30 minutos só para você, para dar toda a atenção à sua massagem com óleo (*abhyanga*). Veja no Apêndice 1, "Como Praticar a *Dinacharya*" (p. 290), instruções completas para a *abhyanga*. Se o óleo de gergelim for muito pesado para usar na primavera, ou se você sentir letargia após a massagem, use um óleo mais leve, como o de girassol ou o de semente de uva.

ORIENTAÇÕES DE ESTILO DE VIDA E EXERCÍCIOS DE PRIMAVERA

Evite:
- Comidas e bebidas frias.
- Muito sal. Use apenas as quantidades indicadas nas receitas ayurvédicas.
- Exercícios vigorosos. Se estiver muito em forma, faça 50% do que costuma fazer.
- Comer entre as refeições.
- Comer demais numa só refeição.

Desfrute:
- Faça a escovação seca na pele.
- Tome uma sauna, banho de vapor ou banho de sais de Epsom.
- Caminhe, pratique uma yoga suave.
- Faça sua massagem com óleo diariamente. É importante para ajudar o organismo a expulsar as impurezas e acalmar o sistema nervoso.
- Vá se deitar cedo, 1 ou 2 horas antes do que você está acostumado.

Sinais de uma Limpeza de Primavera bem-sucedida:
- Qualquer resquício de muco branco que havia na língua desapareceu.
- Seu hálito é fresco.
- Sua evacuação é regular, sem gases nem dilatação abdominal.
- O branco dos olhos é bem claro.
- Você se sente com mais vida, mais energia.
- Qualquer congestão que havia sobrado no nariz ou no peito desapareceu.

Quando fazer a Limpeza de Primavera

Se você mora num local de clima frio, espere até as temperaturas subirem acima de zero para que seu corpo não precise se reabastecer das qualidades densa e viscosa. Nas regiões temperadas isso pode acontecer logo no início da primavera; nas regiões mais frias, talvez só mais tarde.

Breve e doce limpeza de outono

Com a temperatura caindo, o organismo se prepara para expelir o excesso de elementos de fogo e de água que se acumularam durante o verão, a estação quente e úmida. Os ventos secos do outono podem atiçar o elemento fogo e prejudicar a imunidade, causar inflamações, digestão ácida, problemas de pele, alergias e irritabilidade. Ajude seu corpo a expulsar, naturalmente, as qualidades quente, cortante e oleosa com uma limpeza ayurvédica de outono. Esta também vai preparar seu organismo para as qualidades seca, fresca e áspera da nova estação. A Limpeza de Outono reforça o sistema imunológico na temporada de gripes e resfriados e melhora a digestão.

A Limpeza de Outono é um programa de três a sete dias que inclui uma monodieta ayurvédica de *kichari*, massagem diária com óleo e muito descanso e relaxamento. Como já descrevemos (p. 110), o *kichari* é um alimento especial, com o duplo poder de desintoxicar e nutrir, para que seu sistema possa se recalibrar sem incômodos nem perturbações. A massagem diária com óleo vai liberar as impurezas e estimular o sistema linfático, a linha mestra da desintoxicação. Descanso e relaxamento são essenciais durante a Limpeza de Outono, para permitir que a energia do organismo alimente as camadas mais profundas de tecido, protegendo os ossos, o sistema nervoso e os órgãos reprodutores.

Lembre-se de revisar o Anexo 1 (p. 290) antes de iniciar a Limpeza de Outono.

PREPARAÇÃO

Comece praticando a *dinacharya* de outono, preparando sua Mistura de Especiarias de Outono e comprando algumas verduras da lista de outono. Se ainda não experimentou fazer *kichari*, faça uma panela para pegar o jeito.

Se precisar de mais orientações para decidir se a Limpeza de Outono é adequada para você, consulte um médico ayurvédico.

MENU DIÁRIO

- Tome o Chá Matinal Tranquilizante para começar o dia; nada de cafeína.
- Alimente-se exclusivamente com *kichari*, feito com um vegetal diferente a cada vez que você preparar, e com a Mistura de Especiarias de Outono (p. 244).
- Faça três refeições por dia, sentando-se para comer. Indivíduos mais leves, ou que têm um teor irregular de açúcar no sangue podem precisar de quatro refeições diárias – mas sem lanches entre as refeições. Não coma se não estiver com fome!
- Beba 200 ml de Chá Digestivo de Outono, quente, com as refeições e/ou ponha na garrafa térmica e tome aos pouquinhos durante o dia.
- Tome água morna e chá de ervas ao longo do dia – nada de bebidas frias.
- Se precisar de algo mais nutritivo, experimente a Sopa Verde de Limpeza (p. 118) ou o *Lassi* Digestivo (p. 122) para reforçar o almoço. Quer mais variedade? Experimente o Creme de Cereais na refeição matinal.

MASSAGEM DIÁRIA COM ÓLEO

A cada dia, reserve 30 minutos para massagear seu corpo com óleo e lubrificar as narinas. Veja no Apêndice 1 instruções sobre *abhyanga* e *nasya*. Passar óleo de gergelim simples nas narinas vai equilibrar a qualidade seca da estação e proteger contra os micróbios da gripe e do resfriado que se alojam nas passagens nasais.

ORIENTAÇÃO DE LIMPEZA, ESTILO DE VIDA E EXERCÍCIOS PARA O OUTONO

Evite:
- Comidas e bebidas frias.
- Alimentos crus.
- Ingredientes picantes, como molho apimentado, pimenta-malagueta, pimenta-de-caiena.
- Solanáceas: tomate, pimentão, berinjela, batata-inglesa.
- Exercício vigoroso. Por exemplo, se você costuma correr, procure caminhar.
- Comer entre as refeições.
- Comer demais numa só refeição.

Desfrute:
- Uma soneca, se precisar.
- Uma sauna, banho a vapor ou banho de sais de Epsom.
- Yoga restaurativa.
- Beber água quente em pequenos goles.
- Fazer diariamente uma massagem com óleo para expelir as impurezas e acalmar o sistema nervoso.
- Deitar cedo, 1 ou 2 horas antes do horário habitual.

Sinais de uma Limpeza de Outono bem-sucedida:
- Qualquer resquício de muco branco que havia na língua desapareceu.
- Seu hálito é fresco.
- Sua evacuação é regular, sem gases nem dilatação abdominal.
- O branco dos olhos é bem claro.
- Você se sente com mais energia, calmo, estável, bem centrado.
- Espinhas e erupções cutâneas desapareceram.

Quando fazer a Limpeza de Outono

No hemisfério norte a melhor época é fim de setembro e outubro, quando o tempo está fresco, mas não frígido. O Ayurveda não aconselha fazer limpeza quando a temperatura está muito fria.

APÊNDICE 3

Utensílios e Técnicas para a Prática Cotidiana do Ayurveda

Liquidificador: Tem mais potência do que um *mixer* manual e é necessário para receitas em que os ingredientes são muito duros ou fibrosos, tais como sucos e *chutneys*.

***Mixer* manual:** Ou batedeira de imersão (veja foto dos equipamentos). Usado para fazer sopas mais espessas, bem como leite de amêndoas e de outras castanhas. É mais rápido de limpar do que um liquidificador. É muito útil para sopas quentes, que podem esquentar demais o copo do liquidificador.

Panela elétrica de arroz: Uma panela elétrica que possa ser pré-ajustada para fazer arroz ou *kichari* iniciando numa certa hora é um utensílio que poupa muito tempo.

Panela de pressão: Equipamento básico na culinária da Índia, que corta pela metade o tempo de cozimento para verduras e legumes duros, sem necessidade de deixá-los de molho, e garante um feijão bem cozido, fácil de digerir.

Processador de alimentos: Esse utensílio ocupa muito espaço, mas tem mais potência para moer castanhas. Faz *chutneys* mais encorpados, assim como patês e húmus mais macios e espessos do que um liquidificador.

Raladores e moedores

Moedor de especiarias: Um moedor de café reservado para especiarias, sementes e castanhas permite fazer rapidamente uma boa quantidade de Misturas de Especiarias para guardar.

Moedor de pimenta: Pimenta na mesa, moída na hora, é uma das alegrias da vida. Procure um moedor de madeira e encha com grãos de pimenta-do-reino ou colorida de boa qualidade.

Pilão e almofariz: Socar com pilão de pedra é tradicional em boa parte da culinária na Índia, onde ainda é comum ver alguém sentado diante da casa triturando os ingredientes para as refeições do dia. O Ayurveda recomenda desfrutar com prazer da tarefa aromática de moer especiarias frescas para nossa refeição. O pilão e o socador de pedra não retêm os cheiros, como acontece com os de madeira.

Ralador: Os metálicos tipo caixa são comuns, mas um ralador plano ocupa menos espaço na cozinha. Um bom ralador deve ser resistente e ter lugares para ralar mais fino ou mais grosso. Os que ralam bem fino são ótimos para ralar gengibre.

Panelas, frigideiras e afins

Assadeira (para assar biscoitos/*cookies*): Usada para fazer biscoitos. Procure assadeiras feitas com aço inox de alta qualidade, não de alumínio. Algumas receitas recomendam forrar a assadeira com papel-manteiga.

Assadeira de *muffins*: Em geral com lugar para seis ou doze; a maioria das minhas receitas faz seis *muffins*. Procure as de aço, não de alumínio.

Refratário de vidro: Minhas receitas pedem um refratário quadrado de 20 x 20 cm e um retangular para tortas, de 25 cm. Nas receitas você pode usar qualquer um dos dois.

Forminhas para *muffins*: Algumas das minhas receitas de *muffins* têm a massa muito espessa e exigem forminhas de papel especiais para ir ao forno na assadeira.

Frigideira de ferro fundido: São boas para cozinhar, fritar e assar lentamente, devido à sua resistência e à sua capacidade de distribuir o calor de maneira uniforme. Uma panela "veterana" vai ficando antiaderente. Minhas receitas pedem um tamanho grande, com cerca de 40 cm de diâmetro; se você usar uma menor, precisará aumentar o tempo de preparo.

Frigideira: Uma frigideira grande, com a beirada pequena, é boa para refogar e fritar. As frigideiras "ecológicas", com revestimento de cerâmica, são preferíveis a outras superfícies antiaderentes. Livre-se da sua frigideira de Teflon, que pode criar compostos químicos prejudiciais quando o revestimento se decompõe e contamina a comida.

Panelas: As panelas de sopa vêm em vários tamanhos, em geral de dois, quatro ou seis litros. A de quatro litros é melhor para servir quatro porções ou mais; a de dois litros é apropriada para quantidades menores. Prefira panelas de aço inoxidável de alta qualidade, como as da marca All-Clad. Não compre de alumínio, que é um material macio, poroso, que reage com certos alimentos, podendo criar compostos químicos indesejáveis na sua comida. Vale a pena investir em algumas panelas de boa qualidade.

Papel-manteiga: Usado para forrar a assadeira e evitar que os alimentos grudem; é preferível ao papel de cera.

Peneira de malha fina: O escorredor tem orifícios grandes demais para alguns grãos e leguminosas; uma peneira metálica é essencial para lavá-los bem, assim como as verduras e os legumes.

Técnicas de cozinha

Bater à mão: Fazer uma pasta (ou bater iogurte com água) colocando a batedeira manual dentro da panela e batendo até os alimentos ficarem homogêneos. Mantenha a batedeira dentro da panela e desligue-a antes de retirá-la. Um vidro grande de boca larga funciona muito bem para misturar bebidas com a batedeira manual.

Germinar: Mergulhar em água fresca alimentos secos, como castanhas, sementes ou feijões, para reavivá-los, e em seguida trocar a água diariamente até que brotem. Os brotos têm alto valor nutritivo e aumentam o fogo digestivo. Este livro ensina a usar brotos de feijão-mungo (ou *moyashi*) germinado.

Hidratação rápida: Colocar grãos ou vegetais em água fervente por 5 minutos, depois tampar e deixar de molho por 1 hora. Tem o mesmo efeito que deixar de molho durante a noite.

Hidratar: Para diminuir o tempo de cozimento, deixar os grãos ou leguminosas de molho em água fresca, durante um período que pode ir de 1 hora (para grãos e feijões pequenos) até uma noite inteira. Primeiro lave bem os grãos ou feijões; depois coloque numa tigela, cubra com o dobro da quantidade de água e tampe. Quanto mais tempo o alimento ficar de molho, mais rápido vai cozinhar; assim, se deixar o alimento de molho, lembre-se de diminuir a quantidade de água indicada na receita para cozinhar. Ao tirar do molho, a água que restar pode ser usada para o cozimento.

Hidratar amêndoas: Deixar as amêndoas de molho por 8 horas ou durante a noite em água fresca. A imersão libera enzimas nas amêndoas e as torna mais fáceis de digerir, além de deliciosas e mais versáteis.

Lavar: Remover as impurezas dos grãos e das leguminosas lavando com água fria. Coloque os grãos ou as leguminosas secos numa panela e cubra com água. Agite a água com os dedos até ficar turva. Despeje a água, os grãos ou as leguminosas na peneira e lave debaixo da torneira até que a água saia límpida.

Moer: Moer a mão, lentamente, especiarias, sementes ou castanhas com um pilão ou com moedor elétrico (use um moedor de grãos de café reservado para especiarias ou um pequeno acessório acoplado ao processador de alimentos). As especiarias da culinária ayurvédica tradicional em geral são moídas à mão, na hora, para cada refeição.

Preparação vegetariana: Picar ou fatiar legumes e guardá-los em recipientes herméticos de vidro para usar no dia seguinte. Faça isso quando tiver algumas horas de folga – é uma ótima maneira de economizar tempo quando for preparar uma refeição fresca.

Refogar: Fritar levemente especiarias com óleo em fogo médio até que liberem seus óleos essenciais; dessa forma aumentam seu aroma e seu sabor e acrescentam intensidade ao prato. Costuma-se acrescentar as especiarias e o óleo (o "refogado") a um *dal* ou a um ensopado no final do cozimento.

Refogar no vapor: Cozinhar numa frigideira tampada, com um pouquinho de água, sem óleo.

Retirar o caule: Remover as hastes das folhas verdes grandes. Segure o caule com uma mão e com a outra a parte inferior da folha. Aperte e tire delicadamente a folha, com um puxão só. Pique as folhas para cozinhar e descarte os caules ou guarde-os para fazer caldo.

Torrar a seco: Torrar de leve as especiarias numa panela seca, até que comecem a liberar seus óleos e aromas.

ANEXO 4

Listas de Compras Sazonais

Compre os alimentos da lista para o dia a dia durante todo o ano, e consulte as listas sazonais dos extras para estocar e fazer as receitas de cada estação.

LISTA DE COMPRAS PARA O DIA A DIA

LEGUMES E VERDURAS
Acelga
Beterraba
Cenoura
Couve comum
Couve-crespa
Salsinha fresca

FRUTAS
Limão-siciliano
Maçã, na estação
Pera, na estação

GRÃOS
Arroz basmati branco
Arroz basmati integral

FEIJÕES
Feijão-mungo amarelo partido
Feijão-mungo verde

GORDURAS
Azeite de oliva
Iogurte, leite integral fresco
Manteiga sem sal (para fazer o ghee)
Óleo de coco
Óleo de linhaça
Sementes de cânhamo
Sementes de chia
Sementes de girassol

Sementes de linhaça

ESPECIARIAS
Aminoácidos líquidos *Braggs*
Canela em pó
Cardamomo em pó
Cúrcuma em pó
Gengibre em pó
Gengibre fresco
Sal marinho
Sal rosa

Sementes de coentro
Sementes de cominho
Sementes de erva-doce
Tamari

EXTRAS
Caldo de legumes
Chá de gengibre
Mel *in natura* (exceto no verão, veja p. 137)

LISTA DE COMPRAS DA PRIMAVERA

LEGUMES
Alcachofras frescas
Alcachofras marinadas
Alho-poró
Aspargo
Brotos
Chicória
Couve-flor
Endívia
Espinafre
Rabanete branco (nabo japonês)
Rúcula

FRUTAS
Ameixa
Cereja desidratada
Frutas vermelhas frescas
Grapefruit
Maçã
Pera
Suco de *cranberry* (também chamada de oxicoco)
Suco de romã
Uva-passa

GRÃOS
Amaranto
Centeio
Cevada
Painço
Tortilhas de milho
Trigo-sarraceno

FEIJÕES
Feijão-branco
Feijão-preto
Grão-de-bico
Lentilha verde

Lentilha vermelha
Tofu (firme)

GORDURAS
Leite de arroz
Leite de soja
Queijo de cabra

ESPECIARIAS
Anis-estrelado
Pimenta--malagueta seca
Sambar em pó

Sementes de mostarda

EXTRAS
Mel *in natura*
Vinagre de arroz
Vinagre de maçã

LISTA DE COMPRAS DO VERÃO

LEGUMES E VEDURAS
- Abóboras de verão de sua preferência
- Abobrinha libanesa
- Alface
- Beterraba
- Erva-doce
- Ervas (coentro, endro, hortelã, manjericão, salsinha, tomilho)
- Milho
- Pepino

FRUTAS
- Ameixa
- Frutas vermelhas
- Maçã
- Melão
- Pêssego
- Tâmara

GRÃOS
- Cevada
- Quinoa

FEIJÕES
- Feijão-branco
- Grão-de-bico

GORDURAS
- Abacate
- Coco ralado
- Iogurte
- Leite de coco
- Óleo de coco
- Queijo de cabra
- Queijo de vaca

ESPECIARIAS
- Cardamomo
- Coentro
- Cúrcuma
- Erva-doce

EXTRAS
- Água de coco
- Farinha de grão-de-bico
- Água floral de rosas
- Proteína de cânhamo

LISTA DE COMPRAS DO OUTONO

LEGUMES
- Abóboras
- Beterraba
- Brócolis
- Cenoura
- Couve-crespa
- Couve-manteiga
- Espinafre
- Pastinaca
- Acelga
- Nabo

FRUTAS
- Banana
- *Cranberry* (também chamada de oxicoco)
- Figo
- Maçã
- Pera
- Tâmara
- Uva-passa

GRÃOS
- Arroz integral
- Arroz vermelho
- Aveia (em flocos e grossa)
- Trigo

FEIJÕES
- Feijão-azuqui
- Feijão-preto

GORDURAS
- Abacate
- Coco ralado
- Frutos secos (nozes, castanhas e afins) crus
- Leite de cabra
- Leite de coco
- Leite de vaca
- Manteigas vegetais cruas
- Ovo
- *Tahine*

ESPECIARIAS
- Cardamomo
- Cravo

EXTRAS
- Açúcar de coco
- Cacau em pó
- Xarope de bordo (*maple*)

LISTA DE COMPRAS DO INVERNO

VERDURAS
- Abóboras
- Acelga
- Alcachofra
- Algas
- Batata-doce
- Batata-doce roxa
- Batatas
- Beterraba
- Cenoura
- Couve-crespa
- Couve-manteiga
- Pastinaca
- Pimentão vermelho assado
- Tomates enlatados na fazenda

FRUTAS
- Banana
- *Grapefuit*
- Laranja
- Maçã
- Mamão
- Manga
- Pera
- Tâmara

GRÃOS
- Arroz integral
- Arroz vermelho
- Aveia
- Macarrão de arroz
- Trigo *bulgur* (trigo para quibe)

FEIJÃO
- Feijão-preto
- Lentilha verde
- Lentilha vermelha

GORDURAS
- Castanha-de-caju
- Coco ralado
- Farinha de amêndoas
- Leite de cabra
- Leite de vaca
- Manteiga de semente de girassol
- Óleo de gergelim
- Ovo
- *Tahine*

ESPECIARIAS
- *Chili powder*
- Páprica
- Pimenta-malagueta seca

EXTRAS
- Cacau em pó
- Melaço
- Vinagre de arroz
- Vinagre de maçã
- Xarope de bordo (*maple*)

APÊNDICE 5

Tabelas de Cozimento

Feijão para todos os dias

A maneira mais eficiente de usar o feijão é planejar com um ou dois dias de antecedência, cozinhar uma boa porção (partindo de 2 xícaras de grãos secos) e fazer duas receitas diferentes. Uma xícara de feijão cozido pode servir para hambúrgueres, croquetes, patê ou para servir sobre a Salada Cozida no Vapor (p. 104). O feijão servido com seu caldo sobre um prato de grãos forma uma refeição simples e ótima, e um *chutney* como acompanhamento acrescenta um pouco de cor.

MELHOR FEITO EM CASA DO QUE ENLATADO

Alimentos enlatados de qualquer tipo têm menos vitalidade do que os frescos e são mais pesados para o organismo do que os feitos em casa. Mas, se for necessário, é melhor cozinhar em casa usando um ou outro alimento enlatado do que comer fora o tempo todo. Por favor, não evite o feijão por achar que leva muito tempo para preparar. Deixar o feijão cozinhando em fogo baixo por algumas horas é algo fácil de fazer sempre que você for ficar um pouco em casa: de manhã, enquanto se prepara para sair; à noite, relaxando depois do trabalho ou do jantar; ou enquanto põe a roupa para lavar. E ouça: se você não para em casa nem por algumas horas em alguns momentos da semana, considere que isso já é sinal de desequilíbrio.

COZINHANDO FEIJÃO E OUTRAS LEGUMINOSAS

Lave bem o feijão antes de cozinhar.

Numa peneira fina, deixe o feijão debaixo da água corrente, agitando com os dedos até que a água saia limpa. (Dica de cozinha: conversar com o feijão, da mesma maneira como você conversa com as suas plantas, torna o processo mais divertido.)

Numa panela grande, mergulhe o feijão por 8 a 12 horas em bastante água, suficiente para cobrir tudo e mais 5 cm. Descarte os grãos que flutuam para a superfície ou estão descoloridos. Acrescente um pedaço de *kombu* (cerca de 2 cm de *kombu* para cada xícara de feijão seco). Essa alga marinha retira parte do gás do feijão, acrescenta minerais e contribui para fazer um caldo mais grosso. (Esqueceu de deixar o feijão de molho? Veja o método de Hidratação Rápida na p. 304.)

Cozinhe o feijão na água com *kombu* segundo a tabela de tempos de cozimento: primeiro leve para ferver sem a tampa; em seguida abaixe o fogo,

LENTILHA VERDE

FEIJÃO-MUNGO AMARELO PARTIDO

FEIJÃO-PRETO

LENTILHA VERMELHA

FEIJÃO-MUNGO VERDE

GRÃO-DE-BICO

FEIJÃO-BRANCO

FEIJÃO-AZUQUI

- ARROZ BASMATI INTEGRAL
- CENTEIO
- GRÃOS DE AVEIA
- TRIGO EM GRÃO
- QUINOA
- CEVADA
- AVEIA EM FLOCOS
- TRIGO-SARRACENO
- PAINÇO
- ARROZ BASMATI BRANCO
- TRIGO *BULGUR* (TRIGO PARA QUIBE)
- AMARANTO

tampe e cozinhe em fogo brando. Verifique a cada meia hora, acrescentando água quente, se necessário, para manter o feijão coberto.

Cozinhar feijão não é uma ciência exata. Quando você se familiarizar com um certo tipo de feijão, com seus efeitos sazonais e com a maneira como o seu organismo digere esse feijão, você saberá por experiência se já está macio como deveria estar e quanto tempo isso leva. Se você tem propensão a gases, prefira os tipos menores de leguminosas e cozinhe até poder esmagar os grãos completamente entre os dedos.

O tempo de cozimento varia; os grãos guardados há muito tempo demoram mais. Mantenha seu estoque renovado, comprando produtos frescos a cada nova estação. Os tempos de cozimento aproximados estão na tabela a seguir.

FEIJÃO, LENTILHA, GRÃO-DE-BICO: TEMPOS DE COZIMENTO		
TIPO	HIDRATADO	SECO
Feijão-azuqui	45 minutos a 1 hora	60 a 90 minutos
Feijão-branco *cannellini*	60 a 75 minutos	60 a 90 minutos
Feijão-mungo amarelo partido	15 a 20 minutos	20 a 30 minutos
Feijão-mungo inteiro	30 a 45 minutos	45 a 60 minutos
Feijão-preto	45 minutos a 1 hora	60 a 90 minutos
Grão-de-bico	1 ½ a 2 horas	+ de 3 horas
Lentilha vermelha	15 a 20 minutos	20 a 30 minutos

Cozinhando grãos

Para cozinhar grãos, use um utensílio para medir os grãos secos, coloque na panela e veja na tabela abaixo a quantidade necessária de água ou de outro líquido e o tempo de cozimento. Deixe ferver; depois abaixe o fogo, tampe firmemente a panela e deixe cozinhando em fogo baixo até que todo o líquido seja absorvido pelos grãos.

GRÃOS: TEMPOS DE COZIMENTO		
PARA 1 XÍC. DE GRÃOS SECOS	XÍCARAS DE LÍQUIDO	TEMPO
Arroz integral	2	30 a 45 minutos
Aveia em flocos	2	10 minutos
Aveia em grãos	3	30 minutos
Cevada (em grãos)	2 ½	40 a 50 minutos
Painço	2	20 a 30 minutos
Quinoa	1 ¾	15 a 20 minutos
Trigo *bulgur* (trigo para quibe)	2	15 minutos
Trigo-sarraceno	2	15 minutos

Assim como fazemos com o feijão e outras leguminosas, pode-se reduzir o tempo de cozimento hidratando os grãos por algumas horas. Não é necessário deixá-los de molho durante tanto tempo quanto o feijão, mas podemos deixá-los de um dia para o outro. Se não for utilizá-los no mesmo dia, guarde na geladeira e cozinhe dentro de 2 dias.

Meça os grãos e a água já na panela onde você vai cozinhar e deixe de molho, com a panela tampada. O tempo de cozimento pode variar até pela metade, dependendo do grão; assim, verifique sempre se os grãos que você deixou de molho já estão macios.

NOTA: Se o seu organismo tende a ser seco, ou durante o outono/inverno, convém cozinhar os grãos com ½ parte extra de água. Além disso, acostume-se a deixar os grãos soltinhos, mexendo com um garfo. Antes de servir, acrescente ½ colher de chá de *ghee* ou de óleo de coco por porção.

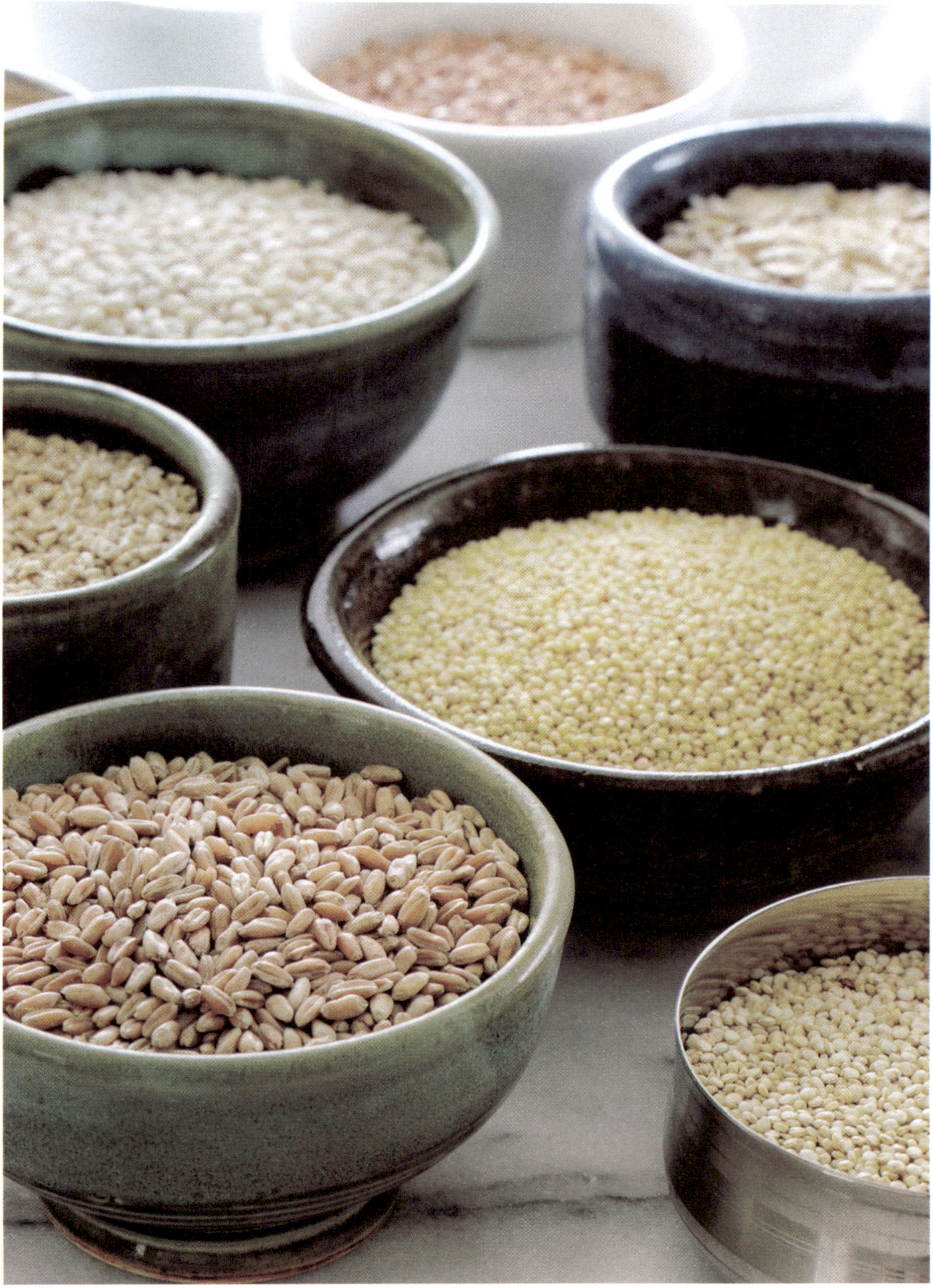

APÊNDICE 6

Índice de Receitas por Sintomas

O Ayurveda funciona melhor quando a alimentação e o estilo de vida vão mudando aos poucos. Não é possível fazer uma sopa que cure instantaneamente todos os seus males. Mas, se você compreender de que modo as qualidades das suas refeições podem afetar a maneira como você se sente, estará no caminho certo para recuperar a saúde. A tabela abaixo oferece algumas sugestões de receitas, com base na minha experiência de utilizar os alimentos como remédios caseiros.

SINTOMA	QUALIDADES BALANCEADORAS	RECEITAS ÚTEIS
Ansiedade	Calorífica, ligada à terra, úmida, suave, estável	Bisque de Batata-Doce, *Smoothie* Condimentado de Leite de Amêndoas, Sopa de Abóbora-menina com Coco, Tônico Rejuvenescedor de Inverno, Trufas de Manteiga de Girassol
Congestão	Calorífica, seca, leve, cortante, penetrante, móvel	Chá Digestivo de Primavera *Dal* Picante Estilo Andhra, *Kanji* de cevada, Refresco-O-Rama
Dificuldade para dormir	Calorífica, ligada à terra, úmida, macia, estável	*Sambar* do Sul da Índia, Suco Verde Depurativo, *Kichari*, *Smoothie* Condimentado de Leite de Amêndoas, Tônico Rejuvenescedor de Inverno
Dor de cabeça	Refrescante, seca, neutralizadora, macia, lenta	*Kanji*, *Kichari*, Refresco de Melão e Manjericão, Sopa *Dal Detox*

SINTOMA	QUALIDADES BALANCEADORAS	RECEITAS ÚTEIS
Gases e dilatação abdominal	Calorífica, estabilizadora, úmida, macia	Chá Digestivo de Outono, *Kichari*, *Lassi* digestivo
Indigestão ácida	Refrescante, seca, neutralizante, estável	*Kanji*, *Lassi* Digestivo, Limonada com Cardamomo, *Raita* de Pepino e Hortelã, Sopa de Erva-Doce Fresca e Endro
Letargia, falta de motivação	Calorífica, leve, cortante, móvel	Cereal Revigorante de Frutas Vermelhas, *Masala Chai*, Suco Verde Depurativo
Pele seca	Calorífica, estabilizadora, úmida, oleosa	*Ghee*, Lascas de chocolate, Leite de Amêndoas, Pudim de Chia
Prisão de ventre	Calorífica, estabilizadora, úmida, oleosa	Compota de Maçãs com Tâmaras, Maçãs Fritas no *Ghee*, Pudim de Chia, Salada de Beterraba Crua com Limão e Hortelã, Sopa Verde de Limpeza
Retenção de líquido, Inchaço	Leve, seca, cortante, penetrante, móvel	*Muffins* de Cereja e Painço, *Chana Dosa* Fácil, *Chutney* de *Cranberry* e Cravo
Vermelhidão na pele, inflamação	Refrescante, seca, neutralizante, estável	*Kanji* de cevada, Sopa *Dal Detox*, Beterraba Real, *Chutney* de Coentro e Hortelã, Sopa Verde de Limpeza, Suco Verde Depurativo

Notas

CAPÍTULO 1

1. *Vagbhata, Ashtanga Hridayam, Sutrasthana* 1.6. "Os *doshas* são substâncias materiais que estão sempre presentes no corpo; têm suas próprias quantidades, qualidades e funções bem definidas. Quando são normais, servem a diferentes funções do corpo e, assim, o conservam. Contudo, os *doshas* têm a tendência a tornarem anormais, com aumento ou diminuição na sua quantidade e numa ou mais das suas qualidades e funções. (...) Devido a essa tendência à viciação [transtorno], são chamados *doshas*."
2. *Vagbhata, Ashtanga Hridayam*, Vol. 1, *Sutrasthana*, 12.34-42.
3. *Agniveśa, Charaka Samhita*, Vol. 1, *Sutrasthana* 30.8. Tradução: Dr. Ram Karan Sharma e Vaidya Bhagwan Dash (Varanasi: Chowkhamba Krishnadas Academy).
4. AKA *Charita Samhita, Sutrasthana* 30.9.

CAPÍTULO 2

1. *Vagbhata, Ashtanga Hridayam*, Vol. 1, *Sutrasthana* 8.49. Tradução: Prof. K. R. Srikantha Murthy, 6ª ed. (Varanasi: Chowkhamba Krishnadas Academy, 2009).

CAPÍTULO 7

1. *Vagbhata, Ashtanga Hridayam*, Vol. 1, *Sutrasthana* 2.8-9. Tradução: Prof. K. R. Srikantha Murthy, 6ª ed. (Varanasi: Chowkhamba Krishnadas Academy, 2009).

Glossário

Ingredientes especiais

Abóboras de verão, de inverno e afins: As espécies de abóboras variam muito de acordo com cada região e país. As abóboras de inverno geralmente possuem casca dura, corpo espesso e cavidades ocas (abóbora japonesa ou cabotiá, abóbora-moranga, abóbora-manteiga). Já as abóboras de verão geralmente têm casca fina. Suas sementes estão presentes no corpo e também são comestíveis quando cruas (abobrinha libanesa, abobrinha italiana amarela ou verde).

Açafrão: Especiaria cor de laranja, comumente usada em doces indianos; na culinária são usados os estames das plantas. O açafrão é um purificador do sangue.

Açúcar de cana integral desidratada não refinada: Açúcar de cana integral, não refinado, desidratado. Extraído da concentração a quente do caldo de cana-de-açúcar e desidratado formando cristais marrons. É mais nutritivo do que o tradicional açúcar branco ou o integral. Tem nomes diferentes em diferentes partes do mundo, como *jaggery*, Sucanat (marca registrada) ou rapadura.

Água de coco: A água adocicada, refrescante, que vem dentro do coco verde e que tomamos com canudo. Hoje também se encontra nos mercados água de coco embalada em caixinhas.

Aminoácidos líquidos Bragg: Molho derivado de soja, não fermentado.

***Ashwagandha*:** Planta que age como tônico ayurvédico profundamente revitalizante; a raiz é moída e seca para uso medicinal. Também conhecida como *ginseng* indiano ou cereja indiana de inverno.

Assa-fétida: Especiaria ayurvédica tradicional, de sabor forte, que substitui a cebola e o alho; também chamada férula ou funcho gigante.

Cacau em pó: O grão de cacau é descascado, seco, fermentado e quebrado em pedacinhos (gotas), que são prensados a frio e moídos para fazer o pó. Esse processo conserva o valor nutritivo que é destruído quando se torra o grão para fazer o cacau em pó.

Cardamomo: Especiaria refrescante, muito usada em doces e bebidas; disponível em vagens pretas e verdes. As receitas deste livro usam as sementes que se encontram dentro das vagens verdes.

Cristais de açúcar de coco: Açúcar que é produzido extraindo o néctar das flores do coqueiro. À venda em forma de bloco, xarope e granulado.

***Dulse*:** Uma alga marinha salgada que cresce nos litorais frios, como os dos Estados Unidos, do Japão e da Inglaterra. O *dulse* fica vermelho quando seca; muito rico em vitaminas do complexo B.

Farinha de amêndoas: Amêndoas cruas, moídas com casca, formando uma farinha rica em proteínas.

Farinha de coco: A fibra, a proteína e a gordura que restam na polpa do coco podem ser aproveitadas após a extração do óleo. Ao moer o restante da polpa elas produzem uma farinha.

Farinha de grão-de-bico: Feita de grão-de-bico seco, moído. Rica em proteínas, é um ingrediente comum nos doces indianos. À venda em mercados indianos e a granel em lojas de produtos naturais.

Feijão-mungo partido: Descascado, partido ao meio, amarelo-claro.

Feijão-mungo verde: Um feijão pequeno, de casca verde, muito valorizado no Ayurveda por sua capacidade de nutrir o organismo sem causar desequilíbrios.

Gengibre: O rizoma da planta do gengibre, que pode ser usado fresco, seco ou em pó.

***Kombu*:** Uma alga comestível colhida em redes nos mares do Japão e da Coreia.

Leguminosa: Tipo de planta com sementes comestíveis dentro de vagens (feijão, lentilha, soja, grão-de-bico).

Mel *in natura*: Mel que não foi aquecido no processamento. Se o rótulo não disser que o mel é virgem, então é um produto industrial que foi aquecido no processamento. O Ayurveda considera o mel aquecido indigesto e possivelmente tóxico.

Missô: Pasta salgada, fermentada, feita de leguminosas e grãos, em geral soja, cevada e grão-de-bico; muito usada na culinária japonesa.

***Nori*:** Alga marinha verde-escura, adocicada, altamente nutritiva, em geral prensada em folhas e usada para enrolar o *sushi*.

Óleo de coco prensado a frio: Óleo extraído da polpa do coco fresco por pressão a frio. Esse método não introduz calor, que pode deixar o óleo rançoso.

Óleo de gergelim: Óleo das sementes de gergelim prensadas a frio, refinado ou não, ou então feito a partir das sementes torradas. Para massagem compre o óleo orgânico refinado, adequado para calor médio.

Óleo de semente de mostarda: Extraído por pressão das sementes de mostarda; usado na massagem ayurvédica para aquecer e mobilizar condições de estagnação ou sensação de peso.

***Sambar* em pó:** De cor vermelha, é um pó moído grosso que combina lentilhas tostadas, pimenta-malagueta seca, inteira, sementes de feno-grego, sementes de coentro, assa-fétida, *curry*, cominho, pimenta-do-reino e outras especiarias; usado em sopas à base de tomate.

***Tahine*:** Pasta de sementes de gergelim moídas; pode ser feita com sementes torradas ou cruas.

Tâmara Medjool: Variedade de tâmara dos climas quentes e secos que retém parte da umidade depois de embalada; mais úmida e mais doce do que a variedade *deglet nour*.

***Tamari*:** Condimento de soja salgado e fermentado, bem semelhante ao molho de soja, mas sem trigo.

Tamarindo: Árvore nativa da África, agora cultivada em outras regiões tropicais. Pode-se fazer uma pasta com seu fruto parcialmente seco. Extremamente azedo, o fruto tem usos culinários e medicinais.

Tônico: Substância medicinal que se bebe para aumentar a sensação de vigor e bem-estar.

***Tulsi*:** Planta medicinal de origem indiana, usada para reforçar o sistema imunológico e o respiratório; também conhecida como manjericão-sagrado; muito usada como chá.

Vinagre de ameixa umê: Condimento japonês obtido a partir da salmoura utilizada na preparação de conservas de ameixas *umeboshi*; contém sal e folhas vermelhas de shissô. Tem os sabores salgado, azedo e adocicado.

Vinagre de arroz: Condimento usado nas culinárias chinesa, japonesa, coreana e vietnamita, feito de arroz fermentado; mais suave e mais doce do que o vinagre usado no Ocidente.

Vinagre de maçã: Um vinagre mais ácido, feito de maçãs fermentadas. Quando não filtrado, conserva mais nutrientes.

Termos em sânscrito

Abhyanga: Massagem em que se aplica óleo quente no corpo com gestos específicos para incentivar os movimentos energéticos, segundo os princípios do Ayurveda.

Agni: O elemento fogo; também se refere ao fogo digestivo.

Ahara Rasa: O líquido nutritivo resultante da mastigação e digestão dos alimentos; é o elemento construtor de todos os tecidos do organismo.

Ama: Subproduto espesso, viscoso, da digestão incompleta; o Ayurveda acredita que essa é a raiz de todas as doenças.

Amla: Gosto azedo; combinação dos elementos fogo e terra.

Charaka Samhita: Os principais textos do Ayurveda. Acredita-se que têm 3 mil anos de idade e continuam sendo as principais fontes de referência para a maioria dos praticantes do Ayurveda.

Dal: Ensopado indiano clássico, que pode ser feito com diferentes leguminosas. Originalmente o termo se refere ao feijão-guandu, uma leguminosa conhecida como *tur dal*.

Deepana: Acender o fogo digestivo.

Dinacharya: Literalmente, "seguir o dia"; refere-se às rotinas diárias que promovem o equilíbrio.

Dosha: O que causa desequilíbrio; compostos biológicos essenciais presentes no organismo.

Gunas: Qualidades ou atributos encontrados nos cinco elementos e, portanto, em todas as coisas.

Kapha: A energia da estrutura e da lubrificação, da coesão; combinação dos elementos terra e água.

Kashaya: Sabor adstringente; combinação dos elementos terra e ar.

Katu: Sabor pungente; combinação dos elementos fogo e ar.

Kichari: Termo genérico no Ayurveda para um ensopado de arroz e leguminosas.

Lavana: Sabor salgado; combinação dos elementos fogo e água.

Madhura: Sabor doce; combinação dos elementos água e terra.

Nasya: Administrar medicamentos pelas narinas.

Neti: Irrigar a passagem nasal com água salgada, geralmente usando um recipiente especial chamado pote *neti*.

Ojas: Literalmente, "vigor"; o fluido nutritivo do organismo; a essência da imunidade.

Pachana: Digerir; no Ayurveda, é um meio para melhorar a digestão.

Panchakarma: Literalmente, "cinco ações"; uma desintoxicação ayurvédica usando cinco métodos diferentes de tratamento.

Pancha Mahabhutas: Os cinco grandes elementos; éter, ar, fogo, água, terra.

Pitta: Aquilo que transforma ou digere; combinação dos elementos fogo e água.

Prajnaparadha: Crimes contra a sabedoria.

Prana: A energia vital do universo.

Rasayana: Literalmente, "caminho da essência"; a ciência de prolongar a vida; uma combinação medicinal de substâncias para melhorar a imunidade.

Rtucharya: Regime sazonal; a mudança das estações.

Sattva: A energia da paz, da clareza e da inspiração.

Tejas: Energia metabólica; a essência energética sutil de *pitta*; confere brilho ao corpo.

Thali: Refeição que consiste de arroz e vários pratos regionais de carne ou vegetais.

Tikta: Sabor amargo; combinação dos elementos éter e ar.

Vata: O que se move; combinação dos elementos ar e éter.

Vipak: O efeito pós-digestivo que uma substância exerce no organismo.

Agradecimentos

Gostaria de agradecer a muitas pessoas que apoiaram a realização deste livro do início ao fim. Em primeiro lugar, agradeço à fotógrafa Cara Brostrom, cujas contribuições vão muito além das fotos. Nós duas gostaríamos de agradecer a todos que se uniram aos nossos esforços.

Aqui vão nossos agradecimentos de coração:

Ao pessoal da Shambhala Publications e, acima de tudo, à "parteira" do livro, Rochelle Bourgault.

Aos leitores e editores ayurvédicos: Dr. Robert Svoboda, Hilary Garivaltis, Erin Casperson (três estrelas de ouro), Kristen Rae Stevens e Bobbie Jo Allen.

A duas colaboradoras especiais que participaram com alegria da nossa cozinha e tiveram que experimentar várias combinações incompatíveis de alimentos em nome do Ayurveda: Erin Casperson e Risa Horn.

À nossa *designer*, Allison Meierding, que deu apoio ao livro desde o início.

Pelas finas toalhas de mesa: Wendi Wing, Dorothy Fennell e Allison Meierding.

Pelos produtos ayurvédicos: Pure Indian Foods e Banyan Botanicals.

Aos testadores: Risa Horn, Dane Smith, Allison Meierding, Erin Casperson, Patty Crotty, Lauren Varney, Bristol Maryott, Bharti Thakkar, Emily Griffin, Beth Rausch, Birgit Wurster, Ellise Basch, Rich Ray.

Ao olhar aguçado de Laura Shaw Feit.

Às babás: Emily Morris e Shannon Maguire. E a Beth Brostrom, que veio especialmente a Boston para cuidar deste bebê quando os prazos ficaram apertados.

À família: à minha mãe e a meu pai, por me dizerem que o livro era fantástico, desde o primeiro dia. A Rich Ray e a Chris e Evelyn Okerberg por seu amor e seu apoio incondicional.

Aos meus gurus de yoga e de Ayurveda e a todos os meus alunos de yoga e clientes de Ayurveda, por seu apoio durante toda esta jornada.

Índice

abhyanga (massagem com óleo), 82, 84, 239, 293
   durante uma limpeza, 293-94, 296-01
   sazonal, 135, 175, 213, 251
abóboras, assadas, 238
açúcar, 64
agave, 64
agni, 35, 43, 113
   Ver também fogo digestivo (*jathara agni*)
ahara rasa (suco dos alimentos), 22, 43, 51
alergias, 28, 40, 300
   comida, 113, 293, 297
   sazonal, 83, 134, 175
algas, 266
água floral de rosas, 83, 290, 292
alho, 41, 65, 143, 237
alimentos fermentados, 289
alimentos refinados, 63-65
alimentos
   armazenamento, 71-76
   benefícios dos alimentos frescos, 56, 63, 71, 76, 78, 122, 192, 199, 208, 226, 257, 308
   combinações de, 61-62, 170
   relacionamento com os, 50
almoços
   Assado de Legumes Temperados com Molho de *Tahine* Batido, 219
   Dal de Abóbora Vermelha, 222
   Dal de Brotos de Feijão-Mungo com Iogurte, 263
   Dal Picante Estilo-*Andhra*, 146
   Dal Quentinho de Tomate, 257
   Dal Saag Rápida, 226
   Dosa, 107, 109
   Hambúrguer de Feijão-preto e Aveia, 258
   Huevos Rancheros e Picadinho de Couve-de--bruxelas, 259
   importância dos, 54
   Piquenique de Arroz de Limão-siciliano com *Palya* de Beterraba e *Raita* de Pepino, 181-82
   Salada de Quinoa *Maha*, 189
   Sambar do Sul da Índia, 140
   Sopa de Abobrinha libanesa com Abacate e Salada de Pepino, 185
   Sopa de Feijão-branco com Aspargos, 144
   Sopa de Milho com *Chana Dosa* Fácil, 185, 187
   Sopa Simples de Feijão-preto, 225
   Sopas Cremosas de Legumes, 102-03
   Tacos de *Tofu* com Verduras, 143
   Tigelas de Saladas Cozidas no Vapor, 104, 105
ama (matéria não digerida), 44, 56-7, 60, 76, 93, 113, 137, 191
amaranto, 94, 99, 310
Amêndoas Torradas em Xarope de Bordo, 271
amêndoas, 124, 304
   Ver também Leite de Amêndoas; Amêndoas Torradas em Xarope de Bordo

amendoim, visão ayurvédica dos, 275
Ananda-Coco, 199
ansiedade, 27, 38, 64, 212
   receitas para equilibrar, 232, 239, 272, 275, 280, 314
apetite, estimulando o, 56-57
arroz basmati, 99, 110, 112, 114, 155, 181, 310
Arroz Basmati, 114
arroz, 114, 181, 312
   Ver também arroz basmati
artha (uso indevido dos órgãos dos sentidos), 39, 40-01
Ashtanga Hridayam (*Vagbhata*), 22, 29, 240
Ashwagandha, 243, 275, 281
Assado de Legumes Temperados com Molho de *Tahine* Batido, 219
aveia, 94, 99, 258, 310, 312

banana, 62, 196
batata-doce roxa, 253
batata-doce, 253, 271, 272
bebendo, 51, 56
Bebidas
   Beterraba Real, 176, 315
   Chocolate Quente Medicinal, 243
   Falso Coquetel de Menta, 202
   leites de castanhas secas, 124-25
   Limonada com Cardamomo, 201
   Masala Chai, 282
   Matinal Fácil, 120
   picante, 57
   Refresco de Melão e Manjericão, 205
   Refresco-O-Rama, 162
   Smoothie Condimentado de Leite de Amêndoas, 239
   Suco Verde Depurativo, 165
   Tônico Rejuvenescedor de Inverno, 281
   Ver também *lassis*; chás
Beterraba Real, 176, 315
beterraba, qualidades, 228
Bisque de Batata-Doce, 272, 314
Bolinhos de Cereja e Painço, 137, 315
Bomba de Batata-Doce, 227
Bomba de Gengibre, 57
Brotos de Feijão-Mungo, 264

cacau, 243
café, 82, 120
caixa de especiarias masala, 75
Caldo de Legumes, 129
carne, visão ayurvédica sobre a, 65
castanhas secas, comprando e armazenando, 76
cebolas, 41, 65, 143
ceias
   Bisque de Batata-Doce, 272

Bomba de Batata-Doce, 227
Croquetes de Feijão-branco e Alcachofra, 152
Espaguete com *Nori* Torrado e Gomásio Mineral, 266
Espaguete de Abobrinha libanesa Cozida no Vapor com Molho de Iogurte de Endro, 192
patês de feijão, 115, 117
ritmo das, 53
Salada de Beterraba Crua com Limão e Hortelã, 228
Salada Especial da Kate, 195
Sopa *Dal* Detox, 191
Sopa de Abóbora com Sementes Umê, 232
Sopa de Cenoura e Gengibre com Grão-de--Bico Torrado, 149
Sopa de Couve-Flor e Alho-Poró, 151
Sopa de Erva-Doce e Endro, 193
Sopa Surpresa de Brócolis Cremoso, 231
sopas verdes, 118-19
Tofu Simples de Fogão, 147
Torta Mista de Batatas com Amêndoas Torradas em Xarope de Bordo, 271
Wraps de Couve-manteiga com Patê de Lentilhas Vermelhas, 269-70
centeio, 94, 99, 310
Cereal Revigorante de Frutas Vermelhas, 82, 136, 315
cevada, 94, 99, 310, 312, 314, 315
Chá Digestivo
　de Inverno, 280
　de Outono, 240, 315
　de Primavera, 161, 314
Chá Matinal Tranquilizante, 120
Chana Dosa Fácil, 186, 188, 315
Charaka Samhita, 16, 47
chás, 57, 161, 240, 280, 282
Chocolate Quente Medicinal, 243
Chutney
　de Coentro e Hortelã, 82, 208, 315
　de *Cranberry* e Cravo, 245, 315
　de Manga Verde e Gengibre, 286
　de Romã e Uva-Passa, 170
　de Tomate e Tâmaras, 288
climas
　adaptando-se às diferenças nos, 79-80
　interno, 80
comer em excesso, 30, 44, 158
Compota de Maçãs com Tâmaras, 218, 314
congestão, 28, 38, 43, 82, 83, 297
　na primavera, 134, 135, 299
　receitas para equilibrar, 57, 99, 140, 146, 161, 162, 165, 314
　Ver também neti (irrigação nasal)
Cookies
　de Amêndoas com Gengibre, 276
　de Gergelim, 237
　Trufados de Amendoim, 237
corpo
　ciclos sazonais e, 36-40
　clima interno do, 80-83
　ritmo do, 58-59, 61

visão ayurvédica do, 23 (*ver também* elementos, cinco)
cozido completo, 62-63
Creme de Avelã Notella, 156
Creme de Cereais, 79-80, 94
crianças, adaptação para, 79
Croquetes de Feijão-Branco e Alcachofra, 152
curry, 191

Dadinhos de Proteína de Cânhamo, 47, 180
Dal
　de Abóbora Vermelha, 222
　de Brotos de Feijão-Mungo com Iogurte, 263
　Picante Estilo-Andhra, 146, 314
　Quentinho de Tomate, 257
　Saag Rápida, 226
dals
　abóbora vermelha, 222
　brotos de feijão-mungo, 263
　com *saag*, 226
　em patês, 117
　para *kichari*, 110
　picante estilo-*andhra*, 146
　Sopa *Dal* Detox, 191
　tomate, 140, 257
　usado em *dosas*, 107
desejos, 42, 50, 57
desequilíbrio
　alimentos que promovem, 63-65
　climas internos e, 81-83
　desejos e, 42, 50, 57
　dos cinco elementos, 23
　dos *doshas*, 26, 27, 28
　em *gunas*, 29
　sazonal, 134, 174, 212, 250, 300
　sinais de, 42-43
　três principais causas de (*trividhakarana*), 39-42
desequilíbrios da pele, 42, 83, 212
　ressecamento, receitas para equilibrar, 96, 124-25, 130-31, 278, 315
　vermelhidão, receitas para equilibrar, 118, 165, 176, 191, 208, 315
dicas para transportar alimentos, 84-85, 214
dificuldade para dormir, 40, 83, 297
　receitas para equilibrar, 110, 239, 280, 315
digestão
　Ayurveda, importância na, 20, 22, 23, 26, 99, 113
　incompleto, 61
　desequilíbrios em, 28, 32, 149, 158, 214
　melhorando, 36, 56-58, 59, 84, 96, 118, 122, 171, 300
　mudanças sazonais, 38-39, 244
dinacharya (práticas diárias), 88-89, 290-95, 298, 300
doença, 17, 24, 39-43, 58, 93
dor de cabeça, 65, 83, 296
　receitas para equilibrar, 99, 95, 191, 205, 315
dosa(s), 64, 107, 109, 186, 188
doshas, 23-24, 26-28, 297

elemento
　água, 25, 35, 134, 174
　ar, 25, 27, 35-36, 212, 250
　espaço, 24, 27, 35-36
　　Ver também éter
　fogo, 25, 27, 35, 36, 174, 212
　terra, 26, 28, 35, 36, 134
elementos, os cinco (*pancha mahabhutas*), 23, 24-26, 28, 34, 35, 134, 170, 176, 212
　Ver também climas, internos; *elemento individual*
eliminação, 23, 27, 56, 84, 113, 228
ervas, comprando e armazenando, 72, 74, 209
escovação a seco, 135, 290, 291, 293, 298
Espaguete com Nori Torrado e Gomásio Mineral, 266, 267
Espaguete de Abobrinha libanesa Cozida no Vapor com Molho de Iogurte de Endro, 192
especiarias *deepana*, 56-57
especiarias *pachana*, 56-57
especiarias
　comprando e armazenando, 72-74, 75
　deepana e *pachana*, 56-57
　mistura diária, 127-28
　misturas sazonais, 166, 209, 244, 285
　para o fogo digestivo, 44, 57
　torrar a seco, 304
estévia, 97
estresse, 40, 41, 47, 58, 240, 275
éter, 23, 35, 212, 250
　Ver também elemento espaço
extras, 90

Falso Coquetel de Menta, 202
famílias, cozinhando para a 78-79
farinha de trigo, 63-64
feijão, 115, 225, 264, 276, 277, 279
feijão-azuqui, 117, 277, 279
feijão-mungo, 93, 107, 264, 309, 311
　Ver também dals; *Kichari*
feijão rancheiro, 260
fogo digestivo (*jathara agni*), 25, 43-45, 53-55, 127
fome, 43, 44, 50, 53, 56
Frittata, 100
frutas, 61-62, 76, 77

ganho/perda de peso, 28, 38, 51, 65, 83, 115, 118, 136, 218, 227, 250, 293
gases e inchaço, 25, 27, 42, 61, 63, 83, 212, 214, 234
　feijão, e, 225, 308
　receitas para equilibrar, 57, 110, 122, 240, 315
gengibre, 44, 57, 74, 137, 231, 246, 299
germinação, 264, 305
ghee, 44, 47, 76, 79, 130
Ghee, 47, 76, 130-31, 315
gomásio, mineral, 267
gostosuras
　Ananda-Coco, 199
　Cookies de Amêndoas com Gengibre, 276

Cookies de Gergelim, 237
Cookies Trufados de Amendoim, 237
Creme de Avelã Notella, 156
Kheer Light, 155
Lascas de Chocolate, 278
Maçã Assada, 234
Maçã Crocante da Kate, 233
melhor digestão das, 56
Molho Doce de Frutas Vermelhas, 158
Pudim de Abóbora-Moranga e Chia, 238
Pudim de Arroz com Leite de Coco, 200
Pudim de Arroz-Doce com Castanhas, 155
Tâmaras Recheadas, 279
Trio de Saladas de Frutas, 196
Trufas de Manteiga de Girassol, 275
Grão-de-Bico Torrado, 149
grão-de-bico, 206, 309, 311
　Ver também Chana Dosa Fácil; Grão-de-Bico Torrado
grãos de trigo, 9, 310
grãos, 76, 114, 312
Guia de Alimentação Diária, 90-91
gunas. Ver qualidades, as vinte

Hambúrguer de Feijão-preto e Aveia, 258
húmus, 168, 206
Húmus com Ervas, 206
Húmus Picante de Feijão-preto, 168
horário das refeições, 53-55, 58, 59, 61
Huevos Rancheros e Picadinho de Couve-de-bruxelas, 259-60

inchaço. *Ver* gases e inchaço
Índia, 20-21, 38, 99
indigestão ácida, 28, 30, 42, 85, 214
　alimentos que afetam, 100, 143, 289
　receitas para equilibrar, 57, 99, 122, 161, 182, 193, 201, 209, 314
　sazonal, 38, 83, 174
inflamação, 27, 65, 174, 271, 300
　receitas para equilibrar, 315
inverno
　Bisque de Batata-Doce, 272
　Brotos de Feijão-Mungo, 264
　Chutney de Manga Verde e Gengibre, 286
　Chutney de Tomate e Tâmaras, 288
　Cookies de Amêndoas com Gengibre, 276
　Dal de Brotos de Feijão-Mungo com Iogurte, 263
　Dal Quentinho de Tomate, 257
　Espaguete com *Nori* Torrado e Gomásio Mineral, 266-67
　Hambúrguer de Feijão-Preto e Aveia, 258
　Huevos Rancheros e Picadinho de Couve-de--Bruxelas, 259-60
　Lascas de Chocolate, 278
　Lassi de Açafrão, 284
　Maçãs Fritas no *Ghee*, 255
　Masala Chai, 282
　Molho de Missô de Gergelim, 289
　Muffins de Batata-Doce com Aveia, 253
　Refeição Matinal de Trigo Bulgur, 254

sabores que equilibram, 38-39
Tâmaras Recheadas, 279
Torta Mista de Batatas com Amêndoas Torradas em Xarope de Bordo, 271
Trufas de Manteiga de Girassol, 275
visão geral da alimentação e estilo de vida, 249-51
Wraps de Couve-Manteiga com Patê de Lentilhas Vermelhas, 269-70
iogurte, 122, 192

Jois, K. Pattabhi, 67

kala (efeito sazonal), 39-40
Kanji, 99, 314, 315
kanjis, 99
kapha, 26, 28
karma, 39, 41-42
Kashi. Ver trigo-sarraceno
kefir, 122
kheers, 155, 200
Kichari, 79, 110, 113, 315
kombu, 35, 308

Lascas de Chocolate, 278, 315
Lassi
   açafrão, 47, 284
   de limão e gengibre, 59
   digestivo, 122,-23, 314, 315
laticínios, visão ayurvédica sobre, 100
leguminosas, comprando e armazenando, 76
Leite de Amêndoas, 124-25, 315
leite de cabra, 231
leites de catanhas secas, 124-25
lentilhas, vermelhas, 117, 257, 269-70, 309
letargia, falta de motivação, 38, 31, 38, 57, 83, 250
   receitas para equilibrar, 136, 165, 282, 315
levedura, nutricional, 147
Limonada com Cardamomo, 29, 82, 201, 314
limpeza, 38, 40, 118-19, 133, 296-301
listas de compras, 33, 72, 77, 92, 135, 175, 213, 251, 306-07

Maçã Assada, 234
Maçãs Crocante da Kate, 233
Maçãs Fritas no *Ghee*, 255, 314
maçãs, 218, 233, 234, 246, 255
Manteiga de Maçã com Gengibre, 246
Manteiga de Pera, 246
manteiga, clarificada. *Verghee*
Masala Chai, 282, 315
mel, *in natura*, 64-65, 137
mente
   alimentos que afetam, 30, 65, 208, 232, 279
   prana e, 45
   visão ayurvédica da, 20, 29
metabolismo, 25, 27, 44, 56, 158
micro-ondas para cozinhar, 55
Mistura
   de Especiarias de Inverno, 285
   de Especiarias de Outono, 244
   de Especiarias de Primavera, 166
   de Especiarias de Verão, 209
   Doce de Especiarias, 128
   Salgada de Especiarias, 127
Molho(s)
   de *Húmus* com Ervas, 206
   de *Húmus* Picante de Feijão-preto, 168
   de iogurte de endro, 192
   de Salada, 104
   de *tahine* batido, 221
   Doce de Frutas Vermelhas, 158
   Missô de Gergelim, 289
   Quente de Queijo de Cabra, Espinafre e Alcachofra, 169
   ranchero, 259
   Vinagrete Balsâmico de Mostarda, 171
Muffins
   Abóbora-Manteiga e *Cranberry*, 82, 217
   de Batata-Doce com Aveia, 253

nasya (lubrificação das narinas), 84, 213, 251, 291-93, 301
neti (irrigação nasal), 135, 213, 290, 291-93

ojas, 47, 96, 221, 281
óleos de massagem, 84, 290, 291, 294
   sazonais, 135, 175, 213, 251
   Ver também Abhyanga (massagem com óleo)
óleos, cozinhando, comprando e armazenando, 76
óleos, massagem. *Ver* óleos de massagem
olhos, cuidados com os, 84, 290, 291
orgânicos, importância dos, 93
organização de despensa, 71-78
órgãos dos sentidos, uso indevido dos. *Verartha*
outono
   Bomba de Batata-Doce, 227
   Chocolate Quente Medicinal, 243
   Chutney de *Cranberry* e Cravo, 245
   Compota de Maçãs com Tâmaras, 218
   Cookies de Gergelim, 237
   Dal de Abóbora Vermelha, 222
   Dal Saag Rápida, 226
   gostos que se equilibram, 38
   Maçã Assada, 234
   Maçã Crocante da Kate, 233
   Manteiga de Maçã com Gengibre, 246
   Manteiga de Pera, 246
   Pudim de Abóbora-moranga e Chia, 238
   purificar, 300-01
   Salada de Beterraba Crua com Limão e Hortelã, 228
   Sopa de Abóbora com Sementes Umê, 232
   Sopa Simples de Feijão-preto, 225
   Sopa Surpresa de Brócolis Cremoso, 231
   Taça de Figo, Aveia e Cardamomo, 214
   visão geral da dieta e estilo de vida, 211-12
ovos, 100-01, 217, 259-60

painço, 99, 137, 310, 312
Palya de Beterraba, 182

pancha mahabhutas. *Ver* elementos, os cinco
panchakarma (cinco ações), 297
panelas de pressão, 79, 302
pão sírio. *Verdosa*
pastinha de avelã, 156
Patês de Feijão, 115
patês, feijão, 115, 117
pêssegos, 179
Picadinho de Couve-de-bruxelas, 259
Piquenique de Arroz de Limão-siciliano com
   Palya de Beterraba e *Raita* de Pepino, 181-82
pitta, 26, 27-28
prajnaparadha (crimes contra a sabedoria),
   39, 42
prana, 45, 55, 59, 63, 240, 257
Primavera
   Bolinhos de Cereja e Painço, 137
   Cereal Revigorante de Frutas Vermelhas, 136
   Chutney de Romã e Uva-Passa, 170
   Creme de Avelã Notella, 156
   Croquetes de Feijão-branco e Alcachofra, 152
   Dal Picante Estilo-*Andhra*, 146
   Húmus Picante de Feijão-preto, 168
   Lassi de Limão e Gengibre, 159
   Molho Doce de Frutas Vermelhas, 158
   Molho Quente de Queijo de Cabra, Espinafre e
      Alcachofra, 169
   purificar, 298-99
   Refresco-O-Rama, 162
   sabores que se equilibram, 38
   Sopa de Cenoura e Gengibre com Grão-de Bico
      Torrado, 149
   Sopa de Couve-Flor e Alho-Poró, 135151
   Sopa de Feijão-branco com Aspargos, 144
   Sopa *Pho* Matinal, 139
   Suco Verde Depurativo, 165
   Tacos de *Tofu* com Verduras, 143
   Tofu Simples de Fogão, 147
   Vinagrete Balsâmico de Mostarda, 171
   visão geral de alimentação e estilo de vida,
      133-35
prisão de ventre, 27, 32, 40, 42, 64, 214
   receitas para equilibrar, 96, 118, 196, 218, 228,
      255, 314
   sazonal, 83, 212, 250
processadores de alimentos, 302
proteínas, vegetarianas, 147, 149, 174, 180, 186,
   189, 212, 217, 221, 251
Pudim
   de Abóbora-moranga e Chia, 238
   de Arroz com Leite de Coco, 200
   de Chia, 96, 314, 315
pudins de chia, 96-97, 238
purvakarma (ações preparatórias), 297

qualidades
   construtoras, 29-32, 38, 55, 64, 65, 155, 237,
      250-51, 253
   que dão leveza, 29-32, 36, 133, 213
   as vinte (*gunas*), 29-36, 79, 134, 174, 212, 250
queijo, visão ayurvédica do, 169

quinoa, 94, 99, 189, 310, 312

Raita de Pepino e Hortelã, 182, 314
raita, 182
rajas, 208, 279
raspagem da língua raspagem, 84, 290, 291,292
Receitas para o Dia a Dia, Conceitos Básicos para
   Entender as, 68, 69, 78-73
Refeição Matinal
   de Coco Cremoso com Pêssego e Cevada, 179
   de Trigo Bulgur, 254
refeições em restaurantes, 85
refeições leves, 71
refeições matinais
   Beterraba Real, 176
   Bolinhos de Cereja e Painço, 137
   cereais cremosos, 94
   Cereal Revigorante de Frutas Vermelhas, 136
   frittatas, 100-01
   kanjis, 99
   Maçãs Fritas no *Ghee*, 255
   Maçãs Refogadas com Tâmaras, 218
   Muffins de Abóbora-Manteiga e *Cranberry*, 217
   Muffins de Batata-Doce com Aveia, 253
   pudins de chia, 96-97
   Refeição Matinal de Coco Cremoso com
      Pêssego e Cevada, 179
   Refeição Matinal de Trigo Bulgur, 254
   Taça de Figo, Aveia e Cardamomo, 214
refogado, 110, 130, 305
Refresco de Melão e Manjericão, 205, 315
Refresco-O-Rama, 162, 314
rendimento das receitas, 78
retenção de líquido, inchaço, 83
   receitas para equilibrar, 99, 137, 186, 188, 245,
      315
Rig-Veda, 20
rtucharya (regime sazonal), 36-39

sabores, os seis, 34-36, 38, 134, 174, 212, 250
Sais
   de Inverno, 285
   de Outono, 244
   de Primavera, 166
   Digestivos, 128
Salada
   Cozida no Vapor, 79, 104, 106
   de Abacate e Pepino, 185
   de Beterraba Crua com Limão e Hortelã, 20,
      29, 228, 314
   de Quinoa *Maha*, 189
   Especial da Kate, 195
Sambar do Sul da Índia, 140, 314
sambar. *VerSambar* do Sul da Índia
sattva, 65, 257
sementes, 76, 94
   de abóbora, 232
   de cânhamo, 94
   de chia, 96, 176, 238
   de gergelim, 237, 267, 289
   de girassol, 76, 228, 275

ÍNDICE

327

de linhaça, 94, 217
de mostarda, fritar, 146
Sinais e Sintomas Sazonais, 83
sintomas, tabelas de, 38-39, 214-15
sistema imunológico, imunidade, 20, 28, 43, 47, 65, 237, 243, 295, 300
sistema linfático, 25, 298, 300
Smoothie Condimentado de Leite de Amêndoas, 47, 62, 214, 239, 314, 315
smoothies, 62, 239
sobras, visão ayurvédica sobre as, 56, 59, 78
sobremesas. *Ver* gostosuras
solanáceas, 65, 271
Sopa
    abobrinha libanesa, 185
    Bisque de Batata-Doce, 272, 314
    caldo de legumes, 129
    Cremosa Surpresa, 102-03
    Dal Detox, 191, 315
    de Abóbora com Sementes Umê, 232, 314
    de Abobrinha libanesa, 185
    de Cenoura e Gengibre com Grão-de-Bico Torrado, 149
    de Couve-flor e Alho-poró, 151
    cremosa surpresa, 102
    de Erva-Doce e Endro, 193, 314
    de Feijão-branco com Aspargos, 144
    de feijão-preto, 225
    de Milho com *Chana Dosa* Fácil, 186, 188
    Pho Matinal, 82, 139
    sambar, Sul da Índia, 140
    Simples de Feijão-preto, 225
    Surpresa de Brócolis Cremoso, 231
    Verde de Limpeza, 78, 118-19, 314, 315
suco dos alimentos. *Verahara rasa*
Suco Verde Depurativo, 165, 314, 315
Sushruta Samhita, 22

tabelas de variações sazonais
    cereais cremosos, 94
    frittatas, 101
    kanjis, 99
    kicharis, 112
    leites de castanhas secas, 125
    patês de feijão, 117
    pudins de chia, 97
    saladas no vapor, 106
    sopas cremosas de legumes, 103
    sopas verdes de limpeza, 119
Tacos de *Tofu* com Verduras, 143
tacos, *tofu*, 143
tâmaras, 47, 76, 79, 196, 218, 279, 281, 288
Tâmaras Recheadas, 47, 279
tamas, 65
taxa de açúcar no sangue, 36, 56, 58, 64, 76, 97, 136, 161, 191, 297, 298, 300
técnicas culinárias, 59, 304-05
tejas, 44

Tofu Simples de Fogão, 147
tofu, 147, 266
tomate, 65, 91, 140, 288
Tônico Rejuvenescedor de Inverno, 47, 62, 79, 281, 282
torrar a seco, 304
Torta Mista de Batatas com Amêndoas Torradas em Xarope de Bordo, 271
trabalho, comer no, 55, 56
trigo bulgur, 94, 254, 310, 312
trigo-sarraceno, 99, 136, 310, 312
Trio de Saladas de Frutas, 196
trifala, 84
trividha karana. *Ver* desequilíbrio, as três principais causas de
Trufas de Manteiga de Girassol, 275, 314

utensílios de cozinha, 303-04
utensílios, preparação de alimentos, 302-05

vata, 26, 27, 240
vegetarianismo, 65
verão
    Ananda-Coco, 199
    Barrinhas de Proteína de Cânhamo, 180
    Beterraba Real, 176
    Chutney de Coentro e Hortelã, 208
    Espaguete de Abobrinha libanesa Cozida no Vapor com Molho de Iogurte de Endro, 192
    Falso Coquetel de Menta, 202
    gostos que se equilibram, 38
    Húmus com Ervas, 206
    Limonada com Cardamomo, 201
    Piquenique de Arroz de Limão-siciliano com *Palya* de Beterraba e *Raita* de Pepino, 181-82
    Pudim de Arroz com Leite de Coco, 200
    Refeição Matinal de Coco Cremoso com Pêssego e Cevada, 179
    Refresco de Melão e Manjericão, 205
    Salada de Quinoa *Maha*, 189
    Salada Especial da Kate, 195
    Sopa *Dal* Detox, 191
    Sopa de Abobrinha libanesa com Abacate e Salada de Pepino, 185
    Sopa de Erva-Doce e Endro, 193
    Sopa de Milho com Chana *Dosa* Fácil, 186, 188
    Trio de Saladas de Frutas, 196
    visão geral da alimentação e estilo de vida, 173-75
vinagre balsâmico, 171, 195
Vinagrete Balsâmico de Mostarda, 171
visão microcósmica/macrocósmica, 22, 23, 26
vivendo na cidade, 83

Wraps de Couve-manteiga com Patê de Lentilhas Vermelhas, 269-70

yoga, relação com o Ayurveda, 22-23